COLOSSUS

The Rise And Fall Of The American Empire

巨人

[英] 尼尔· 弗格森◎著
NIALL FERGUSON

李承恩◎译
相蓝欣◎审校

中信出版集团 | 北京

图书在版编目（CIP）数据

巨人／（英）弗格森著；李承恩，相蓝欣译. —北京：中信出版社，2013.4（2024.5重印）
书名原文：Colossus：the Rise and Fall of the American Empire
ISBN 978-7-5086-3878-2
I. ①巨… II.①弗… ②李… ③相… III. ①美国－研究 IV.①D771.2
中国版本图书馆CIP数据核字（2013）第044755号

巨人

著　　者：[英] 尼尔 · 弗格森
译　　者：李承恩
审　　校：相蓝欣
出版发行：中信出版集团股份有限公司
（北京市朝阳区东三环北路27号嘉铭中心　邮编　100020）
承 印 者：北京通州皇家印刷厂

开　　本：787mm×1092mm　1/16　　印　　张：21　　字　　数：280千字
版　　次：2013年4月第1版　　印　　次：2024年5月第7次印刷
京权图字：01–2012–6777
书　　号：ISBN 978–7–5086–3878–2 / D · 255
定　　价：69.00元

目录

COLOSSUS

引言

COLOSSUS

半岛电视台：当你们入侵伊拉克时，这种武力行为可能会让人感觉美国正变成一个帝国，一个殖民主义国家，你是否会为此感到担忧？

拉姆斯菲尔德：嗯，我想一定有一些人会那样说，但这不是真的，因为我们不是殖民国家。我们从不曾是殖民国家。我们没有带着部队于世界之中游走，到处掠夺别人的房产或别人的资源、石油——那恰恰不是美国的所作所为。我们从来没有干过那样的事情，也永远不会那样干。那不是民主国家的行为。缔造帝国的苏联是那样做的，但美国不会那样做。

半岛电视台采访拉姆斯菲尔德，2003 年 2 月 27 日

他们经常玩“孤注一掷”，在这种棋盘游戏中用以颜色编码的部队竞相夺取世界……通常要耗费数个小时，因此用来打发时间很好。一等大兵杰夫 · 杨……很擅长玩这个游戏，其他人便联合起来将他先淘汰出局。

马克 · 博顿，《黑鹰号事件》

帝国时代

“帝国时代”是当今世界最风行的电脑游戏之一。我那10岁大的儿子一度数月沉溺其中。游戏中假定世界历史就是帝国冲突的历史，彼此敌对的政体之间竞相控制有限的资源：人口、沃土、森林、金矿和水上通道。在他们无休止的争战中，互相竞争的帝国必须在寻求经济发展和紧迫战事间找到平衡。太具侵略性的玩家如果不下力气维护现有的领土、扩张人口、囤积黄金的话，将很快耗尽资源。而过于专注发展经济的玩家如果忽略了其军事防御能力，则很可能遭到外敌入侵。

毫无疑问，许多美国人都玩“帝国时代”游戏，就像摩加迪沙的美国巡逻骑兵当初玩的棋盘游戏“孤注一掷”一样。但显然很少有美国人——或者换句话说，特别是很少有美国士兵愿意承认他们的政府正在现实中玩着这场游戏。

本书不仅要阐明美国是一个帝国，而且还要讨论美国从来就是一个帝国。之前已有许多作者对此发表过评论，我对大多数观点不敢苟同，原则上我对美利坚帝国这一概念并不反感。事实上，我认为世界上许多国家会从一段时期的美国统治中得到实惠，但是当今世界需要的并不是任何形式的美国统治。这个世界需要的乃是一个崇尚自由的帝国——也就是一个不仅保障商品、劳动力和资本自由交易的帝国，而且还是一个能够创造种种条件并为其提供支撑的帝国。若缺少了这些条件，市场便无法顺利运作，这些条件即是和平与秩序、法治、廉洁的行政管理、稳定的财政和货币政策。同时，它还要提供公共设施如交通运输、基础设施、医院和学校，没有政府干预，这些公共设施也是无法建设的。本书提出的一个重要问题是美国是否能够成为一个成功的自由帝国。尽管美国似乎在经济、军事和政治等许多方面有得天独厚的优势来经营这样一个“自由的帝国”（托马斯·杰斐逊语），但在实践中，美国却是一个无能的帝国缔造者，这一点令人感到惊奇。由此我要说明的是为何美国感到做一个帝国如此艰难；为何帝国事业通常如此短寿，其成效也如此转瞬即逝。

我写作的部分动机只是想简单地从许多很普通的方面来解释美国历史，它与另一个帝国的历史别无二致。我不追求其历史“例外论”的一面，但许多美国人却仍然这样看待美国历史。然而我却又想描绘美利坚帝国的一些特性，它既有其诸多突出优势也有不少使其衰败的劣势。本书将本世纪初的一些事件——尤其是“9·11”恐怖袭击事件，入侵阿富汗和伊拉克——放在长远历史的历史环境中来观察，这些事件并不像人们通常认为的那样与美国的历史传统不符。从某种程度上说这是一本研究当代政治经济学的著作，有感于我曾大半年在美国生活的经历，但它主要仍是一部历史著作。同时，又不可避免地同未来发生联系，更确切地说是与未来可能发生的几种前景有关。本书后几章对美利坚帝国最终能支撑多久提出了疑问。

美利坚帝国是否比其他任何一个帝国都更为强悍，就像屹立于古希腊罗德港的巨人那样驾驭世界呢？或者它只是《圣经》中的歌利亚巨人，虽然体形庞大却被矮小灵活的敌人用一个弹弓就轻易击倒了？亦或，美国实际上会更像被无法推卸的责任所困的参孙，在加沙瞎了眼睛，最后只能采取盲目的摧毁行动？同所有历史问题一样，只有将美利坚帝国与之前的帝国进行对照和反证，既要思考其他可能的过去，又要考虑未来可能发生的几种前景，才能得出这些问题的答案。

帝国否定说

过去只有美国外交政策的批评者们才会使用“美利坚帝国”这一提法。当然，冷战期间的苏联人和中国人也会反复使用“美帝国主义”概念——还有许多西欧、中东和亚洲的作者们，虽然他们不都是马克思主义者。但民粹主义者也好，进步论者也罢，抑或社会主义者，他们声称海外扩张是受邪恶的工商利益驱使这一点，与美国人对19世纪晚期和20世纪早期的海外扩张进行的批评并无太大不同。乔伊斯与盖布里尔·考尔科等历史学家认为冷战并非是由于苏联人的缘故，而是因为美国自1945年之后采取的侵略性政策所造成的。由于当时正在发生越南战争，这个观点对一代学子们更具吸引力。越战则被看成美国外交政策强行推进新殖民主义的铁证。而罗纳德·里根政府对重振美国军事实力的主张，则激起了各种强烈抵制“帝国诱惑”的警告。

对美国外交政策进行极端批评的传统并无减弱的迹象，那独有的痛苦语调仍不绝于耳，例如查默斯·约翰逊、威廉·布卢姆和迈克尔·哈德逊等作者笔下的作品，与早期反帝国主义者们的种种责难相互应和着（其中一些老一辈评论家们的声音至今仍不甘寂寞）。然而对美利坚帝国的批判从来不是左翼政党主导的领地。在戈尔·威达尔的眼中，古罗马共和国的悲剧正在作为一场闹剧重演，所谓的“国家安全政治体制”正在无情地侵蚀政治精英的特权。威达尔本人也是精英的一分子。与此同时，极右派代表人物帕特·布坎南继续用过时的孤立主义的言词来攻击东部势力集团中的国际派，这些国际派期望将美国卷入旧欧洲的矛盾和争斗中——与美国开国之父的初衷相悖。在布坎南看来美国没有遵循古罗马的模式而是遵循英国模式，美国曾经对英国批判有加，现在却亦步亦趋。其他的主流保守派人士特别是克莱德 · 普莱斯托维茨也对所谓的“新保守主义分子的帝国事业不屑一顾”。

然而，越来越多的评论家开始使用美利坚帝国这一概念了，如果说语气上仍有摇摆不定之嫌的话，至少不那么轻蔑了，有时人们还带着由衷的热情。之后效力于布什政府、担任国务院政策规划司主任的理查德 · 哈斯2000年11月在亚特兰大的一次会议上作发言，公然倡导一个“非正式”的美利坚帝国概念。他认为美国人需要重新考虑他们的全球角色定位，要从传统的单一民族国家转变为一个强权帝国。在当时，这可是个大胆的用语。人们很容易忘记正是乔治 · W · 布什在2000年总统竞选中，指责克林顿–戈尔政府采用太多“目的不明确的军事部署以及目标不清晰的军事行动”。2001年8月担任“美国新纪元”项目代理执行主任的汤马斯 · 唐纳力告诉《华盛顿邮报》：“并没有那么多人愿意公开谈论它（帝国）。”这个词让许多美国人感到不安。因此他们采用类似“美国是唯一的超级强权”这样的代用语。

对帝国概念的种种疑虑，在2001年“9 · 11”恐怖袭击事件之后似乎消失了。在世贸中心被炸仅一个月之后，马克斯 · 布特就在给《旗帜周刊》撰写的一篇言词犀利的文章中明确地使用了“美利坚帝国合理论”和“当今的阿富汗和其他麻烦国家”等词语。布特声称“世界迫切需要那种开明的由外人管理的体制，身穿马裤、脚蹬马靴、头戴软盔且自信十足的英国人就曾经输出过这种管理体制。”第二年，当他的《小规模战争史》一书问世时，标题就取自拉迪亚德 · 吉卜林臭名昭著的《白人的负担》一诗，此诗写于1899年，劝告美国政府将菲律宾纳入美国殖民地。新闻记者罗伯特 · 卡普兰在他的《尚武政治学》一书中也采纳了帝国的概念。他认为："未来的历史学家们在回顾21世纪的美国时，将认为美国既是一个帝国又是一个共和国。"卡普兰在一次采访中说道："帝国有其积极的一面，从某些方面而言它是最为仁慈的秩序形式。"另一位保守派专栏作家查尔斯·克劳塞默则察觉到人们语气的转变，他告诉《纽约时报》的记者，说"人们开始光明正大地谈论帝国说"。迪奈希·德索沙在《基督教科学箴言报》中表示赞同"美国已经成为了一个帝国，但所幸的是它是有史以来最开明的帝权"。他的结论是"让我们享有更多这样的帝权"。记者塞巴斯蒂安·马拉比2002年在《外交事务杂志》一书中，提出美国"新帝国主义"概念是因世界上那些"失败国家"所导致的混乱局面的最佳补救良药。迈克尔·伊格那蒂夫在近期一份读物中批评美国在波斯尼亚、科索沃和阿富汗的所谓"国家再造"成果不够帝国化，缺乏成效。

也许，最好将马拉比和伊格那蒂夫描述成自由派干涉主义者。自由派干涉主义者所支持的正是为埃里克·霍布斯堡所不屑的"人权帝国主义"。但大多数新帝国主义者都是新保守主义分子，他们的观点在2003年美国入侵伊拉克期间或之后涌现出来。詹姆士·库尔斯在《国家利益》杂志有关帝国的特刊中写道："今天只有一个帝国……美国是全球性的帝国，美国军人是传奇式的大英帝国文官的真正传人，且不仅仅继承了富有献身精神的大英帝国武官们的传统。"《旗帜周刊》主编威廉·克里斯托尔2003年在福克斯新闻中声称"若要变强大，我们需要犯错。如果有人想说我们是帝国主义强权，无所谓"。同月间，《华尔街日报》暗示，美国可采用19世纪中叶英国海军打击奴隶贸易的模式设立殖民部，以便更好地管理在中东和亚洲新获取的财产。

五角大楼里，最常与“新帝国主义”联系在一起的人物是国防部常务副部长保罗·沃尔福威茨。此人在老布什政府担任国防部副部长时，提出“美国外交政策的目的应该是说服潜在对手们不要奢望扮演更重要的角色，也不要妄想摆出更具攻击性的姿态来保护他们的合法权利”。他以这样的言论而获得恶名。那句在1992年写的话在当时备受争议，但现在看来实在是平淡无奇。9年之后，国防部长办公室在新港海军战争学院组织了一次夏季研习班，旨在探究“长期（50年）维持美国优势的各种战略途径”。此次研习班将美国同古罗马、中国、奥斯曼帝国和大英帝国之间分别作了详细对比。对于美国高级军官而言，这些相似之处显然并没什么令人意外的。2000年安东尼·济尼将军——后来成为美国中央军区司令，告诉记者丹娜·普利斯特说他已成了现代总督，历史上那些尚武政治家们的传人。那些人管辖着古罗马的偏远领地，给那些地方带去了尊崇法律的罗马的秩序和理念。很难说这一点具有讽刺意味。

在官方层面上，美国一直都否认自己是帝国。大多数政治家都会认同历史学家查尔斯·比尔德早在1939年总结的观点：“美国不会成为罗马帝国也不会成为大英帝国，美国就是美国。”2000年，理查德·尼克松在他的回忆录里坚持自己的观点：“美国是唯一一个在周边邻国中不走帝国路线的大国。”此观点在过去的十年中始终被政策制定者们所推崇。用克林顿总统的国家安全顾问塞缪尔·R·桑迪·伯格的话来说：“我们是历史上第一个非帝国的全球大国。”一年之后小布什在竞选总统时对尼克松和伯格都作了呼应：“美国从来都不是帝国。我们可能是历史上唯一一个可以有机会成为帝国而拒绝成为帝国的大国。美国宁取崇高的理想而舍弃强权，宁取正义而舍弃荣誉。”入主白宫后，他多次强调过这个观点。入侵伊拉克前夕，小布什在美国企业研究所的一次演讲中声明："美国无意决定伊拉克要建立怎样的新政府，那是属于伊拉克人民的选择……我们只在需要的前提下驻留伊拉克，不会多待一天。世界大战之后美国就作了这样的许诺，并在和平年代里恪守了这样的许诺。打败敌人之后，我们留下的不是军队而是宪法和议会。"在2004年4月10日对伊拉克人民的电视演讲中，他反复重申美国并无帝国企图，他宣布："我们会帮助你们建立一个和平的代议制政府。这个政府会保护全体公民的权利。在这之后，我们的部队将会撤离，伊拉克将成为一个统一的、独立的主权国家。"5月1日，总统登上亚伯拉罕·林肯号航空母舰发表演说时，把话讲得更透彻："历史上其他的国家在别人的土地上打了胜仗都会驻留下来，占领并剥削这些国家。美国人打完仗后除了回家，什么都不做。"

这句话被国防部长唐纳德·拉姆斯菲尔德所引用，正如本书引言所显示的。事实上，这一点似乎是布什政府里所有重要人物达成一致意见的少数观点之一。国务卿科林·鲍威尔2003年在乔治·华盛顿大学发表演讲时强调："美国并不追求成为一个扩张疆域的帝国。我们从不是帝国主义者。我们寻求一个全世界人民都能享受的，而非少数特权阶层的人才能享受的自由、繁荣、和平的世界。"

很少有美国人会反对这一点。发人深省的是，2003年在接受皮尤全球态度民意调查的人中，5个美国人中有4个认可将美国理念和风俗习惯在全球范围广为传播。但同样的这些人被问及"这是否是由于美国帝国主义导致的结果"时，便很少有人表示赞同了。

弗洛伊德将"否认"定义为对心理创伤的一种原始心理防御机制。因此"9·11"恐怖袭击事件之后，美国人似乎不可避免会变本加厉地否认他们国家的帝国主义特征。然而随着美国对外政策由防卫转向进攻，便似乎不再有否认的必要了。除了它的名字，美国本身就是帝国，从这个角度来看，我们就能更明确地确定这个帝国的性质。

霸权与帝国

尤利乌斯 · 恺撒把自己称为古罗马的最高统治者，但从来不称自己是国王。他选中的继承人奥古斯都则喜欢用“第一公民”的称号。君主们可以随心所欲地使用他们自己喜欢的称号，帝国也一样。英格兰在成为大英帝国之前就被亨利八世宣布为一个帝国。相比较而言，美国虽然长期是一个帝国，却对此称号一直避而不用。

如果只是狭隘地对帝国进行定义，美国当然很容易就被排除在此行列之外。这里有一个典型的例子：“真正的帝国将对一个社会组织进行直接垄断和控制，并用武力确保实行。它意味着对司法行政及其定义进行直接垄断和控制。它意味着对所买所卖的物品、贸易条款以及贸易许可等等进行控制。不要再谈什么美利坚帝国了，因为美国现在不会这样做，将来也不会这样做。”对于一代迫切想要反驳苏联对美国指控的现实主义评论家们而言，他们常常辩驳说美国只是在 1898 年吞并菲律宾开始到 20 世纪 30 年代为止匆匆玩了一把这种正式帝国的游戏。然而，美国在“二战”之后的行为与之前有着本质的区别。近期的一种说法指出，美国不是一个具备掠夺意图的帝国，“它更关注提高地区稳定与安全，并保护国际贸易而不是以牺牲他国的利益来扩大它的强权。”

如果美国不是帝国，那它是什么呢？当美国过去极力“遏制”的那个帝国（前苏联）不复存在时，美国如何自我定位呢？定位的方法之一是“单极”世界中的“唯一的超级大国”。法国前外交部长休伯特·韦德里纳生造了一个词“超强大国”，这的确具有讽刺意味。菲利普·鲍比特将美国简单地看作是一个特别成功的单一民族国家，而有些作者则更偏好一些缺乏活力的词语如“全球领袖”之类。哈佛大学肯尼迪学院近期的系列讲座选择了一个不那么让人生厌的术语“独占鳌头”。不过迄今为止国际关系专家们使用最多的仍是“霸主”一词。

所谓的霸主究竟指什么呢？它仅仅是帝国的一种婉转的表达方式，还是指佼佼者的角色，一个联盟的领袖而非管辖帝国臣民的统治者？霸主的动机又是什么呢？它是否出于保障自身利益的目的对本国疆界之外的地区动用权威？抑或它是否无私地供应各种国际公益？

这个词原本是用来形容雅典和其他古希腊城邦之间的关系的，当时他们为了抵御波斯帝国入侵组成了联盟。雅典领导着其他联盟成员国，但是并不对它们进行统治。相反，所谓世界体系理论认为，霸主远远不只是领导作用，但也不至于是纯粹的帝国。然而，在另一个更为狭窄的定义中，20 世纪霸主的主要功能是确保一个自由的国际商业和金融体制运作。著名的霸主稳定理论虽然不太好听，但使人们开始意识到“二战”后的一个基本问题是一旦他国的经济受惠于美国霸主保障之下的自由经济秩序，美国在致力于维护自由贸易的道路上能走多远，又能走多久？美国人会不会为了延续他们的霸主地位重回贸易保护政策，还是会冒着相对衰落的危险坚持倡导自由贸易？这已被称为霸主的两难境地，对许多作者而言，其本质与大英帝国 1914 年前所面临的窘境是相同的。

但是，如果说大英帝国作为当时的全球霸主是美国的先驱的话，美国作为以英语为母语的帝国为什么不能同样成为大英帝国的后继者？如果说两者有什么区别的话，多数历史学家都会同意，美国1945年后的经济实力超出了1815年之后的大英帝国。1945年第二次世界大战的结束时期可以同拿破仑的法国战败之后的新的实力分布相提并论。首先，约1890年至1950年间美国所取得的非凡的生产力的增长超越了之前英国所取得的任何成绩，即便是在第一次工业革命的洪流中。其次，美国刻意运用其权力在关贸总协定（即后来的世界贸易组织）推进多边和相互平衡的关税削减。由此，肯尼迪回合谈判（1967年）和之后几轮的谈判所取得的关税降低，大部分归功于美国所施加的各种压力，比如美国对总部位于华盛顿的国际货币基金组织发放的贷款追加“制约条款”。相比较而言，19世纪自由贸易和自由航海的传播——一般认为这是大英帝国所带来的国际公益，它既是自然现象，也是大英帝国强权的直接后果。再者，据说好几届美国政府在布雷顿森林体系崩溃前后用美元的关键货币的地位牟利。美国政府则得以使用“纸金矿”并以制币税的形式从外国人手里聚敛钱财（他们先将美元和以美元计价的资产卖给外国人，然后使美元贬值，通过这种方式获利）。而金本位则没有为英国提供多少这样的好处，甚至带来了一些不利方面。最后，大英帝国统治下的和平主要依靠皇家海军，远远不如今日美国的军事力量所创造的全方位统治深入。整整一个世纪，除了克里米亚战争之外，英国都对通过军事手段干涉欧洲事务感到力不从心，而欧洲大陆恰恰是关乎其自身生死存亡的战场。当1914年和1939年英国被迫这样做的时候，它竭尽全力才取得了成功。于是我们得出了一个悖论，世界霸主可以比一个帝国更为强大。

如果帝国一词像许多美国评论家所假定的那样，仅仅表示对国外领地的直接统治，没有任何当地居民的政治参与，霸权与帝国的区分也许是合理的。不过研究帝国历史的学者们的概念框架则复杂得多。当时，像弗雷德里克·鲁瓦德这样的英属殖民地的行政长官清楚地明白“直接统治”与“间接统治”之间的区别。亚非地区大部分的英属殖民地都是通过间接方式进行统治的——就是通过当地掌权者代为统治，而非依靠大英帝国的总督来实现统治。约翰·加勒赫和罗纳德·罗宾逊则在他们1953年发表的一篇有重大影响的关于“自由贸易的帝国主义”的文章中阐述了另一个区别。这篇文章概述了维多利亚时代的英国人动用其海军和金融实力在殖民地范围之外打开市场。同样具有启示性的是现在广为接受的“正式”与“非正式”帝国之间的区别。英国人虽不曾正式统治过阿根廷，但是伦敦金融界的商业银行对其财政、货币政策施加如此巨大的影响，以至阿根廷的独立很大程度上受到限制。

对这个主题作过切实比较研究的现代史学家不多，用其中一位学者的话来说，“一个帝国首先是在某个时代的国际关系中留下深刻影响的大国……是一个统治、支配着广袤地域和众多人口的政治实体，由于帝国面临的众多难题之一是辽阔地域和多种族人口的管理问题……帝国在本质上不是依靠直接民意认同的政体。通过用体制民主的进程来同化各民族，帝国能够自动转型为多民族联邦体制甚至民族国家。”我们还可以表达得更精确些。在如下的表1中，我尝试一种简单的系统化分类，以获得各种“帝国”在形态上的差异。需注意，这个表格应当被作为一个菜单来看，而非交叉的网格。举例来说，一个帝国在国内可以是寡头政治体制，但为了精英统治阶层的利益，需要从海外市场获得原材料，因此有必要通过军事手段增加国际贸易，强行推广一种带有等级化社会特征的市场经济。

表 1

宗主国政体	自身利益目标	公共利益	统治手段	经济体系	获益者	社会特征
暴政制 贵族制 寡头制 民主制	安全 沟通 国土 原材料 人力 地产收益 税款	和平 贸易 投资 法律 治理 教育 文化转化 健康	军事 官僚政治 殖民 非政府组织 公司 本地精英代表	种植型 封建型 重商型 市场型 混合型 计划型	统治精英 都市人口 殖民者 本地精英 所有居民	种族灭绝型 等级分化型 转化型 同化型

第一栏提醒我们帝国强权可以通过不止一种政治体系来实现。以自身利益为基础的帝国扩张的种种目的（第二栏），包括靖边和维护（原始）版图以确保宗主国安全的基本需求，也包括向被统治国的人民征收地租和税收，更包括新殖民地、原材料、贵重金属以及人力的获取，这是不言而喻的。应该强调的是，如果上述目标的实现若通过自由贸易形式成本更低，那么征服与殖民则是得不偿失的。同时，一个帝国可以提供“公共利益”——即帝国统治有意无意地惠及被统治方而非统治方，并实际让帝国之外的第三方受惠：冲突的减少，贸易或投资的增加，司法与管理的改善，教育的提高（这一点不一定同宗教皈依相联系，现如今我们已不把它看作是公益）或各种物质条件的改进。

第四栏告诉我们帝国统治可以由不止一种的职能人员来实行：军人、文官、移民、志愿者团体、公司与本地精英都可通过不同的方式将帝国的意愿强加给殖民地。有许多种类的帝国经济体制，从奴隶制到自由体制，从一种形式的农奴制（封建制度）到另一种形式的农奴制（计划经济）。我们也不能简单地假设帝国利益只能让宗主国社会受惠。也许只有宗主国社会的精英阶层才能收获帝国的利益（正如兰斯·戴维斯和R·A·赫顿贝克在《大英帝国》一书中所声称的那样）；也许是宗主国的低收入阶层中挑选的新殖民受益；某些情况下被统治地区的人民或社会精英也可能受益。最后，一个帝国的社会特征是可以不同的，确切地说，统治者对被统治者的态度也可以发生变化。一个极端的例子是德国纳粹主义那个种族灭绝型帝国，意图是灭绝某些特定种族群体并刻意贬低其他民族。另一个极端的例子是罗马式帝国，在这样的国家中，无论是什么种族，在一定条件下都是能够获得公民身份的（这是一个明显适用于美国社会的模式）。两者之间则是复杂的种族和社会等级森严的维多利亚式帝国，在这样的国家中财富及社会地位的不平等，可借助法律面前人人平等的原则得以缩小（这当然并非绝对的）。且不论其他因素，上述所有这些可变因素的结合方式决定了一个帝国版图的大小，当然还有帝国得以维持时间的长短。

从更宽泛更深奥的角度给帝国下定义的话，我们可以完全摒弃霸权这样的字眼。除了少数几个例外的案例，美国迄今为止一直偏向于实行间接统治而非直接统治，更喜欢成为非正式帝国而不是正式帝国。实际上，最好将美国冷战时期的霸权理解为一个“受邀帝国”。问题是，近期大家所关注的是并非受到邀请的入侵阿富汗和伊拉克的军事行动，这是否预示着美国将向更直接、更正式的帝国结构转变呢？用表1中的术语可以对美利坚帝国作如下总结。不言而喻，美国是一个自由民主和市场化的经济体制，虽然也有非自由的特点，并且对其经济的国家干预已达到惊人的程度（用“混合经济”一词可能要比“市场经济”一词更为确切）。它关心的首先是自身安全和维护国际商品和人员的交流，其次是确保原材料的获得（主要是石油，但不限于此），它同时又致力于提供有限的公共利益：通过打击一些好战政权和介入一些国家的内战来提供世界和平；提供海路、空间贸易自由；采用一种特别形式的皈依手段，通常称为“美国化”。同传统的基督教传教模式相比，美国输出美国化的途径更多是通过消费品和娱乐产品的出口。美国实行正式统治的手段主要以军事武力为特征；实行非正式统治的手段很大程度上依赖非政府组织和企业以及某种情况下的本土精英。

谁从这个帝国获益呢？一些人会赞成经济学家保罗·克鲁格曼的观点：只有富有的精英阶层获利——尤其是与共和党和石油产业有关系的那批富有的精英阶层。传统上，左翼人士认为美国利用其权力来剥削发展中国家的人民。另一些人则声称全球有成千上万的人以某种方式因美利坚帝国的存在而获利——不仅仅是西欧人，日本人和韩国人（他们在美国的核“保护伞”下得以在冷战期间繁荣起来）——他们还声称后冷战时期的经济失败者，尤其是黑非洲地区的国家并非是美国强权的受害者，他们的失败恰恰是由于美国强权在这一地区不存在——美利坚帝国覆盖的疆域并不包括非洲。美国对领土扩张缺乏贪欲，这一点很明显，而西欧海洋式帝国的扩张欲则非常突出。美国宁愿外国人自行美国化，这样就没有正式统治的必要了。即使美国征服领地，它也不愿意兼并——这就是为什么美国的海外帝国事业时间往往都比较短暂，而且这种情况很有可能继续下去。实际上，美国帝国主义的特性之一是目光短浅，这或许也是它的主要缺点。

两个英语帝国

历史上曾存在过合计不超过 70 个帝国。如果《泰晤士报世界历史地图集》是可信的话，据我推算，美国是第 68 个。美利坚帝国与先前的帝国有何不同？古埃及人在心脏地带建立起庞大的金字塔，但是美国人构造的建筑物是为生者而不是为死者所用的。像雅典帝国一样，美国也善于领导盟国共同抵抗对手。像亚历山大帝国一样，美国也有令人瞠目的广袤疆域。像崛起于秦代而在明代到达顶峰的中华帝国一样，美国也将浩大疆域的土地与各民族人民整合起来营造出一个真正的民族国家。像古罗马帝国一样，美国也拥有一个异常开放的公民身份体制：2003 年，许多在伊拉克服役的军人被同时授予紫心勋章和美国公民身份，这与在古罗马军团服役以获得古罗马公民身份的情形如出一辙。的确，就首都华盛顿的古典建筑风格和共和宪法结构而言，美国可能比任何一个前帝国都更像“新罗马”……尽管在这样一个新罗马帝国里，参议院对皇帝的权力有极大的限制。再者，在同西欧的关系上，美国有时好像另一个罗马，尽管像称布鲁塞尔为新拜占庭一样还为时过早。

将美国与罗马相比颇有老生常谈之嫌。然而在语言及文化（既是一神论的特点又有数学的精确性）传播能力方面，美国又具备了由穆罕默德的子孙建立的伊斯兰教阿拔斯王朝的特征。美国虽然经常被描绘成崛起于 16 世纪持续至 20 世纪的西欧帝国的继承者，同时也是它的叛逆。实际上，美国与中欧和东欧的一些大帝国非常相似且有过之而无不及。美国殖民者在 19 世纪横跨草原的西进运动中就有沙俄移民横跨西伯利亚荒原东进的景象。实践中，它的政治结构更像哈布斯堡帝国或德意志帝国而不像共和国时期的荷兰帝国，或第一个英语帝国——大英帝国。而对于那些仍坚持“美国例外论”的人来说，帝国历史学者只能这样反驳：美国同其他帝国一样，具有自身的特点。

让我们更好地思考美利坚帝国与大英帝国的相似和不同之处，虽然美国一开始采纳的是与大英帝国背道而驰的模式，现在却与之日益相像——就像年轻时叛逆的儿子成年后却与他们曾经不以为然的父亲愈加相似。本书的主旨之一是两个英语的帝国之间的关系。理由很简单，历史上没有其他帝国能跟美国今天想要达到的目标更相近的了。“自由贸易的大英帝国时代”——从大约1850年到1930年——在帝国史上鹤立鸡群。作为第一帝国强权，大英帝国不仅输出商品、人力和资本，而且还输出其社会与政治制度，成功地为经济全球化提供动力。两个英语帝国有许多共通之处，但是又有很多不同的特点。

如上所述，一些历史学家认为美国作为“霸主”比大英帝国更具成效。然而，纯粹从领土的角度看，大英帝国的成就远远超出美国。两次世界大战之间，大英帝国的领土在鼎盛时期的面积超过1 300万平方英里，约为世界土地面积的23%。英国本土面积只占极其微小的一部分：仅0.2%。与之相比，今天，美国占据全世界大约6.5%的土地表面积，而14个正式属地总计却只有4 140平方英里，而且大部分是“二战”之前获得的太平洋岛屿。即便美国从未放弃其在美西战争和“二战”之间一度在加勒比海地区和拉丁美洲占领的国家，今日美利坚帝国的海外领土也只刚刚达到全球土地表面积的0.5%。从人口统计学的角度看，美国的正式帝国甚至更小。今天美国及其属地合计也仅有全世界人口的5%，而英国在帝国鼎盛时期统治着全世界1/5到1/4的人口。

另一方面，美国拥有许多主权国范围内的小面积区域，作为各兵种的军事基地。入侵伊拉克的军事部署之前，美国在超过130个国家里有大约752个长期军事设施，大量的美国部队驻扎在其中的65个国家中。这些驻扎地区极大程度上证明了布什总统2003年2月26日的那番讲话毫无根据，小布什声称："1945年打败敌人之后，我们没有留下占领军。"在他任期的第一年里，约有7万人的美国军队驻守德国，4万人的军队驻守日本，1945年以来美国军队一直驻守在这两个国家。在韩国的美国军队同驻日美军的数量差不多，也有3.65万人之多，自1950年以来没有间断过。此外，新的战争又意味着新的基地，如1999年科索沃战争中美军在科索沃地区获得的军营，或在阿富汗推翻塔利班政权的战争中获得的吉尔吉斯斯坦的比什凯克空军基地。在2004年时，约有1万人的美国军队仍然驻扎在阿富汗，而且在接下来的几年里，仍有10万人的大规模军队将不得不留守伊拉克。

也不应当忘记，这些基地对发展尖端军事技术多么有利。评论家们指出"五角大楼的预算相当于前12或15个国家的军事预算的总和"。他们还指出"美国国防支出占全世界189个国家国防支出的40%~50%"。美国军事开支的水平虽然听起来很高，但却不足以表现美军现在在全球的领先地位。陆地上，美国拥有9 000辆M1亚伯拉罕型坦克，没有哪一个国家能与之相比；海上，美国拥有9个"超级航母"战斗群，其他国家一个也没有；空中，美国拥有三种不同类型的隐形飞机，其他国家也没有。美国生产智能导弹和无人驾驶高空侦察机的能力也遥遥领先。大英帝国却从未在军备上处于如此领先的地位。诚然，英国海军及其军事基地系统曾在历史上同美国今天的情况非常相似，海外驻扎军队的数量也大体接近。大英帝国也有科技领先的年代，例如：英国人的马克沁重机枪和无畏级战列舰。但是他们的帝国从未像今天的美国那样在军事力量上拥有全方位的优势。虽然英国皇家海军统治过全球海域，但是法国人和后起的德国人——更不用说美国人了——都能够建造舰队对英国的海上统治地位构成了极大的威胁。英国的陆军同大陆帝国的陆军相比，总的来说，规模要小得多，战线却拉得更长。

如果军事实力是一个帝国存在的必要条件，很难想象人们如何能够否认美国今天的帝国特征。仅仅从军事部署地图来看，还不足以说明美军的影响力。美国国防部使用的一张展示5大战区司令部的地图表明美国军事影响力现在实际上已经覆盖全球。战区指挥官——也就是帝国“地方总督”——对这些领地负责，其地域之广超出他们的先辈古罗马人的想象。美军欧洲司令部的范围从格陵兰西海岸到白令海峡，从北冰洋到好望角，从冰岛到以色列。

大规模的海外军事活动必须要有更强大的经济支援作后盾，否则是无法维持的，这是一个不争的事实。美国是否有足够的金钱来扮演全球霸主角色，将整个世界的责任担在自己的肩上？20世纪70年代和80年代，这个问题普遍受到质疑，以至人们可以将“美国衰落论”当作一个思想流派来谈论。保罗 · 肯尼迪曾预言，正如在此之前的所有“大国”的经历一样，美国在军事及财政上的“过度透支”将注定使其失去经济优势地位。推倒柏林墙以后不久，苏联首先因“实力的过度透支”而垮台，这一点足以让西方人弹冠相庆。一度被吹捧为未来的地缘政治竞争者的日本则因经济困难而将关注的重点放在国计民生的元气恢复上。同其他国家相比，自20年代以后，美国一度处于“相对实力上升”的阶段，因为美国当时的股市泡沫的支撑来源于更早期的和平红利，所以“美国衰落论”便也随之自行消亡。然而，至1990年末，评论家们发现了新的竞争对手，这让他们忧虑不已。一些人担心欧盟的竞争，另一些人则忧虑地关注着中国。萨缪尔 · 亨廷顿也将“单极世界”看作只是转瞬即逝的现象：随着欧洲的一体化以及中国的不断富强，世界将转变成一个“多极社会”，这在“二战”之前是没有过的。

在埃马纽埃尔·托德的眼中，法国人对美国超级强权的恐惧并没有顾及到美国也将面临衰落的现实。

如果按2004年的人口和产量增长率再继续发展20年，人们有理由相信只需到2018年，作为全球最大经济体的美国将被中国取代。然而，未来20年两个国家的增长率都不会维持前20年的水平。我们唯一能确定的是，按照国际美元和基于购买力平价原理进行调整来计算，2002年的美国国内生产总值接近中国的2倍，占到世界总产值的1/5（21.4%），超出日本、德国和英国的总和。这个数字超出曾经由英国取得的全球最高产量两个百分点。事实上，按照美元现价来计算，美国所占世界总产量的份额接近1/3（32.3%），为中国和日本经济总和的2倍。无论从生产还是消费的角度来看，美国比任何时候的英国都要富裕得多。

上述这些衡量标准还不足以描述美国经济的领导地位。如果按照拥有海外市场资产和劳动力的程度来看，大英帝国的鼎盛时期只有少数几家公司可以真正被称为“跨国公司”。今天，世界经济正是被这样的一些公司所掌控，从埃克森美孚石油到通用汽车，从麦当劳到可口可乐，从微软到时代华纳——其中绝大部分公司从美国发迹，至今仍将公司总部设在美国。正如霍布森–列宁的帝国主义理论所推断的，麦当劳的历史是美国公司为寻求新市场而拓展海外市场的一个生动的例子。1967年麦当劳的首批海外分店开始在加拿大和波多黎各营业。20年后，它已在47个国家和地区开了近1万家分店。到1997年为止，麦当劳在100多个国家开了超过2.3万家分店。1999年，公司的海外营业额首度超过美国本土销售额。今天麦当劳在全世界超过120个国家开了3万多家分店；其中不到一半——1.28万家麦当劳开在美国。罗纳德·麦克唐纳跟唐纳德·拉姆斯菲尔德一样，也需要一张他的世界地图，这张地图可以成为美利坚帝国军事地图的替代选择。用公司首席执行官的话说，“地球上有65亿人口，只有2.7亿生活在美国……试问全球还有哪一个国家能坐拥这样的良机？” “可乐殖民化”是“反全球化运动”中一条惯用的标语，但却真实地反映了这家软饮料公司产品销售的地域覆盖范围：其产品30%销往北美，24%销往拉丁美洲，22%销往欧洲和中东，18%销往亚洲，还有6%销往非洲。值得注意的是，真正成长最快的市场是中国。

1980年到1990年是美国经济发展相对较为迅速的年代，正好也是其冷战主要对手分崩离析之时，这就解释了美国是怎样赢得独特的军事革命，同时又大大地减少国民生产总值中国防开支所占比例的。2003年3月出版的国防部绿皮书预测，至少在未来的三年里美国国防总的开支将保持不变，占国内生产总值的3.5%，应当把这个数字与冷战时期平均7%的数字相比。倘若“保罗 · 肯尼迪公式”是正确的话，美利坚帝国实力透支的危险看来也许不大——他认为“如果某一国家的军备开支长期超过该国10%的国民生产总值，才有可能限制其增长率”。简而言之，就经济资源和军事能力而言，美国不仅与曾经的大英帝国非常相像，而且某些方面要有过之而无不及。

软实力

有人提出一种观点，认为美国霸权与大英帝国的区别是质量上的。人们争论，美国的实力不仅只包括军事和经济实力，而且还包括软实力。根据哈佛大学肯尼迪学院院长约瑟夫·奈的观点："一个国家可以在世界政治舞台上取得它想要的结果，是因为其他一些国家想要追随它，钦佩它的价值标准，效法它的例子，仰慕其繁荣开放的水平。""软实力"一词，换言之，就是不"动用武力或用实惠——大棒或者胡萝卜——作为诱饵，这是一种诱惑和吸引的能力。软实力很大程度上源于我们的价值标准。"美国的榜样如同闪亮夺目的"山巅之城"——拥有迷人的经济及政治自由的新耶路撒冷。奈不会如此幼稚地认为美国方式一定对每个人、每个地方都有与生俱来的吸引力。但是他的确相信由于信息技术在全球范围的传播，具有吸引力比过去显得更为重要。简而言之，软实力或者其他一些作者所称的美国化可以起到硬实力所起不到的作用。

但是，这是否使得美国实力与其他帝国实力如此不同呢？情况恰恰相反。如果说有什么不同的话，它只能说明美国已经变得和上一个英语帝国非常相似。大英帝国原先也想方设法使自己的价值观为他人所追求，虽然最初——现代通信技术到来之前——这个工作只能由"在实地工作的官员"操作完成。英国传教士在全世界呈扇形展开，企图传播英伦三岛基督教的不同流派。英国商人又向世人介绍了他们独特的财务和管理模式。英国行政长官们实施他们的法律与秩序概念。英国的校长们则向殖民地本土的精英们灌输他们的阅读、写作和算术知识。这批人还一起精心传播英式悠闲的生活方式如板球和下午茶。他们的目的很明确，就是"诱使"和吸引人们向英式价值观靠拢。而且，由于新技术的应用，这些艰辛的努力变得事半功倍。越洋电报机发明之后，总部设于伦敦的新闻社则可以向全球的报纸发送以英国为中心的新闻内容。但是在约瑟夫·奈看来，真正的软实力时代的到来是无线电收音机的问世——尤其是英国广播公司的创建。1932

年圣诞节那一天，英王乔治五世得以向整个大英帝国发表广播讲话。此后的6年时间里，英国广播公司就已经启动了它的首个阿拉伯语外语广播服务，到1938年底英国广播公司已经能够使用所有欧洲大陆的主要语言对欧洲进行广播。

被轴心国占领地区的人民拒绝合作，无疑是与英国广播公司的广播有重大关系，这就是为什么约瑟夫·戈培尔如此强烈地迫害收听英国广播公司广播的德国人并逮捕他们的原因。在某些方面，英国在20世纪30年代可施加的软实力比今天美国能够施加的软实力还要大。当时的世界，媒体只有三种主要形式：报纸、无线电收音机和影剧院。能够提供满意产品的公司（通常是国家垄断企业）数量相对较小，所以英国广播公司海外广播才能够争取到数量相对较多的外国听众。然而，不管英国如何驾轻就熟地发挥其软实力，都无法遏止1930年后大英帝国的急速衰落。

这也就提出了一个问题，美国软实力在今天究竟有多么重要？如果“软实力”一词代表的不仅仅是传统统治形式的背景音乐，那么我们就有必要证明美国能够纯粹依靠文化输出的魅力，从其他国家获取它所要的东西，而不是采用胁迫和施与小恩小惠的手段。人们有理由怀疑今日美国的软实力是否真的如此强大，原因之一是，美国文化输出所覆盖的地理范围非常有限。诚然，全球81家最大的电讯公司中有39家是美国公司，全世界半数国家的影院主要依赖进口美国影片。但好莱坞绝大部分影片进入的是美国在经济合作与发展组织中的长期盟国。除了日本之外，其他亚洲国家，尤其是印度很少进口美国产品。同样，多数美国书籍的译文版本和美国网站的外国用户都在欧洲和日本。美国文化占据传媒主导地位的唯一地区是拉丁美洲，在那里75%的电视节目都是美国制作的。因此，美国在最不受欢迎地区也具备充分软实力的说法，未免有些言过其实。

为什么西欧人、日本人和拉丁美洲人总体上不像其他一些地方的人那样仇视美国？原因之一是他们大量接触美国影片和电视作品，并受到这些影视作品的深刻影响。尽管如此，美国软实力的影响力比人们通常认为的要小得多，这是不争的事实。中东现在对“英式全球化”的抵抗态度比起当年英国广播公司在那里最先开始外语广播服务时要强烈得多。半岛电视台的出现表明软实力游戏的准入障碍现在已经相当低。即便在兵连祸结的索马里，美国军队也能发现敌人已经能够通过控制当地的电波来进行反美宣传。软实力并不能够阻挡卢旺达的种族大屠杀：当联合国秘书长布特罗斯·加利请求克林顿政府干扰千丘独立电台播放煽动危险谋杀的广播时，他被告知，走这一步，将付出太高的代价。

然而也有例外，并且这个例外为大英帝国和今天美利坚帝国的共同点提供了又一个范例。今天在发展中国家，传教士作为文化传播的一条重要渠道丝毫不亚于一个半世纪之前的情形。由于基督教教派的多样性，今天很难统计出美国境外传教士的可靠人数。因为得到美国本土大型布道会的强大的资金支持，仅根据基督教新教传教士统计数字来算，估计有 4 万~6.4 万名福音派传教士在海外布道，他们的人数虽然相对较少，成就却颇大。1994 年 4 月基督教会在拉丁美洲总共有 223 名传教士，其中巴西的传教士人数最多。7 年后，虽然该地区传教士人数减少了几乎一半，基督教会成员总人数却增长了 60%。一项评估（发布于 1990 年）提出拉丁美洲人现为新教教徒的比率高达 20%。上一届世界杯总决赛，大获全胜的巴西队对福音信仰的非凡表现证实了这一估计。近来，受到像路易斯·布什（其本人出身于阿根廷）这样的福音传道人士的鼓舞，传教士们已纷纷将注意力转向那些数百万还未接受福音的芸芸众生，他们居住的纬度为南北纬10到40之间的地带，被称之为福音传教的机会之窗。根据坐落于马萨诸塞州，南汉密尔顿戈登–康威尔神学院的全球基督教研究中心的研究成果表明，前往伊斯兰教国家的基督教传教士人数自1982年几乎翻了一番，大约从1.5万人上升到2.7万人，其中一半为美国人。

但是美国官方的世俗价值标准和利他目标又如何解释呢？这些价值标准和目标与旧时那些充满自私和剥削意图的帝国是否没有根本区别呢？人们经常说美国政策制定者们自伍德罗·威尔逊总统时代就已经放弃了帝国主义，转而宣扬威尔逊主义：国际法、民主政治和自由市场经济。也许是因为这些理念本身无可挑剔，所以它们多少已经开始成为“主宰国际事务”的核心理念。因此美国最需要做的事情是当好国际警察，阻止任何落后力量挑战这个良好的世界秩序。

小布什总统2002年9月发布的“国家安全战略”中不乏威尔逊式的经典话语，他明确声明，美国的对外政策目标是“在全球范围内扩大自由的种种好处”。文件宣称：“我们将积极工作，为世界上每一个角落带去民主、发展、自由市场和自由贸易的希望……美国将坚定不移地主张无条件享有人的尊严、法治、限制国家的绝对权力、言论自由、信仰自由、公平的司法、尊重妇女、容忍不同宗教和种族以及对私有财产的尊重。”然而这个“强权政策”前身也是具有其帝国主义性质的。

从19世纪下半叶到经济大萧条时代，大英帝国同样有着许多相同的志向。年轻的温斯顿·丘吉尔曾经将大英帝国的目标定义为“从野蛮落后的世界回收肥沃的土地和人口……给交战部族带去和平，在充斥暴力的地方执行正义，打碎套在奴隶身上的枷锁，从土地获得财富，播撒商业和知识的种子，增强全体人民追求快乐减少痛苦的能力……”难道这与美国的理想主义不同吗？正如参议员J·威廉·富布赖特1968年所评述的：“英国人称之为‘白人的负担’；法国人称之为他们的‘文明使命’；19世纪的美国人称之为‘昭昭天命’。现在它又被称之为‘大国的责任’。”“促进自由”或者“强权开放”不过是上述概念的最新表达方式。事实上，自由主义的帝国总是对外宣称它们的利他主义。当托马斯·杰斐逊说美国是一个“自由帝国”时，他只是盗用了大英帝国的一个古老用语。早在1766年，爱德蒙·柏克就将“自由”作为大英帝国的特征定性了。

不管怎么说，同大英帝国一样，美国保留动用军事武力的权利，一旦发现它的利益受到威胁的时候……并不仅仅是被动的反应而且有时是需要先发制人的。因此布什总统的“国家安全战略”声称美国保留先发制人的权利以阻止外敌的敌对行为——甚至在敌人攻击的时间和地点尚不明确的情况下。可见软实力实际上只是戴着天鹅绒手套的一只铁掌而已。

英国模式？

与大多数写过这个主题的欧洲作者不同，我基本上是赞同帝国的说法的。事实上，我相信21世纪的今天比以往都更需要帝国。我们面临的这些威胁本身并不新鲜，但科技的高速发展使得它们比以往更加危险。高速、频繁的现代航空旅行以惊人的速度将传染性疾病传播给我们。相对廉价并具摧毁性的现代武器装备使得那些暴戾的恐怖分子们动辄就会想要毁灭我们的城市。1945年后，旧的主权国家体系是由一个还在不断发展的国际法律体系松散地结合在一起的，对消除这些威胁力不从心。因为“国际社会”

的准则在太多国家里完全起不了作用。世界现在需要的是一个能够干预这些国家事务的机构，以达到控制流行性疾病的蔓延、废除暴君的统治、结束地方战争、消除各类恐怖分子组织的目的。对帝国而言，这是一个利己主义的说法，但也有一个补充性的利他论据。即使并没有对美国构成直接的威胁，世界上一些国家的经济和社会状况，仍然对外表明某种形式的干预是必要的。利比里亚的贫穷不是资源匮乏所能解释得通的；不然的话，博茨瓦纳就一定是贫穷国家。如同许多黑非洲国家一样，利比里亚的问题只是治国无方：腐败与不受法律约束的独裁统治。这些独裁者们的管理使得经济发展无法实现，同时也鼓励了他们的政治对手诉诸于内战形式来推翻他们。这些国家是不会自行改良的，它们需要借助某种形式的外力强行进行转变。

有些人会坚持认为，帝国就其定义而言是无法扮演这样的角色的。在他们眼中，所有帝国在本质上都是剥削性的。然而，自由帝国是可能的，并且已经存在了。这样的自由帝国恰恰是通过为其他国家提供主要公益来增强自身安全，提高自身繁荣：不仅提供经济自由，而且提供市场繁荣所需的各种机制。在这一点上，美国人需要向更有自信心的英国前辈学习，尽管他们还没有达到这样的心理境界。19 世纪中叶以后，经历了爱尔兰饥荒以及印度兵变的种种灾难后，英国人开始将帝国作为一项自由经济的事业来推行。他们既关心全球市场一体化，同时也关心英国本土的安全问题。其指导思想是大英帝国的统治必须以推广自由的形式让全球受益，以法制保护私人财产权，清廉的行政管理以及政府确保对基础设施、公共卫生医疗以及（某些）教育的投资。阿诺德 · 汤因比告诫即将前往印度担任殖民政府公职的牛津学生，如果他们前往印度，他们就是为了当地人民的利益，从事着一个英国人所能从事的最高尚的一项工作。

我要强调，我并非想要建议美国人应该以某种方式将维多利亚时代的殖民主义者作为榜样。大英帝国与理想的自由帝国还相去甚远，可供学习和参考的成功经验与失败经验各自参半。不过英国人在1904年的尝试与美国在2004年的努力极为相似，这才是发人深省的。就像今天的美国，大英帝国也曾凭借其海军及其他军事优势，动不动就对我们今天被称作失败国家和流氓政权的政治实体发动过多起小规模战争。学习过英国与苏丹瓦哈比派马赫迪战斗的历史后，无人不对它预示当今世界的种种冲突而震惊。然而，维多利亚时代的殖民者们同今天的美国海外军队一样，并非纯粹以国家和帝国安全的名义而采取行动。如近几十年来的历届美国总统所一贯提倡经济全球化的好处一样——即便在实践中已经偏离了自由贸易的时候——一个世纪前的英国政治家们认为自由贸易的传播以及商品、劳动力与资本市场的自由化是值得的，是符合大多数人利益的。而且，正如今天多数美国人认为以美国模式推广全球民主的好处是不言自喻的一样，那时候的英国人也想要将自己的体制向世界其他地方输出——不仅仅是英式法律制度，最终还有他们的君主立宪制。

美国人很容易地忘记了英国政府在历经了18世纪晚期的种种错误之后学会的一点，即对那些在经济现代化和社会稳定性上非常先进的殖民地授予“负责任的政府”相当容易。加拿大、新西兰、澳大利亚和南非（虽然所被赋予的特权有限）到20世纪早期，都有了对选举产生的议会负责的行政长官。这些特权的授予不仅限于以白人为主的殖民地。在印度是否应当最终成立英式议会政府这一问题上，托马斯 · 巴宾顿 · 麦考莱曾一语中的——尽管他的态度是居高临下的：“我从未想过要改变或阻碍（印度的自治）。这一天无论何时来到都将是英国历史上最引以为豪的一天。发现一个伟大的民族沉沦在奴隶制和迷信的深渊中不能自拔，为使他们渴望并有能力享受公民的所有特权而统治他们，的确是值得我们感到荣耀的使命。”2003 年在阿拉伯世界民主化的问题上，某些决策层的人物所表达的看法与之如出一辙。同年 9 月在联合国发表的演讲中，小布什总统自己也明确表明，他入侵伊拉克的目标之一，正是为实现阿拉伯世界的民主化。然而我们应当看到的是，美国并非是第一个进入巴格达地区的讲英语的侵略者，与先前的侵略者一样，美国同样将自己标榜为“解放者”而非征服者。

本书的结构是平铺直叙的。第一章叙述了美国的帝国起源并展示了一次世界大战时期美利坚帝国的领土范围和它的局限性。

第二章提问并说明，为什么 20 世纪的美国虽然拥有庞大的经济、军事实力，却对其所干预的诸多国家强加意志时困难重重？同时也解释了美国在联邦德国、日本和韩国“国家缔造”成功的特例。

第三章阐述 2001 年“9 · 11”恐怖袭击事件虽然犹如晴空霹雳一般打击了美国人，但它却是长远的历史趋势的极度体现：美国在中东地区政策的诸多矛盾之处，对波斯湾的石油依赖不断增长的西方经济，以及仇视美国及其盟友的阿拉伯人已采用并发展恐怖主义作为对抗西方国家的一项策略。也许恐怖分子造成的最大改变是美国人的态度，这是他们始料不及的改变。正是“9 · 11”恐怖袭击事件使一个看似本性内向（如果算不上孤立主义者的话）的政府及其选民转而产生对真实的、可疑的甚至是恐怖主义的潜在赞助者们发动一场战争的想法。然而，“9 · 11”恐怖袭击事件本身也不是个别事件。真正的历史转折点不是“9 · 11”恐怖袭击事件，而是“11 · 9”柏林墙的倒塌。1989 年 11 月 9 日柏林墙的倒塌比起世贸中心的坍塌对于美国实力所带来的变化，其影响要更加深远。虽然伊斯兰极端主义的恐怖活动是邪恶的，但在程度上仍然远不及苏联一度对美国的威胁。

第四章提出的问题是：自 1990 年以来美国在伊拉克的政策是否可以被理解为从“多边主义”到“单边主义”的转化。恰恰相反，我认为，正是联合国在过去的 15 年时间里转变了角色，美国的大部分政策则是为应对联合国的失败而临时制定的，尤其当联合国安理会的欧洲成员经历了一系列失败之后。就在 20 世纪 90 年代，历经了一系列痛苦教训后，美国明白了对那些使用国家恐怖主义来镇压少数民族的政权，只能用可靠的军事干预手段才能奏效。美国还明白了一点：采取这些行动并不一定要得到联合国安理会决议的明确授权才可以这么做，只要有“志愿同盟”就足够了。

第五章通过思考上一个英语帝国的成本与效益，为由于伊拉克战争和阿富汗战争产生的当代帝国进行辩护。这里提出一个观点，今天的自由帝国无论从美国自身利益还是利他主义的角度来看都是有利的。之前的许多殖民地，政治独立的尝试在经济上、政治上都以失败告终。尤其是黑非洲，它的穷困并非是受人们经常谴责的殖民主义的遗害，而是由于独立之后几十年的治理不当所导致的。相反，一个典型的自由帝国不仅保证其经济开放性，更重要的是从体制基础上保障发展顺利进行，以提供经济增长的最佳远景。

第六章试图对美国占领伊拉克期间的成本效益进行分析，对自由帝国模式是否适用于那个不幸的国家进行探讨。该章阐述美国 2003 年的三个目标——确保解除伊拉克政权的武装；颠覆一个凶残的暴君统治政权；以及从根本上改变中东的政治格局——既值得称赞又有其可行性。但是，当我写作的时候有一点还不明确，那就是美国能否在伊拉克为成功地进行“国家重建”而投入所需的人力和时间。阿富汗就更不用说了。这主要是因为，美国选民们一贯反对政府对别的国家的长期承诺，即使历史经验证明，这些长期承诺对一个国家向市场经济和代议制政府成功转型是有必要的。我虽真诚地希望自己被证明是错误的，但我仍然对美国是否有能力在伊拉克建立有效的政府管理体制表示怀疑，因为美国在历史上偏好短期的、以军事干预为主的行为。而且，美国一贯不愿意从这种无效的短期行为中吸取教训。

第七章对美国式的帝国与欧洲式的帝国进行了比较，并探讨了今天欧洲各国领导人以及一些美国学者所持的观点是否正确——他们预言欧盟作为抗衡美国的一支新力量的时代即将到来。在2003年，这个预言似乎已经成真。但实际上，欧盟对帝国这个概念来说几乎是一个反命题；其体制的设计并非是集中操控权力而是将权力在成员国及所辖地区之间进行分散。

最后，第八章质疑了这样的论点：不断增长的海外军事承诺会拖垮美国的经济。美国依靠海外资本来为私人消费及政府借款提供资金，这一点上美国毫无疑问是一个不同寻常的帝国。然而它的双赤字并不是因为过多的海外军事干预所导致的。实际上，联邦政府的国内财政承诺才是未来几年可能拖垮美国经济的罪魁祸首。美国巨人陷入泥泞的双足恰恰是日益迫近的医疗与社会保障体系的财政危机。

我的结论是，今天具有全球影响力的美国——虽然留给世人非常深刻的印象——所赖以支撑的基础却要比人们通常想象的薄弱得多。虽然美国已经成为一个帝国，但是美国人自身却缺乏帝国主义的意识和头脑。他们宁愿建造许多购物中心也不要建设新的国家。他们渴求延长自己的寿命，那些志愿服兵役的美国人过早地在战争中丧命，这会让他们惶惶不可终日。同他们的英国先辈不一样，美国人并不是“心不在焉”地成为了帝国。问题是，尽管偶尔会有自知的一面闪现出来，美国人仍旧对他们的帝国实力表现得心不在焉，或干脆根本否认帝国这种提法。因此，非常令人遗憾的是，他们的帝国很有可能会像同样自诩为“反帝”的苏联那样迅速解体。

简而言之，那些期望获得并保持全方位统治优势的霸主地位的美国人是大错特错了。因为对美利坚帝国而言，威胁并非源自任何一个西方或者是东方的敌对帝国。我很遗憾地说，威胁会来自内部实力的真空状态——即美国本身所缺乏的强权政治的意志。

COLOSSUS

第一部分

崛起

COLOSSUS

第一章

美利坚帝国的局限性

在那个勇不可挡的标枪手约翰牛（英国人的绰号）看来，可怜的爱尔兰不就是条有主鲸吗？在那个使徒似的枪手乔纳森兄弟（美国人的绰号）看来，得克萨斯可不就是条有主鲸吗？所有这些事情，不正是说明所有权就是全部法律吗？

不过，如果有主鲸这条原则是颇为通用的话，那么性质相似的无主鲸的原则的适用范围要更广泛，那是普天之下都适用的。

美洲在1492年（哥伦布最早发现美洲的一部分是在1492年10月）就是一条无主鲸，后来哥伦布把西班牙旗降了下来，才为他的主子在那里插下了一个浮标吗？沙皇眼中的波兰是什么呢？土耳其眼中的希腊是什么呢？英国眼中的印度是什么呢？美国眼中的墨西哥又是什么呢？通通都是无主鲸。

世界的人权和自由不就是无主鲸吗？人类的思想和见解不就是无主鲸吗？人们的宗教信仰原则不就是无主鲸吗？在专门剽窃美丽词藻的人们看来，思想家的思想不就是无主鲸吗？这个大地球本身不就是无主鲸吗？还有你，各位读者，不也既是无主鲸又是有主鲸吗？

赫尔曼·梅尔维尔《白鲸记》第89章

帝国正式宣告成立

人们普遍认为，美国是反抗帝国统治的独立战争的产物，因此它本身不可能成为一个帝国。今天许多美国人将会接受历史学家鲁伯特 · 爱默生写于 1942 年的一个观点：“除了短暂的美西战争之外，美国人民对于征服海外领土及统治外邦人的想法深表疑惑。”具有讽刺意味的是，美国的开国之父们却恰恰是最为自信的帝国主义者。

当然，他们想象中的帝国与他们摆脱的帝国有着本质上的不同，美国无意效法西欧的海洋帝国，但是它同过去存在过的大陆帝国有许多共同之处。同罗马帝国一样，它由最初相对较小的一块核心区域发展成为后来主宰半个大陆的帝国，其建国时期的领土总面积只有今日美国国土面积的 8%。同罗马帝国一样，美国也是一个具有包容性的帝国，公民身份授予的机制比较开放（当然不是完全开放），也同样在至少一个时期内，存在被剥夺了选举权的奴隶。但与罗马帝国不同的是，美国共和制宪法至今已成功地抵制了想要成为恺撒大帝的种种野心家。（这当然是早期的情况。美国建国仅 237 年。公元前 49 年当恺撒横渡卢比孔河之时，罗马共和国已存在 460 年。）

美国的扩张倾向几乎从一开始就已经确定了。1776 年 7 月的邦联条款草案中， 约翰 · 迪金逊提议设定各州的西部边界， 但这个想法在委员会讨论阶段就被摒弃了。对乔治 · 华盛顿而言， 美国最初是个“初生的帝国”，后来变成一个“婴孩帝国”。托马斯 · 杰斐逊告诉詹姆斯 · 麦迪逊，他接受这样一种观点： 就帝国的延伸和自治而言，美国宪法的设计水平是史无前例的。最初的 13 个州组成的“邦联”将会成为“整个美洲的发源地，南北美洲将人丁兴旺。毫无疑问，杰斐逊将自己1801年的就职演说用来评述“美国短期历史已经证明孟德斯鸠的理论是错误的，孟德斯鸠认为共和国只可能在小片疆域中被保留下来，而现实恰恰相反”。麦迪逊对此观点表示认同。在《联邦党人文集第十篇》中，他极力主张“扩展疆域”，建立一个更大的共和国。亚历山大·汉密尔顿亦在《联邦党人文集开篇》中提到美国在“许多方面是世界上最有意思的帝国”。他热切期盼一个“伟大美国体系的诞生，这个体系将胜出大西洋两岸所有的影响力并能够支配新老世界的关系”。

这种自我标榜的宣泄在当时是很普遍的现象。南卡罗来那州的首席法官威廉·亨利·德雷顿在1776年宣称：“帝国有其顶峰时期和衰落时期直至它的解体……大英帝国始于1758年，那时他们在世界各处乘胜追击他们的敌人……而全能的上帝挑选了现在新的一代人树立起的美利坚帝国……于是一个被称之为美利坚合众国的新帝国赫然出世。这是一个从成立伊始便吸引了全世界注意力，同时又似乎殊蒙上帝眷顾的历史上最为辉煌的帝国。”13年之后，公理教会牧师杰迪亚·摩尔斯出版的《美国地理》预言“最后一个并且最为广阔的帝国将会坐落在美国”，“这是历史上疆域最大的帝国”，“我们必定能够预期，在密西西比河以西将聚集起美利坚帝国的数百万人的时代很快就会到来”。欧洲开始对西印度群岛的将来表示担忧，因为它们是这片大陆的自然馈赠。一旦美国可以对这片土地伸张它的权力时，西印度群岛的控制权毫无疑问地非美国莫属了。

在不到一个世纪的时间里，一个大陆帝国的设想已经大致实现。然而摩尔斯关于美国的扩张将超越大陆东西海岸线的预言却勉强得以成功。这是为什么呢？

边疆待售

陆路扩张很容易，这一点经常被遗忘。一方面，美国本土土著居民的人口数量非常之少，技术非常落后。他们无力与潮水般涌来的白人定居者抗衡，只能进行一些零星的、无效的抵抗活动。这些白人殖民者正是受到大片处女地远景诱惑而蜂涌西进的。1820 年到 1869 年间，大约 600 万移民来到美国，到 1913 年的几十年时间里几近 1 600 万。在 1820 年，土著居民人口不过只有 32.5 万人（仅占总人口数的 3%），由于疾病和多次的小规模战争，他们的数字几乎是前一个世纪的一半。新的共和国只是继续了老的英式做法，将土著居民传统的狩猎场地作为无偿的、免费的、无主的土地进行使用。杰斐逊曾提出过一种“并非基于攻占的扩张，而是基于契约与平等原则的扩张”。然而，与他写的关于平等主题的诸多文章一样，这个提法是隐含修正条件的。正如他的“人权”概念并不适用于他的或其他任何庄园主的奴隶一样，美国领土的扩张也不会征求北美原住民的同意。早在 1817 年，美国战争部长约翰 · 西 · 卡尔洪就炮制了将“印第安人”赶出西经 95 度范围以外的政策，此项政策于 1825 年正式成为法律。安德鲁 · 杰克逊总统在宣扬人道主义时几乎无需掩盖那正在发生着的残酷的现实：“正义而人道的政策是劝告（印第安人）放弃他们的财产……到一个西部的土地上去，在那里，他们将完全有可能永远免于受到唯利是图的白人的影响……在这种情形下，他们的酋长政权就可以对他们的利益进行家长式的控制，并有可能使他们的种族得以永存。”一言以蔽之，美洲土著部落被迫将“其财产”同种族生存的“可能性”进行交换，这种交换将在外族强盗家长式的控制下进行。在重要学术著作《边疆在美国历史中的重大意义》（1893 年）中，弗里德里克 · 杰克逊 · 特纳寻求将大陆扩张描绘成为美国所谓民主活力的源泉所在。实际上，扩张是通过一个顺序——先是对土地的饥渴，然后是宗教的狂热，最后才是军事武力——来实现的。土地开拓者与宗教狂热分子的人数大大超过士兵的数量。1816 年到 1860 年间，美国军队平均人数少于 2 万人，略微超过人 0.1%的人口——按照欧洲标准来看，这是一个微乎其微的军民人口比率。屠杀印第安人的战争无疑是残酷的，但它们只是一些小规模战役。肖尼和森米诺尔印第安部落需要找到一个欧洲的盟友才能获取胜利的机会。但 1815 年之后，获取这种支持的可能性消失了，印第安人只能孤军奋战了。

1783 年以后，这个成长中的共和国的日子亦变得较为好过些，因为其他对北美具有领土要求的欧洲列强（或欧洲化的强国）没有对它构成潜在的致命威胁。从一方面来看，杰斐逊是正确的，他认为美利坚帝国的基础是保护其领土免受欧洲势力入侵，所以这不会是一个对外征服的帝国。相反，美国更会是一个用现金购买的帝国，或者更准确地说，是以政府国债购买的帝国。当美国用债券交换领土时，原有的土地拥有者多半会乐意出售。当时被称为“路易斯安那”的这片辽阔的区域是买来的，而不是通过战争获得的，原因在于路易斯安那的前两个拥有者——法国人与西班牙人都不认为保留它会有任何的战略价值。具有讽刺意味的是，路易斯安那的购买交易之所以成功，部分要归功于英国海军。若没有皇家海军对大西洋海上通道的控制，并将拿破仑的势力有效地限制在了欧洲大陆范围之内，杰斐逊的出价可能不会如此欣然地被拿破仑接受。对法国人而言，以覆盖大约 80 万平方英里的地产产权交换价值 1 120 万美元的美国联邦政府新印制的债券， 只是财政上的一个权宜之计。对美国而言，这项交易实际上是所有形式的抵押贷款的最原始雏形。有一点必须补充，此项交易是由伦敦巴林银行作为经纪人安排签约的。相比较而言，1812 年到 1815 年间美国与英国开战的阶段里，美国只成功地取得了南部一片不足挂齿的附属领土；西班牙政权在佛罗里达瓦解之后，巴吞鲁日附近的居民立即宣告成立西佛罗里达共和国，麦迪逊则旋即下令对其进行兼并。美国吞并加拿大的梦想也是由于英国的有效抵抗而破灭了，尽管它对多伦多有过短暂的占领。美国与英国和西班牙分别于1818年和1819年签订的条约，与其说是军事上的胜利不如说是外交上的胜利。英国认可沿北纬49度纬线的北界限，放弃对后来成为北达科他州大部分地区的领土诉求，而西班牙则放弃佛罗里达并承认以俄克拉荷马州领土划界的一个新的西部边界。

即便是对得克萨斯州的成功兼并也不能仅仅归功于武力攻占，而要归功于金钱与和平的殖民措施。史蒂芬·奥斯汀获得了墨西哥当局的同意，于1821年至1834年建立并经营这个殖民地，实际上它对新殖民的政策要比美国政府慷慨得多。1829年奥斯汀在写给其姐姐、姐夫的一封热情洋溢的信中敦促他们到得克萨斯来，信中描述“墨西哥政府是世界上对移民给予最多自由、最慷慨的政府”。他还说：“在这里待上一年之后，你们将不会赞同改变这里的政策，即便是美国政府要求改变，你们也不会同意。”直至1832年他常用的座右铭依旧是“效忠墨西哥”。在两年之前，墨西哥政府颁布了一项禁止美国人在得克萨斯定居的法令。正是这个法令促使美国的移民们召集了他们自己的大会，会议仅仅决定派奥斯汀去墨西哥城向政府请愿。只是到了1835年，奥斯汀在狱中度过了大半年之后，加之受到墨西哥军队接二连三的骚扰，移民们才拿起了武器。

然而，当刚刚战胜安东尼奥·德·圣安纳军队的得克萨斯人全体投票赞同与美国合并时，他们被美国断然拒绝了。尽管安德鲁·杰克逊先前曾要求从墨西哥人手中以500万美元购买得克萨斯，他却不能战胜国会内部反对合并的抵抗力量。于是，得克萨斯人的独立事业只能由他们单独承担。只有通过与英国人周旋，让英国看到，在美国南部也能出现一个同美国北部一样的英国卫星国的远景，得克萨斯总统山姆·休斯敦才能够实现他的国家加入美利坚合众国的企图。即便在那个时候，得克萨斯于1844年6月要求加入的第二份提案也被美国参议院拒绝了。正是由于得克萨斯的前途在总统大选中成为引人关注的问题，才使得它的归属问题有所突破。马丁·凡·布伦因为拒绝支持合并在民主党总统候选人提名中输给了詹姆斯·科·波尔克，而波尔克又继续击败了想要推迟得克萨斯加盟的辉格党候选人亨利·克雷。当得克萨斯于1845年12月成为联邦政府的第28个州的时候，《民主评论》的编辑约翰·奥沙利文将其描述为“履行了我们在整个大陆扩展的天赋使命”。然而，合并的可能性至少十年之前便已经被提出过。用了如此长的时间实现合并，表明美国的扩张终究还是受到一定的制约，因为领土扩张的政策毕竟还不是那么能够自圆其说的。其间，最关键的一个障碍在于奴隶制度在得克萨斯依旧是被允许的。一些北部废奴主义者认为，联邦政府内部的蓄奴州是为了增加他们的力量而争取南部和西部新的成员州的加入。这个由南方奴隶制引起的重大问题限制了美国的扩张，直至一场美国历史上最为血腥的、自相残杀的战争爆发，这个问题才最终得到了解决。

美国与墨西哥的战争发生在兼并得克萨斯之后，而不在此之前、战争的起因部分是由于买家和卖家对于购买得克萨斯的价格不能达成一致意见。美国人民要求墨西哥政府偿付高达650万美元的债务；而墨西哥人不承认这一点。1846年3月波尔克总统命令查克里·泰勒将军从努埃西斯河向格兰德河进军。墨西哥人称以一场“自卫战”宣战，波尔克当局予以回击，指责他们是“让美国人的鲜血溅洒美国大地”。参战双方都没有预见到，在接下来发生的冲突中，双方的实力是多么的不平衡。事实上，尤利西亚斯·格兰特将军后来曾忏悔地将这场战争称作是“有史以来，强国对弱国发动的最为不公平的（数场战争）之一”。在不到一年的时间里，美国军队势如破竹，在一系列交火中获胜，并于1847年2月在布埃纳维斯塔摧毁了桑塔阿纳人数非常可观的大部队。另一支部队在温菲尔德·斯科特将军的带领下在韦拉克鲁斯登陆，向墨西哥城进军，并于9月拿下该城。然而单凭军队武力是不足以决定得克萨斯及其西部毗邻的命运的。在1848年

2 月签订的《瓜达卢佩–伊达尔戈条约》中，美国再次用美元换了土地。准确地讲，由于美国政府将墨西哥政府欠美国公民高达 500 万美元的债务承担下来，使得美国取得了南至格兰德河的大片疆域。此后，美国又追加 1 500 万美元，在它的购物篮里增添了新墨西哥州以及加利福尼亚北部。这块版图包括今日的新墨西哥州、亚利桑那州、科罗拉多州、犹他州和内华达州的大部分地区。这些都是大面积的兼并，也是立即可以得到回报的投资，因为仅数月之前加利福尼亚就发现了金矿。此外，由于新的土地不太适于发展种植园经济，所以它们的合并不像先前对得克萨斯的合并那样具有争议。

1850 年在对议会发表的演说中，威廉 · 亨利 · 西华德就已在召唤加利福尼亚的加盟了，他宣称："这个世界再也没有像美国一样的帝国了，它可以通过在太平洋海岸拦截东西印度群岛之间的商贸来自给。这样的地理位置使得这个国家成为这片海域的主宰，只有这样的帝国才是一个真正的帝国。"然而，诸多事件似乎表明这个真正的帝国又是金元与外交的帝国。西华德发表演说一年之后，由于美国同意当时美英版图的边界——北纬 49 度线——应当延伸至太平洋，从而获得了俄勒冈的领土。而那些要将边界线扩展到北纬 54 度线（越过鲁伯特王子港之外）的好战之声并未受到美国政府的关注。1853 年美国驻墨西哥大使詹姆斯 · 盖茨登从墨西哥获取了另一片领土（希拉河南部区域，就是今天横跨新墨西哥州西南和亚利桑那州南部的大片土地）。这次所出的价码是 1 000 万美元，成为美国历来购买领土每英亩单价最高的一次（见表 2）。15 年之后，在国务卿威廉 · 西华德的倡议下，美国又从俄国沙皇手中以 720 万美元购得 57 万平方英里，看起来大部分是永久冻土地带的阿拉斯加。

表 2 购买一个帝国

美国获取重要土地一览表，1803 年—1898 年

年份	条约及法案	地产	原支配国（地区）	总面积（英亩）	价格（万美元）	每英亩单价（美分）
1803	路易斯安那购买协议	路易斯安那	法国	559 513 600	1 500	3
1819	亚当斯–奥尼斯条约	东佛罗里达	西班牙	46 114 640	1 500	33
1846	俄勒冈条约	美国西北，北纬 49 度线以南	英国	192 000 000	—	0
1848	瓜达卢佩–伊达尔戈条约	得克萨斯、加利福尼亚、新墨西哥等	墨西哥	338 680 960	1 500 +500	6
1850	得克萨斯转让	新墨西哥	得克萨斯	78 926 720	1 000	13
1853	盖茨登购买条约	南部亚利桑那、新墨西哥边界	墨西哥	18 988 800	1 000	53
1867	阿拉斯加购买	阿拉斯加	俄国	375 296 000	720	2
1898	巴黎条约	菲律宾	西班牙	74 112 000	2 000	27

美国没能获得北纬 49 度线以北的土地，这个事实比任何其他事件更能清楚地解释美国扩张的局限性。我们不应忘记，开国之父们原本的打算是整合“从布里顿角到密西西比河的所有土地上的居民”。然而，如我们所见，第一次独立战争及 1812 年的战争中美国以武力占领加拿大的想法均以失败而告终。而且就大陆扩张而言，加拿大对于扩张的活力与激情完全可以同美国相媲美。正是美国对阿拉斯加的购买促成了大英帝国加拿大联邦自治领的建立（1867 年）。到 1871 年，加拿大已从大西洋扩展了到太平洋（而且其经济上的成功最终证明，对英国政治体制的否定并非是在北美大陆获取成功的先决条件）。美国的北部边界过去和现在都不存在什么自然地理界线，它的北部边界大部分长度是沿一个纬度定的，同时将五大湖地区一分为二，这个边界甚至与圣劳伦斯河的河道也不吻合。这条人为划定的长达

2 500 英里的边界线极佳地诠释了美国在 19 世纪的势力存在的局限性。这是一个严酷的现实，美国人在以一个独立的共和国形式存在的约 100 年时间里，打了一场又一场的内战（实际上是他们争取统一的战争）。他们在这些战争中所流的鲜血远远超出了他们在美洲大陆夺取新的生存空间所流的鲜血。直到 19 世纪 60 年代，美国内战爆发，人们参加战斗和勇于牺牲的关键原因已不在于他们的共和国的版图应该有多大，而在于这个国家的人民应该享有多少自由。

海上帝国

内战开始前的一段时间，美国已经展开了一些小规模的海军远征。一些小的军事突袭，如 1801 年~1806 年打击巴巴里海盗（准确地说是的黎波里的帕夏），但对海外领土的吞并则是另一回事。这样做是否符合宪法呢？联邦大法官罗杰 · 布鲁克 · 塔尼在臭名昭著的德莱德 · 斯科特案（1857 年）的判决中阐明："宪法当然没有赋予联邦政府在美国毗邻地区或海外随心所欲建立殖民地的权力，也没有给联邦政府随意扩张领土的权力，也不能以任何形式扩大其疆域。但是，以吸纳新的州的形式进行的领土扩张除外。"这使问题变得很清楚，只有新加盟的州可以存在，不该有殖民地或其他形式的附属疆域。部分出于这个原因，当圣多明各（未来的多米尼加共和国）于 1869 年主动要求被兼并时，这个提议在美国国会没有得到通过。然而 30 年后，埃 · 劳伦斯 · 洛维尔发表了非常不同的观点。他在《哈佛法学评论》中写道："美国也可以用非领土的形式获得新的土地，那样的话，宪法规定的同统一联邦征税和大陪审团审判的法律程序便不适用了。"洛维尔的文章的写作时机非常重要，因为到 1899 年，美国已经取得了一连串领地，这些领地很少能够符合成为新吸纳州的条件。

19 世纪晚期的美国帝国主义与同时期的欧洲帝国主义在很多方面有着相似之处。然而，美国扩张的第一个阶段是由于受到大规模移民以及对人口稀少土地进行殖民的政策而促发的，这个阶段是由战略、商贸利益及意识形态冲动相结合所产生的刺激而推动的。美国宏大战略的起源是一种“只许州官放火不许百姓点灯”的心态，詹姆斯·门罗总统 1823 年宣布的门罗主义声称“通过美洲人对自由及独立的追求，原则上讲，美洲大陆从此不会再被欧洲的大国们当作未来的殖民对象”。几十年当中，这个声明不过是美国佬的虚张声势而已。英国从原先属于荷兰的 3 块领地上建立起了英属圭亚那（现在的圭亚那），并且继续在北纬 49 度线北部毫无顾忌地开拓殖民地，好像全然忘记了门罗总统的伟大宣言。1839 年他们占领了洪都拉斯海岸线附近的罗丹岛；19 世纪 50 年代，他们暂时占据了附近的海湾群岛；1862 年他们将伯利兹城变成了英属洪都拉斯殖民地。法国人也不理会门罗主义，19 世纪 60 年代他们试图将墨西哥变成置于马克西米利安国王统治下的卫星国，可惜这位国王的运气不佳，但是这个计划的失败与美国的反对无关。在美国内战前后以及战争期间，欧洲列强经常以收集债务的名义多次对拉丁美洲事务进行军事干预。直至 19 世纪末，（如美国国务卿理查德·奥尔尼所言）美国才被认为是“这个大陆上实际的主权国家”——“不是因为单纯的友谊或良好愿望……不是简单出于美国作为一个文明国家的高尚特质的缘由，也不是因为美国的对外关系总是基于智慧、正义和公平这几个不变的特点……而是因为在所有其他基础之外，美国拥有无尽的资源及与世隔绝的独特的地理位置，这些都导致它能够掌控局势，处于不可动摇的地位”。

即便是如上分析也忽略了一些东西：直到拥有世界级的海军之时，美国才能真正在该地区强加它的意志，创建一个不容他人染指的区域。19 世纪 80 年代美国舰队实力仍然默默无闻，微不足道，甚至还不如瑞典。但受到阿尔弗雷德·萨耶尔·马汉舰长具有巨大影响力的《海权对历史的影响》一书的启发，美国走上了海军建设之路，其野心勃勃甚至超出了德国，所取得的成果是令人震惊的：到 1907 年，美国海军已成为实力仅次于英国皇家海军的一支舰队。正是由于美国拥有这样一支舰队，人们才对门罗主义刮目相看。为了回应委内瑞拉对欧洲船只的攻击以及其拒不履行对欧洲债务的偿还义务，1902 年英国和德国对委内瑞拉进行了海上封锁，正是西奥多 · 罗斯福总统威胁将派遣 54 艘战舰从波多黎各出发，从而说服他们接受了国际仲裁的决定。20 世纪初期英国将美国视为需要安抚的具有竞争性的帝国之一。

欧洲人对战舰的狂热是以海外商贸利益为根据的，因此，增强海洋力量被认为是正当的。19 世纪 80 年代之前，很少有美国商人会考虑到在美国以外寻求机会，因为在国内显然就可以赚到足够的金钱。确实，19 世纪 50 年代，一些南方人曾经梦想在得克萨斯甚至以外的地方发动军事进攻，从而在中美州建立新的奴隶制国家——田纳西冒险家威廉 · 沃尔克正是怀揣着这样的计划于 19 世纪 50 年代中期成功地夺取了尼加拉瓜的控制权。1859 年一项要求兼并古巴的法令被递交给国会。但是，随着内战的爆发，更重要的是内战所产生的结果，所有此类想法都变成了过眼云烟。直到 19 世纪 80 年代，共和党领导人、国务卿詹姆斯 · G · 布莱恩表达了以下观点，对于北部工业而言在“南美的矿井里以及墨西哥铁路……甚至在海洋中”也存在“有利可图的事业机会”。“当欧洲列强在亚洲和非洲稳步地扩大殖民统治时，”布莱因宣布，“这个国家的特殊使命是促进及扩大与美洲各国发展贸易。”阿尔伯特 · J · 贝弗里奇，这位印第安纳州 19 世纪 90 年代早期的议员，则更进一步地指出：

“美国工厂生产出来的产品超出了美国本土人民的需求；美国土地出产的农作物也超过了美国本土人民的实际消耗量。命运为我们写就了我们的政策，我们必须在全球开展贸易……我们将在全世界范围内建立贸易枢纽作为分发美国产品的配销点……伟大的殖民地会自行治理自己的国家，飞扬着我们的国旗和我们做贸易，并围绕着我们贸易枢纽的建设而共同促进经济增长……美国律法、美国秩序、美国文明以及美国国旗都会自行在那些先前是血腥、愚昧的土地上扎下根来，上帝通过这些中介使得这片土地变得美丽而辉煌。”

约瑟夫·康拉德的著作《诺斯特罗莫》中的人物荷尔洛伊德是唯利是图的代表人物，一个傲慢的东海岸富豪，他在书中说道，

“科斯塔瓦纳是什么地方？ 它是10%的贷款以及其他愚蠢投资的无底洞。欧洲多年来一直双手奉上其资本——虽然不是我们的资本。在这个国家里，我们太懂得下雨天得呆在家里不出门的道理了，我们坐观其变。当然，总有一天，我们会进入的，而且一定得进入。但是不必着急，在上帝创造的万物中，这个最伟大的国度得等待它的时机。到那时我们就会对任何事物都有发言权：工业、贸易、法律、报章杂志、艺术、政治以及宗教信仰，从好望角到史密斯峡湾，还要超过这些地域。北极如果出现值得拥有的东西我们也要有发言权。接着我们应当接管地球上偏远的岛屿和陆地。世界商业将由我们经营，不管世界上其他国家是怎样想的，喜欢还是不喜欢。我想，世界阻挡不了——我们也同样阻挡不了。”

这种论调早就可能在伦敦的某家俱乐部里听到，尽管调子会稍许低一些。经济帝国主义组成元素在大西洋两岸基本上是相同的：不仅想要降低他国的关税（从而打开各国市场，这对于1893年到1896年的经济萧条尤为重要），而且要做好使用政治和军事手段在竞争中取胜的准备。欧洲帝国主义专业的学者同样熟悉当时起作用的各种意识形态的潮流：约瑟亚·斯特朗是《新世界环境下的扩张》（1900年）一书的作者，书中诠释的社会达尔文主义即是赫斯特和普利策报业集团所倡导的那种狂热的沙文主义。

在许多英国观察家的眼中——从吉卜林到巴肯，从张伯伦到丘吉尔——美国当时对海外市场的争夺，与英国在19世纪末抢夺更多殖民地的行为有许多相似之处。在这样一个时代中，《纽约时报》可以宣称：“我们

注定是主宰这个星球的英语世界的一分子，而且是非常重要的一分子。”但是有两件事使得美国的试验与大西洋彼岸的对手有所不同。首先，帝国主义的政治根基更为狭窄：帝国这个概念对于工业化了的北部精英们的吸引力远远超过对这个国家其他人民所具有的吸引力。其次，获取殖民地的经济原因更易受到质疑，英国早在19世纪40年代就开始信奉自由贸易。当轮船、铁路和冰箱融入世界谷物及肉制品市场的时候，英国并没有对农民采取保护措施，使其免受廉价食品带来的冲击。英国有自己需要掌控全球权力的理由，它想确保自己不能生产的物品也能够在国内货物市场有供应。此外，英国伦敦金融城的银行家们的主要业务是海外投资，所以他们不仅对自由贸易感兴趣，而且对帝国的延续也持有一定的兴趣。如果新大陆债务国出口的初级产品不能够自由进入英国市场，又如何指望他们能够履行负债义务呢？如果他们威胁不履行债务的话，就应当攻占他们的国家，并利用合理有效的经济法则对他们的人民进行统治，除此之外，还有什么更好的办法不让他们这么做呢？在美国，有人持相似的观点，但也存在强有力的贸易保护的游说团体，他们竭力反对自由贸易。他们的观点是，如果殖民地的作用只是简单地使美国市场充斥着美国人自己也能为自己生产的产品的话（而且殖民地的产品更为廉价），美国则无需英国式的殖民地。其他的反对者则对加入美国的新移民的肤色变化大为失望，他们将殖民地看作另一个劣等种族的来源。他们虽然拥有一些相同的潜在偏见——保护主义以及本土主义，这些想法被证明是帝国主义的佞友。用吉卜林的话说，他们的支持者对承担“白人的负担”并无真正的兴趣。

美国最初的海外领地只是一些适合作为海军基地或海鸟粪来源的岛屿。中途岛环礁是这些最早的海上补给站中的一个，1867年美国拉克阿华纳号军舰舰长威廉·雷诺兹正式并吞了该岛。十年之后，美国得到对萨摩亚群岛的图图伊拉岛上帕果帕果港的使用权。然而直到1899年萨摩亚内战之后，整个群岛才成为美国的领地。在此一年前，关岛也随同威克岛一起被占领了。所有这些新的前哨军事基地除了面积小之外——即使是最大的关岛，其面积也刚刚达到200平方英里——都距离美国本土极其遥远。最近的中途岛，地处洛杉矶与上海两地的中间位置。最远的关岛坐落于日本与新几内亚中间，距离旧金山以西几乎5 500英里。夏威夷，美国第一个真正的殖民地，其地理位置也是位于太平洋中部。

位于距离美国本土2 000多英里的夏威夷群岛竟然会成为合众国第50个州确实是个历史之谜。尤其是本来还有其他更明显的候选地都没有被美国选作殖民地，而夏威夷却被选中。兼并夏威夷的动力来自三种社会力量：传教士、蔗糖种植园主以及海军至上论者。对于最后一种人，用国务卿汉密尔顿·菲舍的话来说，夏威夷“为他们在太平洋海岸和浩大领域的亚洲之间，提供了一处很有吸引力的海中落脚点。这片领域现已向商业和基督教文明打开大门”，更不用说，它还是抑制已经明显崛起的日本的一种途径。对于岛上的蔗糖制造商们而言，如果可以获得自由贸易权，美国就是一个潜在的巨大市场。同时，教会学校在积极培养愿意接受美国统治的夏威夷人。于是，朝着这个结局努力的措施很快就被采用了：1875年签署了一项自由贸易条约；1887年一座海军加煤站建在了珍珠港上；1893年女王利里奥卡拉妮政权被由美国公使约翰·L·史蒂文斯策划的一次政变所推翻。然而——与得克萨斯的情况如出一辙——国会在此紧要关头退缩了。尽管史蒂文斯警告说如果不采取行动，夏威夷则会成为“又一个新加坡或是香港，很有可能沦为英属殖民地”，他的吞并计划还是遭到了否决。蔗糖生产商害怕竞争，种族主义者们害怕“不良血统以及不良习俗”（因为在夏威夷群岛中仅有2%的人口是美国人），而自由主义者则怀疑在夏威夷的美国少数派没有多少民主意识。1897年一项新的兼并草案再度成为两党一致反对的焦点，西奥多·罗斯福哀叹说“不可思议的是，我们的人民表现出如此缺乏帝国主义的天性”。直到美国在菲律宾战胜西班牙军队的消息传开后，兼并的决议才终于得到了通过。

夏威夷人进行了反抗——但是他们采取的是和平反抗策略。在首次领土立法机关的选举中，一个名为自治党的组织通过动员本土选民，获得了多数席位。这些选民反对体制法案中关于在所有正式辩论中都必须使用英语的规定。只有通过拉拢约拿·库伊奥·卡拉尼安奥勒，一位起初抵抗美国接管的夏威夷王子，夏威夷当地的共和党才能具备竞争力。就如同代表檀香山商会和夏威夷蔗糖种植园主协会利益的挂名领袖一样，库伊奥王子只能对其人民的软弱而无力地哀叹。当五大糖业公司加紧对海岛上最富饶区域的控制时，原住民被“强行搬迁”了：实际上是被分流到边缘的土地上去了。然而，这个老套路的殖民步骤并没有完全按照计划实施。夏威夷土著人的地位虽然被当局用传统的方法加以削弱，但他们的土地并没有被美国殖民者所占领，而是被日本人和后来的菲律宾人移民占领了。在兼并之前，这个移民倾向已经很明显。尽管当局采取了排斥新移民的一些相关措施，日本社区还是迅速成长了起来。20 世纪 20 年代早期，每 100 个选民中有 3 个是日本裔，但是到了 1936 年，这个比例已是 1/4。夏威夷也许对美国具有战略价值，但它对美国的企业家并没有提供与美国本土相同的经济机会。

那么，为什么是夏威夷最终成为美国的一个州而不是 1898 年西班牙割让给美国的波多黎各呢？这当然与距离无关，因为后者离美国本土要近许多（离迈阿密只有 1 000 多英里的距离）。也不是经济上的原因，夏威夷的蔗糖产量并不比波多黎各的蔗糖产量高。答案实际上是一个法律上的技术问题，具体体现在波多黎各生产商对美国征收波多黎各商品关税的做法作出挑战。1901 年在两起同时进行审判的诉讼中，最高法院认为波多黎各不是另一个国家，但也不属于本国领土，因此对其商品征收关税是符合宪法的。尤为重要的是大法官爱德华·道格拉斯·怀特所总结的兼并与合并（后者需要取得国会的授权）两者之间的差别所在。在他看来，“波多黎各并没有合并入美国，它仅仅只是美国的一个附属财产。”照此，宪法中只有一些基本条款适用于它。这个判决从此界定了波多黎各所处的奇怪的介乎独立和成为美国一个州的一种中间状态。其重大意义在于可以此为例，来看待其他的以往海外领土的状态了。由其获得的方式而定，因为“正式”与宪法的“基本”条款都被延用到了阿拉斯加和夏威夷，所以从定义上讲，它们已经被合并，进而拥有完全的州的地位。这两处领地最终于 1959 年获得了该地位。

1901 年的裁决看起来为新的更大的像波多黎各这样的殖民地的合并在法律上扫清了道路，类似这样的殖民地可以被视作“统筹范围之内而非合并范围”，因此不受宪法的约束。那么，美国又为什么没有取得更多像波多黎各这样的殖民地呢？答案可以用三个字来回答：菲律宾。

在菲律宾发生的事情不幸成为美国海外经历的代表，影响远远超过夏威夷和波多黎各。更准确地说，美国在菲律宾的行动可以清晰地分为 7 个典型阶段：

1. 重大的初期军事胜利。

2. 对于本土人情绪的错误估计。

3. 有限战争策略以及武力的逐步升级。

4. 面对拖泥带水和残酷的冲突，国内人民普遍不满。

5. 过早的民主化。

6. 对国内经济优先的考虑。

7. 最终撤退。

1898 年美国战胜西班牙的速度毫无疑问是惊人的。从宣战（美国假借缅因号战舰在哈瓦那海湾意外爆炸，认定责任在西班牙一方。并以此为借口，发动战争），到西班牙军队在加勒比海地区以及菲律宾被击败仅用了短短 3 个月的时间。然而，美国人拒绝承认与之并肩抵抗西班牙人的菲律宾人民是为了他们自己的独立而战，而非仅仅为了换一个殖民地主人。麦金莱总统为兼并菲律宾诸岛的合理性所作的演讲，是总统式伪善的经典之作，完全符合他的听众，即卫理公会教派神职人员的胃口：

“我夜复一夜地在白宫徘徊直至子夜。我不怕难为情地告诉你们……我不止一个晚上双膝跪下祈祷万能的主，赐给我光明和指引。终于在一天晚上，时间已经不早的时候，我受到这样的启示——我不知道它是怎么回事，但它的确就这样来了……（1）我们不能将他们交还给西班牙人……（2）不能将他们移交给我们在东方的商贸竞争对手法国和德国……（3）我们也不能放任不管，因为他们不适合拥有自己的政府……（4）我们只有将他们的一切接管下来，对菲律宾人进行教育，提高他们的水平，使其开化并使他们成为基督徒。我们借上帝的仁慈倾力而为，也借着他们自己，和我们一样，基督也同样为这些人受死。”

正如麦金莱的描述，兼并就是天意强加给美国的一个推诿不了的责任。如此虔诚的召唤无疑引起了公众广泛的共鸣，然而美国政治精英层所作的占领菲律宾的决定，并不是那么带有传教色彩，它更多的是出于军事和经济利益方面的考虑。

由艾米里奥·阿圭纳奥多领导的反抗美国吞并的叛乱随着《巴黎条约》相关条款的出版迅速爆发。该条款中，西班牙将菲律宾以2 000万美元的价格转让给美国（差不多与美国购买得克萨斯、加利福尼亚和其他一些墨西哥割让的领土总额相当）。美国最后为菲律宾群岛所付出的还不止这些。在三年的时间里，美国派驻菲律宾的部队人数从1.2万人上升至12.6万人。尽管阿圭纳奥多于1901年3月被捕，战争也于1902年7月正式宣布结束，但在此后的数年间，在一些岛屿上仍不乏断断续续的小的抵抗活动。这并不是一场打得酣畅淋漓的战争，也不是美国军队喜欢打的那种平民和士兵真假难辨的丛林游击战。高级军官们很快采用了极其严厉的军事措施。陆军准将雅各·H·史密斯命令他的手下在萨马岛上格杀勿论，不留活口——这是一个违反战争法的命令——并补充说道：“我要你们烧、杀，烧得越多，杀得越多，我越开心……我要所有那些有能力持枪反抗的人都被杀光。”战役结束之时，已有超过4 000名的美军服役士兵阵亡，超出与西班牙作战牺牲人数 1 000 人。大约 4 倍于此的菲律宾人死在这次军事行动中，就更不用说因为战争导致的饥饿与疾病所造成的死亡。与此同时，一名来自俄亥俄州的法官——威廉·霍华德·塔福特被任命负责一个 5 人组的民间专委会，力求通过为当地建造学校和改善当地卫生条件来拉拢菲律宾人，正如其中一位专员率直的言论："美国主权是……菲律宾人自由的另一个名字。"仅仅战争本身就使美国付出了 6 亿美元的代价，而战后的重建工作又会产生多大一笔账单呢？

然而，比起这件事情的本身原则来，战争的花费并非是引起最初国内对菲律宾战争一片反对声的原因。我们当然不能够想象"反帝国主义者联盟"会代表大多数投票人出来说话，但是它的会员中包括两位前总统：格罗弗·克利夫兰和本杰明·哈里森，12 名来自两个党派的议员，8 名克利夫兰内阁的前部长，更不用说百万富翁、大实业家安德鲁·卡内基了。同盟有足够的支持而将菲律宾的独立作为民主党 1900 年政纲的一部分。并且它还拥有当时最具影响力的美国作家马克·吐温的支持。

马克·吐温是未来反战知识分子的先行者。1898 年，在写给他一个朋友的信的开场白中，他欢迎将菲律宾从西班牙人手中"解放出来"，"为自己的自由而战是一件很有价值的事情，为他人的自由而战则更加值得受人尊敬。我想这么做在世界上还是第一次。"但是 1900 年 10 月当他仔细阅读《巴黎条约》之后，他认为："我们并不是打算解放菲律宾人，我们不过是想要征服菲律宾人而已……我是一个坚定的反帝国主义者，我反对这只自由之鹰将爪子伸到别人的土地上去。"吐温的声音被压制了。《哈泼斯》杂志拒绝发表他的短篇故事《战争祈祷》。故事里有一位年迈的陌生人在教会公众前说着如下的祷词："哦，上帝，我的父，我们心中的偶像，年轻的爱国者们奔赴战场——愿你与他们同在！……哦，神啊，我的上帝，请帮助我们的炮弹将敌人的士兵炸成血淋淋的碎片，帮助我们使他们美好的土地尸横遍野，覆盖着他们国家爱国者苍白的躯体……帮助我们以无尽的悲恸折磨他们的无辜寡妇的心；帮助我们将他们赶出去，与他们的小孩一起无家可归，在他们一片废墟的荒芜土地上无依无靠地过着流浪生活。”私底下，吐温曾将麦金莱形容为将美国军队“以一把可耻的步枪在一面肮脏不堪的旗子下作战”的那个人。他还建议“将所说的旗子的白色条纹绘成黑色的并且将旗子上的星星由头骨和肋骨交叉的图形来替换”。他的批评很有影响，反战者并不需要博得大多数人支持才能破坏为战争所作的努力。虽然民主党人没能成功阻止国会通过兼并法案，且他们的总统候选人也被麦金莱所击败，但是民主党控制的新闻媒体中反对兼并的声音却是令人印象深刻的。而对史密斯将军和利窦顿 · W · T · 华勒上校下令立即处置菲律宾囚犯这一罪行的揭露，也给予反战人士一个等待已久的为难政府的良机。为了确保 1900 年的竞选胜利，麦金莱只能全面疏远帝国主义。

副总统西奥多 · 罗斯福曾经将菲律宾人比作是阿帕奇印第安人，将阿圭纳奥多比作酋长希丁 · 布尔。麦金莱被刺杀后，罗斯福被推上了总统宝座。他私下里承认，巴不得早点儿从这场美国式的“布尔战争”中退出，但他仍急于在菲律宾创建至少一个民主的表象。由《体制法案》形成的全国立法机构的首次选举中，下议院的 80 个席位中产生的 58 名下议员都是曾经参与过独立运动的民族主义者。不到十年的时间里，所谓的《琼斯法案》（1916 年）被批准，一旦“能够建立一个稳定的政府，就将准许菲律宾群岛独立”。然而，并不是民族主义者的压力就能够决定这个日子何时会来，也不是说准许菲律宾独立的决定就是对美国本土部分地方原先的兼并做法进行完全否定。促发菲律宾独立的决定性运动，实际上是由国会内部部分议员结成的联盟所发动的，几乎完全都是出于对他们自身利益的考虑：糖业、乳业以及棉花行业的生产商们要将菲律宾的蔗糖和椰油排挤出美国市场之外，与商会会员密切勾结，迫切要求产生反菲律宾工人的移民限制。实际上，1933 年美国曾向菲律宾提供一个独立提议，但条件太苛刻，菲律宾的立法机关拒绝接受它。虽然 1934 年的泰丁–马克杜菲法案不那么带有惩罚性——为未来美军在岛上的军事基地的合法性留下了可以商榷的余地——但其中经济方面的条款基本上还是保持不变。独立将意味着对菲律宾产品定向强征美国关税，对此时 3/4 出口产品完全依赖美国市场的菲律宾经济而言，无疑是一个巨大打击。1946 年独立最终到来之时，菲律宾人已没什么可以庆祝的了。

也许以失败来定义美国对菲律宾的统治的确太过严苛，但这肯定与富兰克林 · 罗斯福后来取得的成功相去甚远。除了菲律宾人被排挤出美国市场所面临的经济上的窘境之外，美国统治菲律宾的战略利益并不重要。首先，美国对亚洲宏伟的经济渗透计划连一半都没有实现， 而这个计划正是美国建立跨太平洋军事基地的目的所在。其次，当日本 1941 年 12 月发起对美国的军事挑战时，美军从珍珠港到苏比克海湾的军事基地都被证明是非常容易受到攻击的目标。

强制的民主

然而，美国还有一个欧洲特点的“直接”帝国主义的替代方案。实际上，授予菲律宾以政治上（如果不是商贸上的）自由就是这一替代方案的一部分。美国可以利用其经济和军事的强大力量，在一些战略上具有重大意义的国家中培养出“对美国友好的政府”，而不是占领、管理一个各方面条件都已成熟的殖民地。起初，那并不意味着仅仅是一个亲美政府，它还是一个美国式的政府。与英国的“间接”统治概念有些相同的帝国新方式的发展，在很大程度上归功于伍德罗 · 威尔逊总统的统治。其潜在的观点可以追溯到其前任西奥多 · 罗斯福的《门罗主义的推论》一文（1904 年 12 月）。文章这样说道：“像其他地方一样，在美国长期不道德行为和无能所导致的文明社会纽带的松懈，最终需要某些文明国家的干预。门罗主义迫使美国对西半球的一些公然的恶行和无所作为进行干预，行使其国际警察的权利，无论美国有多么不情愿。”而威尔逊则更进一步，仅在入驻白宫一个星期后，这位新总统就对新闻媒体宣布：“只有基于法律而不是转制或不正规的政府暴力，拉丁美洲国家未来才有与美国合作的可能……对那些为实现个人利益和野心的人，我们不能给予同情。”威尔逊的推论暗示拉丁美洲只有少数几种政府是能够被美国所容忍的。军事独裁政权被排斥在外，但革命政权也不在其内。他说，某些国家的政治煽动者想要革命，并要对新政府耍这样的花招。如果他能阻止得了，他是不会让他们得逞的。因此未来是属于那些直觉好的，将自己定位于极端可恶的“独裁—暴力”和“革命”之间的国家政府的。而对于那些不能被接受的政权体制而言，美国保留其使用武力的权利。

当威尔逊宣布他不打算承认维多利诺胡塔将军的政权时（此人在暗杀自由党总理弗朗西斯科·马德罗后，夺取了墨西哥政权），1913 年任职英国外交部长的爱德华·格雷爵士顿时明白了这个政策意味着什么。在美国驻伦敦大使华尔特·佩奇向格雷说明了美国政府的立场之后，下面的这段谈话接踵而至：

> 格雷：假如你们不得不进行干预，接下来会做什么呢？
>
> 佩奇：让他们的人民按照自己的决定投票表决和生活。
>
> 格雷：但如果他们不愿意这样生活呢？
>
> 佩奇：那我们就得参与进去，让他们再次选举表决。
>
> 格雷：然后将这样的状况维持上 200 年？
>
> 佩奇：是的。美国将在这里待上 200 年，并会在那个弹丸之地继续动武，直到他们学会如何投票选举并统治他们自己。

于是乎便诞生了一个悖论：即看似自相矛盾的强制实行的民主，强加的自由和胁迫下的解放运动。这个悖论成为美国一个世纪的外交政策的典型特征。

应当立即指出的是，与这个“新政策”并行的旧的帝国主义倾向仍然在起着作用。出于经济上和战略上的考虑，加之惯有的种族优越性想法——这些都在美国和拉丁美洲的关系上起着他们各自的作用。实际上，威尔逊的方式在很多方面只是与这个地区先前就存在的一些政策紧密结合在了一起。

美国战略的关键所在是中美地峡和从佛罗里达海峡到特立尼达岛的长月形群岛，它将加勒比海地区从大西洋分隔开来，就是亨利·卡波特·洛奇所谓的“大陆根据地”、“国防重要的外垒”。因此，该地区最重要的一些国家是尼加拉瓜和巴拿马，还有古巴以及海地的群岛。海地岛在 1844 年被分为海地和多米尼加共和国两个国家。

控制正在开凿的巴拿马运河的计划是 1903 年通过军事手段解决的。事实上，美国舰队曾经两次被派遣到哥伦比亚（分别是 1885 年和 1895 年），但正是他们的第三次干预行动才被证明是具有决定性意义的，这次是为了支持巴拿马分裂主义者。其实，由于哥伦比亚参议院拒绝批准将土地出租用于运河的建造后，罗斯福便使用美国海军的力量建立了一个独立的巴拿马政府。美国在 90 分钟的分离主义者政变中，正式承认巴拿马共和国，而巴拿马共和国政府将其一条宽约 10 英里的领土殷勤地献给华盛顿政府用于运河的修筑。可笑的是，这根本就是一场军事小表演。被报道的仅有的伤亡是“在萨尔斯皮德斯街上的一名华人……和一头驴子”。

1914 年，巴拿马运河开通了。但直到 1979 年，它一直被控制在美国人手中。也曾有这样的计划，要建造一条更北的经过尼加拉瓜的运河。实际上，在 1902 年那里发生的火山爆发所引起的美国参议院的惊恐之前，尼加拉瓜本来好像是要为美国提供一条更合适的线路（经过尼加拉瓜湖）。但美国企业的利益在这个国家并不是很大：相比在拉丁美洲 17 亿的总投资而言，美国 1912 年在那里的总投资不超过 250 万美元。然而当尼加拉瓜独裁者荷赛·桑托斯·泽拉亚似乎在与盎格鲁–法国财团玩把戏的时候——两名美国人由于参加一场动乱而被处死——美国便中断了与他们的外交关系。泽拉亚被迫辞职，一个以阿道夫·迪亚兹——前拉卢兹-洛杉矶矿业公司财务主管为首的新政府在美国的支持下建立了。1912年在泽拉亚的要求下，3 000名美国海军军人被派遣前去平息一次反对他的起义，一支百人的小分队在那里一呆就是13年，以帮助他扶持政权。这次军事干预的成果就是1916年签订的布赖恩-查莫罗条约，该条约使美国以300万美元换取了在尼加拉瓜境内开凿运河以及在芬斯加海湾建立海军基地的特权。

古巴也是这样，商业利益与战略考虑都指向了周期性干预而非兼并，独立而非占领。虽然1898年打败西班牙为美国接管该岛提供了一个契机，但美军只在那里作了短暂的停留。麦金莱仅仅是说到古巴与美国之间“单方面亲密和支持的关系”。而这些所采取的形式在参议员奥威尔普拉特的修正案中作了详细说明，并与1902年古巴宪法合为一体。宪法给予美国必要时“为保全古巴的独立，维持一个足以保护生命、财产和个人自由的政府”进行干预的权利，修正案禁止古巴与同美国竞争的任何国家达成双边战略协议。这样，就给予了美国就古巴岛对外政策具备有效否决的权利，它限制了这个国家未来的借款事项，并且给予美国在古巴海岸线上建立海军基地的权利。首个被租借的地方是位于岛屿东部末端的关塔那摩海湾。没用多长时间美国就使用了干预古巴政治生活的权利。1906年由于一次政治叛乱企图推翻刚被选举出的总统，以一位美国总督为首的临时政府便成立了，并且部署了一支海军部队。但是对古巴曾经一度狂热的罗斯福现在也公开宣称“讨厌要对该岛有任何方面控制的想法，就像我们对波多黎各和菲律宾所做的那样”。事到如今，他已不大相信像古巴这样“人口密集的热带地区”能够进行由“北方民主制主导的治理”的想法了。两年半后美军任命了一位新总统后就撤退了。1912年为了平息一次由前奴隶组织的暴动，他们又暂时回到这里。后又于1917年至1922年因战败方拒绝接受选举马里奥·曼卡尔为总统返回这里。曼卡尔是古巴-美国糖业公司的执行董事，这绝非巧合。

多米尼加共和国处于一个类似的政治经济依赖状况，只是没有被彻底占领罢了。罗斯福说："我也有同样的愿望想要兼并它，就如狼吞虎咽的大蟒从错误的一端吞噬豪猪一般。"他转而采用已经试行、测试过的帝国主义方式来控制关税收取，这是政府的主要收入来源。受1905年《美–多临时条款》的约束，美国能够保留高达55%的关税收入以抵偿其债务。英国的克罗默勋爵在19世纪末的开罗主导埃及的财政，约翰·霍普金斯大学的雅各·H·荷兰德教授也开始对圣多明各的债务的大小以及关税收入的支配情况做裁决。然而，要在古巴和尼加拉瓜找一个合适的傀儡是很成问题的。1911年拉蒙·卡西尔总统被刺杀使政府陷入一片混乱中，迫使美国罢免了一位行将上任的总统候选人，改立其他人。1914年多米尼加的一位新总统公然拒绝了美国更为苛刻的财政控制，一场起义爆发了。在美国看来，别无他法，只得再次向该国派驻海军部队。最终，1916年11月这个国家处于美军政府的控制之下，时间长达6年之久。威尔逊庄严地说，在这个非常令人困惑的形势下，美国这个做法产生的罪恶最小。

对西方而言，在邻近的海地所发生的是相似的故事。1900年到1913年间美国不下16次向该国派遣军队，但岛上的政治形势仍然危机四伏：1912年到1915年的4年时间里更换了不下6位总统。圭劳姆·山姆总统被谋杀的第二年，威尔逊再次向海地派遣海军陆战队，经历了重大流血事件之后，建立了秩序。那一年9月，任命了一位新总统，条件是他必须接受一份与普拉特修正案相似的条约。这样的话，海地的经济、政治、新闻和公共建设都将处于美国的监控之下。负责军事行动的美国海军指挥官将军事规则强加给沿海城镇。

如此开始了一段美国间歇性插手干预中美洲和加勒比海地区的历史，直到今天。说得温和些，作为一个政策，它着实令人感到失望。实际上，当人们比较该地区正式被美国兼并的这两块版图——波多黎各与维尔京群岛（1916年从丹麦人手中购得）与在该地区美国寻求通过间接方式控制的国家时，便免不了得出这样的结论：对于后者而言，兼并可能会更好一些。在两次战争中间，美国人对“罗斯福推论”的热情减弱了。威尔逊秉持的该地区人民终究能“学会……选举出合适的人”的信念也丧失了可信度。1924 年海军从多米尼加共和国撤退。任何在洪都拉斯建立民主政府的主张都在 20 世纪 20 年代被抛弃了。到 1932 年，主宰该国香蕉生产的联合水果公司同意与独裁统治者迪布曹 · 卡尔雅斯 · 安蒂诺和平共处，利益均沾。迪布曹 · 卡尔雅斯 · 安蒂诺统治该国直到 1948 年。赫伯特 · 胡佛当选总统不久便对记者说：“干预手段从不曾是美国的既定政策，将来也不会是。”事实上，他的继任者富兰克林 · 罗斯福不失时机地对古巴进行了干预，然而其结果是另一个以年轻的名为弗尔根西奥 · 巴提斯塔军士为首的军事专政。1934 年，普拉特修正案实际上已被撕毁，美国控制古巴的企图所幸存下来的只有位于关塔那摩海湾的基地。同一年，罗斯福也从海地撤军了。

也许所有地方中最让人沮丧的便是尼加拉瓜了，直到 20 世纪 20 年代中期它还深陷敌对的自由党和保守党之间派系纷争的内战中。虽然美国海军再次加入，这次是为了阻止由埃米里奥 · 查莫罗策划的政变，迪亚兹与亨利 · L · 史汀生一起返回总统府邸共商解决办法。1927 年夏天，他本可以获胜，但由于一名自由党指挥官，奥古斯都 · 恺撒 · 桑蒂诺的顽强抵抗而没能成功。1928 年进行了选举，1932 年再次进行选举，美国海军发现自己陷入了反对桑蒂诺军队的游击战之中。即便使用强大的制空力量也无法将这些军队从山区要塞驱逐出来。到 1932 年的时候，许多美国人开始问这样的问题：“为什么我们要到尼加拉瓜去，我们究竟去那里干什么？”纽约《时代周刊》的一位通讯员发表了一篇尤为引起轰动的报道：“我们应当去那里，把那个地方清理干净然后退出来不再插手干预。我们一把一把地将我们的孩子送到那里被宰割是毫无用处的。”（实际上，美军总共死亡人数是 36 人。）1933 年 1 月，最后的海军陆战队从尼加拉瓜撤出。13 个月后，桑蒂诺被尼加拉瓜出生的阿纳斯塔西奥 · 索摩查 · 盖尔西亚处死，他是第一个由美国训练的国家保卫军指挥官。两年后，他任命自己就职总统。索摩查专制时代历经两代人，直至 1979 年。

这不是威尔逊原先的设想。使用美国军事武力在中美洲支持成立美国式政府的梦想，均以悲惨的失败而告终。到 1939 年为止，整个地区只有一个真正的民主国家，就是哥斯达黎加，而美国从未对那个国家进行过干预。当然，就一些方面而言，正如他自己一贯声称的那样，美国成功地塑造了自己西半球霸主的地位。作为一个投资者，其重要性也逼近先前占统治地位的英国，虽然不能说超越了英国的地位。作为一个在南美洲争吵不休的各共和政体间的外交仲裁者，它也起到了举足轻重的作用，尤其是在 20 世纪 20 年代。但是作为一个寻求向拉丁美洲输出自身政治体制的自由帝国，其行动则可谓是乏善可陈。富兰克林 · 罗斯福所能做的一切只能是将这个失败粉饰为“好邻居间的”宽容关系。索摩查也许是一个狗杂种，但据罗斯福的国务卿说，“他毕竟是我们豢养的狗杂种。”对美国政策批评最严厉的是史沫特莱 · 巴特勒将军，他是那个时代获得勋章最多的海军陆战队的军官。他在 1935 年为《常识》杂志撰写的一篇文章中说：“我帮花旗银行的小子们在海地和古巴体面地收税，我帮华尔街掠夺了半打中美洲共和国。这场敲诈勒索时间漫长。1909~1912 年间，我帮布朗兄弟的国际银行清洗了尼加拉瓜。1903 年为了美国的水果公司，我帮助洪都拉斯作所谓‘正确的’选择……回首以往种种，我觉得我可以给恶贯满盈的黑手党首领阿尔 · 卡彭些许提示。他最多只能在三个城市施展拳脚，我们海军陆战队却可以在三个大陆上为所欲为。”

这将永远成为对美国帝国主义的最具摧毁性的诋毁，即所有那些所谓高尚意图的声明背后，不过是华尔街敲诈勒索的黑手。

那么墨西哥，那个激发威尔逊进行民主干预信条的国家呢？ 1914 年美国对霍尔塔政权失去了耐心，派遣了一小支海军陆战队夺取了重要港口和韦拉克鲁斯石油枢纽的控制权并阻挡了德军的进入。霍尔塔因受到美国支持的叛军和美国石油公司税收罢工的双重围攻而被迫辞职，向反叛分子首领维努斯提阿诺 · 卡兰扎投降，并交出了权力。卡兰扎政权不过是美国一手制造的产物。然而，接下来的两年时间里，美国却好像算计着要破坏卡兰扎政权的统治。美国派遣军队越过墨西哥边境寻找卡兰扎先前的一个同盟——潘卓 · 韦拉，此人后来变了节。不久之后，约 · J · 潘兴将军惩罚性地派遣军队深入墨西哥领地，也没有找到这个人的下落，却遭遇了正规军，发生了冲突。受到即将全面爆发美墨战争预言的警告，威尔逊撤军了。潘兴被迫“找了个借口溜回了家，好像一条被鞭打了的恶狗夹起了尾巴”。美国开始着手追捕某要人一直未果，最后却以得罪从前的盟友而告终。这种现象不是美国历史上的最后一次。与此同时，在墨西哥政治中，地方暴力仍然没有减退。不久后，一个新的带有预示性质的词，“布尔什维克主义病毒”，开始用于墨西哥革命的继承人身上：美国观察家们开始发觉一些布尔什维克主义症状（虽然这个时候，像卡洛斯 · 卡尔沃这样的民族主义者的影响力会显著超过列宁的影响力）。1917 年新墨西哥宪法第 27 条声称所有地下矿藏都属于墨西哥国家所有，这是暗中以国有化威胁美国石油公司。史沫特莱 · 巴特勒将军设法“使墨西哥成为美国 1914 年石油利益的保险箱”这一做法实在够糟糕的了。更糟糕的也许是他已经失去了任何可能的机会。

“我们美国人是独特的，由上帝选择的子民。”赫尔曼 · 梅尔维尔的《白外衣》中这样写道，“我们美国是这个时代的以色列，是承载着世界自由的方舟。”20 世纪期间美国领导人更为频繁地采用这一圣经语言，努力夸大提高美国外交政策的地位，如果不是为了使其神圣化的话。这样一来，他们便在效法早期帝国缔造者们的榜样，不仅仅是麦金莱。经济也好，政治也好，美国价值标准的外延已超越了美国边境，和美国边疆扩张自身差不多，在他们看来都是“昭昭天命”。然而这里有一个长期执行的问题。越是力求到达更远的热带地区，美国在那里的控制被证明越为薄弱。“自由帝国”

显然可以给予古巴、尼加拉瓜和墨西哥这样的地方诸多好处，更不用说多米尼加和海地共和国了。但是美国人缺少使它们成为伟大美国永久组成部分的意志——只有夏威夷和波多黎各例外。但这至少因为它们是最听话的候选殖民地。其余的候选殖民地则得到各种与政治和财政清廉有关的说教以及偶尔的军事袭击。而美国的高尚目标和实现手段之间的矛盾——即美国可以随意开枪杀人，直到当地人们学会如何投票选举并统治他们自己——被完美地浓缩在了墨西哥。潘兴将军的滑稽之处在于，当他飞奔在墨西哥，沉迷于追捕潘卓 · 韦拉时，就好像梅尔维尔的那部讽刺作品《白鲸记》——失去了故事高潮所应有的对决情节。

也许，潘兴将军是对的。倘若还有一次远征机会的话，他可能会像亚哈一样最终逮到他那条“逃跑了的鱼”。但那已是不可能的了。1917 年 5 月 28 日，这位将军作为美国远征军的指挥官开赴欧洲，执行追捕一条更大的鱼的指令。美国挣扎着成功地实现了它西半球霸主的宣言。自相矛盾的是当它面对世界权力这一更大挑战时，其帝国主义控制力却更为强硬。

COLOSSUS

第二章

反帝国主义中的帝国主义

千疮百孔的美国飞机满载着伤员和尸体从英国的一个飞机场掉头起飞了……

队形朝后飞过一个燃烧着的德国城市。轰炸机打开炸弹舱使用非凡的磁力减小火势，将它们收进圆柱形的钢罐中，然后将钢罐收入飞机腹舱内……

轰炸机返回基地后，汽缸被从架子上卸下，然后运回美国。在那里，工厂日夜工作拆除汽缸，将危险的成分分成矿石。

库尔特·冯内古特《五号屠场》

美国主要的武器是股票、香烟和其他商品。他们想要让世界屈服却征服不了区区一个朝鲜。

约瑟夫·斯大林

世界大战

可以这样说，两次灾难性的事件帮助美国从一个不大情愿的美洲霸权国家，变成现在时常被认为是全球主义的国家。第一次是卡纳德航运公司的路西塔尼亚号游轮于 1915 年 5 月 7 日，被一艘德军潜水艇U–20 在爱尔兰南海岸线上的老金塞尔角海域击沉，1 200 人因此丧命，溺水身亡者中 128 人为美国乘客。第二次是 1941 年 12 月 7 日，日本对珍珠港发动袭击，这次空袭导致 3 艘巡洋舰、3 艘驱逐舰以及 8 艘战列舰沉没或重伤，2 403 名美国人死亡，他们中的大多数是水手。正是这两次海上侵略行动迫使美国对其外交政策中一个最老的问题做出了回答："是要在大洋的这一边保卫美国的安全，还是要越过大洋，积极参与那边的事务来捍卫美国的安全。"同这两场灾难相比，2001 年的"9 · 11"恐怖袭击事件的历史巧合性是不言而喻的。

当然，现实中"越过海洋，积极参与那边的事务"，从合众国成立之初就已开始了，早于 1915 年之前很久就已经在很大程度上得到了推进，到 1941 年则更是有过之而无不及。为什么美国人要在战争期间开赴欧洲，并且明知会有遭遇潜水艇攻击的风险还要去？当然，他们不都是旅游者。至于珍珠港，有什么比一个距离美国 2 000 英里，历时长达 50 年的海军基地，更能成为他们国家早期海外进取主义的现实证据呢？不管怎么说，将美国卷入第一次世界大战中的，不是路西塔尼亚号的沉没，甚至也不是德军在 1917 年 2 月绝望地发动的无限制潜艇战，而是被媒体披露的德国外交部的一个思路。这个思路极为幼稚可笑：只要美国下决心参战，德国就要将日本和墨西哥都吸纳成为同盟国成员国。德国人对墨西哥卡兰扎总统的引诱是“墨西哥要夺回在得克萨斯州、新墨西哥州和亚利桑那州的失地……这是可以理解的”。

美国的问题不再是在全球主义和孤立主义之间作选择的难题了，不管这在实践中意味着什么，取得世界权力的决定早在世界大战之前很久就已经作出了。如沃尔特 · 李普曼 1926 年在《纽约世界报》中所评述的那样，美国真正的问题只是一个自我意识的问题：“我们一直认为我们自己是一个巨大的、和平的瑞士，但事实上我们是一个伟大的世界强国……我们是不自觉的帝国主义国家。”李普曼的评述表明，美国“作为一个自我否认的帝国主义国家”的观点本身并无新意。美国的特别之处在于它能够在历经 20 年全球冲突后还能继续自我否认这一点上。正如德国经济学家莫里茨 · 尤利乌斯 · 邦恩尖锐的评价：“美国是现代反帝国主义的摇篮，但与此同时它又兴建了一个强大帝国。”他是在第二次世界大战结束后写下上述这些文字的。

1947 年前 30 年的时间里，美国外交政策的特征是连续几届总统都坚决主张美国能以某种方式崛起为一个强国，却能避免先前任何一个大国在崛起时所采取的行为。德国的失误给了伍德罗 · 威尔逊这样做的机会，这与拿破仑战争结束的那段时间里，英国首相小皮特的继任者们所获得的那种机会不无相似之处。随着欧洲人被数年的战争拖得筋疲力尽，美国远征军便有了给全球大战的结果一锤定音的可能，就好像威灵顿元帅手下的部队在 1814 年~1815 年给予拿破仑 · 波拿巴的致命一击一样。然而威尔逊不能认同传统意义上的胜利果实：强制战争赔款、划分新的疆界，甚至在战败国建立新的政权体制。也许是受了“美国的干预不过是为了‘获得金子’”——即以偿付华尔街欠下英、法两国的贷款——这一指控的刺激，威尔逊那过于复杂的大脑里便迫切希望能够重建整个国际体系。早在 1914 年 12 月他就已经提议：任何和平解决方式都“应当从欧洲国家的利益出发，把他们作为人民，而不应该向外族人民强加任何一个国家政府的意愿。”次年 5 月，他告诉和平执行联盟的会员们，“每个民族都有选择自己在什么样的主权中生活的权利。” 1917 年 1 月他直接宣称“每一个民族都应当被给予选择自己政体的自由”。一年之后，在他著名的《14 点》的第 5 点到第 13 点中又作了详细说明。正如威尔逊所设想的那样，新的“国联”不仅要确保成员国领土的完整，还要考虑“依照民族自决权的原则”对未来领土做出调整。在欧洲人看来，这一点很有革命性；对美国人而言，威尔逊所坚持的那种政策是不言自明的，如同美国《独立宣言》的开场白一样：“这些是美国的原则，美国的政策。我们决不代表他人。它们也是全世界每一个现代国家，每一个文明社会中有远见的男人和女人们的原则和政策。它们是全人类的原则，必定会获成功。”

这当中有三个困难。第一，这是极其虚伪的。1916 年威尔逊起草的一篇演讲中包括了那句经典的格言：“决定另一个民族的政府应该是什么样的，不是美国人的责任……”他的国务卿罗伯特 · 兰辛简要地在边上写下：“海地、圣多明戈、尼加拉瓜、巴拿马。”第二，民族自决权的运用将产成一个明显扩大了的德意志国家，而这个结果不大会让一些国家感到舒服，它们曾在没有美国军事协助的情况下与德国人奋战了三年。也许，威尔逊要是具备更好的欧洲种族地理知识的话，可能就会避免这个难题的产生。第三，威尔逊计划的致命缺陷在于，他不能说服充满怀疑心理的参议院。在“罗斯福推论”（Roosevelt Corollary）的大胆主张与“国联”的盟约中不切实际的承诺之间存在着巨大鸿沟。前者完全授权美国在拉丁美洲做任何它想做的事情，而后者则要求美国不得不“尊重所有成员国领土完整和现有独立权，反对对其进行外部侵略”。当亨利 · 卡波特 · 洛奇提议有条件地批准《凡尔赛和约》，对某些问题有所保留——英、法两国已经准备接受这些保留条件，威尔逊却拒绝妥协。寄希望于总统选举获胜的威尔逊指示民主党议员投票反对任何有条件的条约议案，结果一次中风阻止了他的参选活动。

欧洲人要求美国人保证参与维持战后新的国际秩序，美国人则宁愿保留自己行动的自由。双方的观念差距如此之大，不可逾越，于是向我们提出了另一个亟待回答的问题：为什么 1945 年后克服这个差距又成为了可能？在威尔逊和杜鲁门之间有什么改变呢？两个答案是不言自明的，第一个非常明显：第一次世界大战结束时，美国对布尔什维克主义政权（1917 年的十月革命之后在俄国建立）还是持比较乐观的态度的。虽然美国和英国都承诺在继发的内战中派兵支持白军，但这只是一种三心二意的努力。美国如此表现令人惊讶，因为其大部分军队已经到达欧洲，准备和德国人打仗，但却发现大规模军事行动已经濒临结束。美国不像欧洲那样对战争感到疲惫，它只是低估了莫斯科诞生的那个庞然大物，所以没有积极参与推翻布尔什维克政权的军事行动。1919 年威尔逊的顾问爱德华 · M · 豪斯上校派威廉 · C · 布里特去苏联。表面上是为了解政治和经济情况从而去那里的，其实他们是去和列宁政府商榷和平条款的。布里特（一个年轻的香槟社会主义者）看见了他想要看见的东西：三周的公费旅游之后，他和陪同他去的那位记者总结说他们已看见了未来，并且"它是确实发生着的!"诚然，俄国经济处在可怕的困境中，但这只是个暂时的麻烦，就像"红色恐怖"（布里特如是自信地汇报），不管怎么说已经"结束了"。威尔逊总统不需要太多劝说，甚至在布里特离开莫斯科之前，他已得出结论说美国军队"待在苏联绝不是一件好事"。然而，在 20 世纪 40 年代，美国的态度则完全不同了。

第二个改变与美国经济相关。第一次世界大战对美国经济的刺激远比第二次世界大战要小。如图 1 所示，第二次世界大战无论在哪方面都造成了更大的影响。战前的数年时间里美国被历史上最为严重的、持续时间最长的经济萧条所困扰。战争使国民生产总值翻了一倍多，战争的结束导致经济严重的衰退。相比较而言，第一次世界大战时美国的经济表现在战前、战时及战后都明显只在较小程度上受严重波动的影响。1907 年—1909 年的经济衰退比起 30 年代发生的大萧条要小得多。第一次世界大战中美国的参战对经济生产没有多少刺激作用。虽然 1921 年—1922 年有一个急剧低迷时期，1946 年—1948 年的经济衰退实际上则要严重得多。第二次世界大战中美国的经济复苏很大程度上归功于重振军备，而同样的做法对于 20 年代的经济繁荣则没有起多大作用，这一点也是至关重要的。

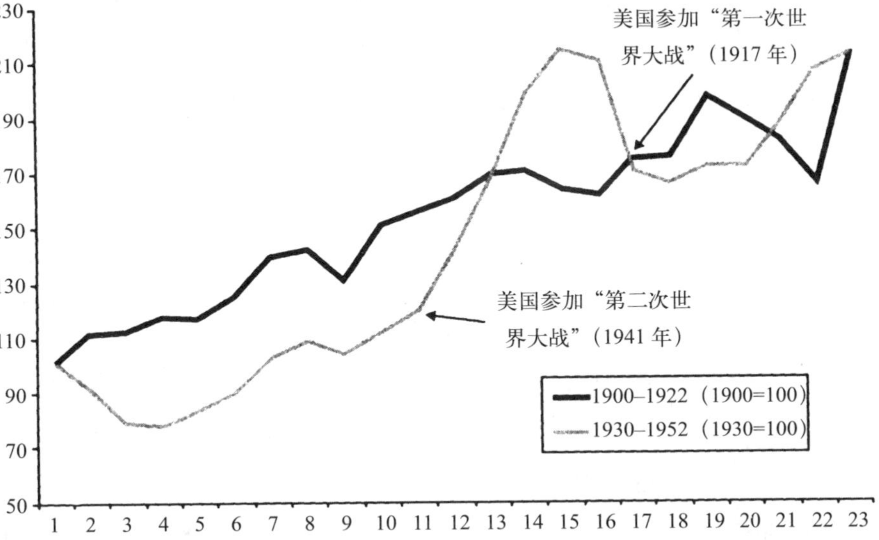

图 1 美国国民生产总值不变价格 （1900 年—1922 年以及 1930 年—1952 年）

反帝国主义的帝国主义

在 20 世纪 40 年代，“帝国自我否定说”仍然反复出现。即使在美国参战之前，《时代》与《生活》杂志的经营者亨利 · 鲁斯就已敦促美国人“要寻求并展示美国作为一个世界大国的先见之明，这才是真正的美国——它是不断扩大的事业范围的动态中心，它是人类技术雇员的培训中心，它是虔诚的撒玛利亚人，真正相信给予比收获更蒙福祉，它也是自由和正义美好理想的发电站——这些元素当然能绘制出一幅 20 世纪的美好景象，第一个伟大的美国世纪。”这些浮夸训谕下的自信和日本袭击珍珠港后的惊慌失措形成了最鲜明的对比。用一位记者的话说，“没有一个经历过那个星期天（即1941年12月7日——译注）的美国人会忘记那一天。它深深地烙在了整个国家的意识中，剥夺了几代人怀有的美丽梦想。这次打击变成了某种莫名的惊恐，打击了我们最深的自豪感，撕碎了我们不受伤害的神话，打破了关于我们实力的传奇故事，只剩下赤裸的我们，毫无防备。”李普曼在为《华盛顿邮报》写文章时说美国人好像成了一个“觉醒的民族”。然而，即便当这个被撩拨的巨人进行反击，且中途岛一战之后更确信盟军的胜利确定无疑，它仍然不愿接受美国在全球的承诺不可避免的事实。

富兰克林·罗斯福的反帝国主义思想特别具有影响力，尤其因为他是战后国际秩序设计师队伍中的领袖人物。1943年他告诉他的儿子：“殖民体系意味着战争，压榨印度、缅甸和爪哇的资源，拿走那些国家的财富，却从不回馈给它们如教育、有尊严的生活标准、最基础的健康要求——所作的这一切是在积聚导致战争的忧患。”当罗斯福赴非洲卡萨布兰卡会议途中对冈比亚作短暂访问时，他被这个“地狱之洞”所震惊——“我此生所见最为恐怖的事情”。在他看来，殖民主义就是“肮脏、疾病，还有高死亡率”的同义词。主要是基于这样的思想基础，这位总统预想战后的世界也是一个后帝国主义时代的世界。“当我们取得战争胜利之后，”他宣布，“我将毕生致力于让美国树立坚定的立场，不会被骗而接受任何推进法国帝国主义式的野心的计划，或者任何帮助或教唆大英帝国的帝国主义野心的计划。”在罗斯福眼中，1941年8月的《大西洋宪章》第三条（主张“所有国家人民自行选择他们想要的自己政府形式的权利”）不仅适用于大英帝国统治下的人民，还适用于遭受德国和日本侵略的土地上的人民。他对他的盟友丘吉尔说：“你们的血统里有400年贪婪的本性，你们当然不能理解一个国家如果可以获得其他土地却不想那么做的心理。”“英国人会去抢世界上任何一块土地，”他愤怒地说，“即使只是一块岩地或是一片沙洲。”

丘吉尔只是习惯性地将罗斯福的反帝国主义态度看作是美国独立战争中留下的遗产。正如他在《命运的关键》一书中所言："这位总统的思想仍停留在美国独立战争时期，在他的脑子里，印度问题与北美 13 个殖民地与乔治三世的对抗是相提并论的……"但这绝非夸夸其谈——多数美国人认同罗斯福的观点。1942 年进行的一次民意调查显示，10 人中有 6 人认为英国是殖民主义压迫者。

然而，即便当美国人誓言向他们的盟友和敌人的帝国同时开战之时，他们都不肯承认他们自己的帝国正在迅速成长。1943 年 11 月参谋长联席会议草拟了一份粗略的国际控制下的战后出租或保留基地的购货单。在大西洋，新的防御边界穿过冰岛、亚速尔群岛、马德拉群岛、非洲西海岸以及阿森松岛；在太平洋，从阿拉斯加到阿图岛、幌筵岛、小笠原群岛、菲律宾群岛、新不列颠群岛、所罗门群岛、斐济、萨摩亚群岛、塔希提岛，不要忘记还有克利珀顿岛和科隆群岛。罗斯福总统亲自要求参谋长联席会议将马克萨斯岛和土阿莫土群岛纳入美国的势力范围。在像麦克罗尼西亚群岛这样的地方，国际"托管领土"便意味着美国的掌控。海军部长弗兰克 · 诺克斯告诉国会，据他所知，"所有战争期间被日本人攻占的岛屿都成了日本的领地，现在我们夺取了它们，它们也就成了我们的了。"对英国观察家们而言，美国战后计划的帝国主义特性是确凿无误的。阿兰 · 瓦特，驻华盛顿的澳大利亚使团的成员，早在 1944 年就发现"有迹象表明，这个国家里正发展着有点冷酷的帝国主义心态"。历史学家阿诺德 · 汤因比识别出了"即将到来的美国世界帝国的第一个阶段"，他曾是整整一代大英帝国的行政官员们的恩师。用哈罗德 · 拉斯基的话来说，美国将很快"如同一个巨人般骑在世界的脊背上驰骋，罗马帝国达不到它权力的高度，即使是掌控世界经济霸权时的大英帝国的全球影响力也不能与之相匹。因为美国的影响力如此全面，如此深刻，如此直接。"与此同时，罗斯福虔诚地敦促丘吉尔不仅要放弃冈比亚，即总统看见过的少数英国殖民地中的那一个，还要他放弃印度和香港。

与众多后来对美国外交政策持反对意见的评论家不同，汤因比很容易便接受了美国帝国主义这一概念。正如他的评述所言："她下手将远比苏联、德国或者日本要轻柔得多。假如要在它们中间作选择的话，如果我们将会有一个美利坚帝国，我们应当是幸运的。"如果自己帝国的破产和衰落是不可避免的话，把世界权力转交到美国手上，英国将视此为战后最好的结果。美国人在两个国家实现了英国人的期望：即日本和西方盟国占领的德国西部区域。事实上，这一点在任何时候都是美利坚帝国统治最为成功的案例。所以小布什总统 2003 年赞成在伊拉克重建国家这一政策时，最常引用的就是这两个范例，这不足为奇。"美国以前做过这种事情，" 2003 年 9 月 7 日他在一次电视演讲中这样告诉美国人民，"第二次世界大战一结束，我们就开始扶持日本和德国这两个战败国，与他们站在一起建立他们的代议制政府。为此，我们花费了数年时间和大量资源。而那个努力已经在三代人的友谊与和平过程中多次得到偿还了。"然而，今天的美国人对日本和德国的占领历史的诠释与与事实并不相符。事实上，美国是否会管理这两个国家，一直到 1947 年之时还远未确定，民众对政府把如此多的时间和金钱花在这些前"流氓国家"上的举动深有疑虑。如果战后历史条件在不同的情况下，美国惯用的不连贯和三心二意的干预模式，即那些曾见诸于菲律宾、加勒比海地区和中美洲的干预政策，是完全可以重演的。

1945 年 8 月 30 日，麦克阿瑟将军降落在横滨附近的厚木机场时的一幕，的确有一种似曾相识的感觉。麦克阿瑟的父亲，曾于 1900 年年初到 1901 年年中平叛战斗最激烈时任美军驻菲律宾的指挥官。1914 年麦克阿瑟是派去占领韦拉克鲁斯的下级军官中的一员。1941 年当日本人袭击菲律宾群岛的时候，麦克阿瑟是美军的指挥官（差一点被敌军俘虏）。所以麦克阿瑟占领日本的方式带有美国早期帝国缔造者的印记也不足为奇。

作为盟军占领机构的指挥官，麦克阿瑟无所不能。后来他回忆道："在那个国家，我不仅拥有像我们自己的总统通常所有的执行权力，我还有立法的权力。我可以用法令形式发布任何指令。"从他位于东京市中心第一大楼的总部，麦克阿瑟和他的助手们（起初1 500人，后在三年的时间里增长了两倍的规模）发起并赢得了一场自上而下的"革命"，将美国"文明"强加给一个他们大多数人所认为的劣等民族。

麻烦的是，美国的政策从一开始就是自相矛盾的。一方面，日本精英们被期望通过战争罪行的审判和清洗的结合，摒弃他们军国主义以及不民主的执政方式；另一方面，不依靠日本现有行政体制，麦克阿瑟也无法统治日本。一方面，日本人得接受"再教育"，他们的政治体系应当民主化；另一方面，只有通过麦克阿瑟这个人的绝对君主统治才能够实现。一方面，应当剥夺日本经济能够再次发动战争的可能；另一方面，必须提高生活水平以避免极度昂贵的占领费用。

不可否认，各种妥协和折中的做法的出现是日本改革成功的主要原因。在麦克阿瑟的统治下，日本确实变成了一个民主的国家，虽然它是由单个政党和一个动态的市场经济所主宰的国家；虽然它基于比美国国内存在多得多的国家干预以及卡特尔式的商业模式。然而这个成功在很多方面是一次无心插柳的重大成就。美国人开始想要"了解日本人的个人特点并对其思考方式及感受进行改造"，他们在这个问题上一无所获，想要促使日本人信仰基督教也未获成功，尽管麦克阿瑟本人对此很有兴趣。对日本的行政体制进行的改造多半也未奏效。美国占领日本的主要成果是说服了日本人真诚地"拥抱失败"（用约翰·道威尔的短语来表达的话）；使他们放弃追求军事强权，对于军事强权的追求在与美国的抗争中被证明是不能取胜的，转而使他们满足于作为美国的小伙伴，只追求经济上的富裕。

表面上，这些改变令人印象深刻。对战争罪犯的东京审判将所有战争祸首定了罪，只有日本天皇裕仁除外。同时被审的还有大约4 000名左右的小人物，其中900名被处决。另外20万以上的高官被迫从国家军队系统、政党以及大公司离职。对教育系统和警察队伍进行了全面检查，放宽了限制并且力量也分散了。公民自由、政治自由以及宗教信仰自由被奉为至高无上的信条：妇女拥有公民选举权，商会合法化了，新闻媒体逐步自由化了。虽然在麦克阿瑟的建议下，1947年5月新的宪法中保留了天皇的位置，但他从此不过是个傀儡罢了。权力被授予一个对两个立法议院负责的政府。宪法规定日本只有在进行自卫时才能诉诸军事武力。

但是，只有1%的日本高级公务员失业，而美国的统治恰恰是通过原有的公务员体制来实施的。不然的话，美国对日本的占领将如何行使职责呢？日本战后的主人们几乎完全不懂他们新的臣民的语言和文化。陆军上校查尔斯·凯兹后来承认："无论什么日本历史、文化或是神话，我都不知道，我对日本一无所知……"他是1947年日本宪法起草的关键人物。而且，美国人大多只限于他们在东京自己的"小美国"圈子里。正如麦克阿瑟的一位高级随员所说，"长达5年多的时间里，除了非常少的情况下，麦克阿瑟亲眼所见的日本就只是坐在车里从第一大厦到他美国使馆的住所的那条路线，长度大约1英里。"另一名知道内情的人士说："与他（麦克阿瑟）说话超过两次的日本人只有16人。"一位美军陆军上校的妻子后来回忆道，他们能够"从（小美国的）一头走到另一头……到处都能看见美国人的面孔。"

今天，有关美国占领日本和联邦德国的历史，人们强调最多的是这两个国家都非常引以为豪的非凡的经济复苏。但这两个结果都非占领者原先的意图。恰恰相反，原先的打算是要削弱敌人的经济实力，使他们的人民变得贫穷。战争快要结束时，许多美国人是带有敌人该得报应的心情，而并不是让他们得到新生。"国务院—陆军部—海军部协调委员会（SWNCC）"的一名顾问"几乎提议将日本人这个人种消灭掉"。1945年的下半年，鲍莱委员会的一份较克制的报告建议降低日本造船业、化工业以及钢铁制造业的产量，还要通过将日本工厂设施移交到战争期间被日本占领的国家去，来降低赔偿付款的金额。1946 年 1 月，统计及管理问题专家W · 爱德华 · 德明提议解散一些垄断公司，这个提议被负责战后安排的“国务院—陆军部—海军部协调委员会”所采用，成为对太平洋战区最高统帅部（SCAP）的指示。直到 1947 年 5 月，该提议仍然是美国占领当局的对日经济政策的重点，并被盟国的远东委员会采用作为指导性的FEC–230 文件。反垄断法（1947 年 4 月）和公司解散法（1947 年 12 月）也强调了同样的理念。这两个法案选定 300 家公司进行拆散。这些措施所针对的目标是臭名昭著的大财阀，1945 年前，有相当多的日本产业集中在他们手中。然而，有一个问题成为几乎所有美国战后对它国占领政策的特殊难题。

理论上讲——在大多数历史情况下——帝国获取海外领地的目的是为了聚敛某种形式的租金，无论是通过向他们的居民征税还是通过剥夺当地的自然资源。在实践中，美国的占领总会花掉美国纳税人的钱，至少一开始是这样的。美国占领日本的军队规模庞大，有 40 万人之多，虽然很快减半了，但直到 1957 年这个数字仍然没有低于 10 万人。支付士兵工资、伙食的资金继续由美国财政部承担，美国意欲将安置占领军队的住房、办公、取暖，照明以及运输费用由日本人以“战争终止费”的名目支付。但是，战争刚刚结束的日本，无力承担如此重负。1946 年 6 月，被战争击垮的东京挣扎在每人每天 150 卡路里的温饱线上，这个数字是专家建议食物摄入量的 1/10。新的日本政府的首个预算中，占领费用就花去整个政府开销的 1/3。1945 年 8 月到 1946 年 12 月间美国向日本的援助总计高达 1.94 亿美元，主要用于支付进口食物和肥料。虽然设计了各种各样的计划想要“缩小”日本的经济，但是美国人在实践中却对其迅速复苏饶有兴致。

美国在联邦德国的占领区的情况并无太大的不同，只有一个重要的区别。麦克阿瑟将自己视为殖民总督。而在德国，与他相对应的职务的担任

者是鲁西斯 · D · 克莱将军。此人对他的职务并不像麦克阿瑟那么热衷。克莱是一位军事工程师，在美军占领区接替艾森豪威尔当上了军事地方长官。“没有人与我谈论我们在德国的政策，”克莱后来曾回忆说，“他们只是把我派去那里。我并不想要那份工作。毕竟，我们的部队还在打仗，战争还在太平洋地区进行中。众所周知，就任一个战败地区的代理军事地方长官，对一个士兵来说，就像看到了职业生涯的结局。”参谋长联席会议在 1945 年 4 月具有指导性的JCS 1067 文件中（提交作为盟军共同的占领政策)，设想美国在德国的指挥官能够驾轻就熟地行使“最高立法、行政以及司法权力”，并指示他“公正但是要坚定而超然”地使用他的权力。克莱还来不及推托这个始料不及的职责。从一开始，在他的计划里这个军事政府就将会是短期的。他打算到 1946 年 2 月 1 日为止，将他的雇员从 12 000 人削减到 6 000 人，并将 7 月 1 日定为向一个完全的平民政府交接权力的目标日期。同艾森豪威尔一样，他也认为“德国政府应尽可能早地转交到平民组织手中”。但直到这件事成为可能，他一直争辩，认为管理占领地是国务院的职责而不是美国军队的职责。

在一场不寻常的国务院与陆军部的权力斗争中，双方都力求将责任推卸给对方。杜鲁门通过国务院制定政策，具体的行政管理工作则留给陆军部来做。这个做法规避了这场冲突。然而这场争论在整个 1947 年中持续不断，最后国务院在原则上同意接管，但在实际操作中却手足无措起来。直到 1948 年 3 月，杜鲁门决定让克莱负责对德占领的行政事务。整个占领期间，克莱努力保留一批素质优秀的陆军军官在德国服务，然而美国政府并未明确规定由陆军控制对德事务的期限，在此情况下留任优秀军官绝非一件易事。正如他后来所回忆的：“那是很艰苦的工作。没有乐趣可言……如果我们原先没有可以使用的那批军官，后来又没有说服他们作为非军人管理者的身份留下，我认为我们根本就没有能力为占领事业配置专门的行政班子。”乔治 · 沙斯特和乔治 · 凯南这类比较在行的美国官员通常会蔑视他们那些对德国文化一无所知的同事，而且这种无知通常会与胜利者的傲慢自大结合在一起。虽然近来的学术界对美国占领政策的结果的评价已经不再那么苛刻，但新的研究所呈现出来的依旧不是理想的占领成绩。计划中该发生的并没有发生，而意料之外的事情却频频出现。与其说这是一个受别人邀请而成就的帝国，还不如说是一个即兴创作的帝国。

一个很好的佐证便是“去纳粹化运动”。一开始针对这个问题有过 4 次尝试，均无结果。此后，美军当局于 1945 年 7 月 7 日下达的指令碰巧涉及“渎职罪”的情况，从而造就了 136 个强制性免职的情形。作为对此的补充，克莱颁布的第 8 号法令规定，凡被定义为前纳粹的人若被重新雇用，只得从事体力类的工作。然而在日本和在德国一样，废除所有前政权制度下的高官是制造管理混乱的举措。早在 1945 年~1946 年冬天，大量的拘留禁闭和行政降级导致了管理上的混乱，促使克莱相信有改变行动方针的必要。正如他 1946 年 3 月所言：“我手头上只有 1 万人，根本做不了去纳粹化这项工作。这应当由德国人自己来处理。”德国人接手以后，出现了洪水般的调查问卷，这些问卷的设计旨在让德国人自己为自己在渎职尺度上精确评级，分为：重大过失犯，过失犯，较轻过失犯，从犯，支持者，以及（德国人自己开玩笑说的）“宝莹净洗对象”（宝莹为德国的一款老牌洗涤剂产品）。克莱后来将去纳粹化行动称为他“最大的失误”，一个“在纳粹党的大人物和小人物之间制造出一个‘悲惨的命运群体’”，“这种意义含混的做法实在是不可救药”。虽然参谋长联席会议的 1067 号文件要求建立一套旨在彻底消灭纳粹和军国主义信念的“协调体系，以控制德国的教育体制以及战后国家的再定位”。但这个任务同样是雄心太大，不可能产生预期效果。事实上，学术界很快就回到旧的、惯常的模式上去了。原先信奉纳粹主义的教授们现在开始信奉“北大西洋公约主义”，他们大多保全了自己的工作。文化变革的第一个重要特征是自由媒体的出现，但那也同样是被占领者们发起的，而占领者的职责无非是对它予以首肯。

毫无疑问，联邦德国的民主化是美国战后政策取得的重大成果之一。但有一点很重要，我们必须认识到，这在很大程度上是受克莱想要尽快将权力移交给一个平民政府的欲望所驱动。如果国务院拒绝接手此项工作，那将不得不由德国人自己来完成它。虽然参谋长联席会议的1067号文件设想过“以民主为基础，为德国政治生活的最终重建做准备工作”，但是它的底线是，在可以预见的未来中，“除非经过许可批准，否则不支持任何形式的政治活动”。然而驻德美国当局全然没有耐心等到德国政治活动自行开始的那一天。美国人早在1945年8月10日的同盟国管理委员会上就建议设立以德国国务部长们为首的德国中央行政机构，来行使同盟国管理委员会的总的方针和指示。1933年前属于保守的巴伐利亚人民党的弗里茨·沙伏尔，在欧洲胜利日后4周内就被任命为巴伐利亚总理（虽然4个月后他就被解职了）。战事刚结束，美方就立刻允许人们在美国占领区内组织各种党派了，并且早在1945年10月，克莱就在斯图加特创建了各州总理委员会，并迅速增加其行政职权以减轻美国占领当局的管理责任。到1945年末，美国占领区内所有新的或是重新改组的州都拥有了德国人组成的政府以及“预备议会”。次年的上半年度则形成了地方政府，举行了选举，起初是地方性的，然后在行政区一级继续进行，继而推广到市一级，最后是整个州。到10月为止，所有美国控制的州都已经有了自己的宪法，这些宪法都是经军事当局批准，然后通过公民投票产生的。与此同时，各州还举行了新议会的选举。

1946年9月国务卿詹姆斯·F·伯尔内斯在斯图加特发表了一次演讲，其中他强调了美国致力于德国迅速民主化的承诺：“怀着对人权和基本自由的诚挚敬意，一旦德国人民能够以民主的方式来管理自己的事务，美国政府从未打算拒绝德国人民行使这个权利……美国政府现在的观点是，德国人民……在适当的安全措施下，应当被赋予处理自己事务的主要职责………我们的态度是应当允许并帮助德国人民为建立一个民主的德国政府作必要的准备的时机了……然而我们仍将坚持德国应当遵守和平、睦邻友好以及人道主义的若干原则……美国人民希望看见和平、民主的德国人民成为并且继续保持自由和独立……为自由而战的美国人民绝无意奴役德国人民。美国人民所信仰并为之奋斗的自由必将为所有愿意尊重它的其他人民所共享……美国人民要把德国的政府还给德国人民。美国人民要帮助德国人民重新屹立于全世界自由的、爱好和平的民族之林。”

他的此番话表达了美国占领德国之前以及之后常常表示的愿望：希望迅速从军事管辖转型为民主的自治政府。但是这个愿望的实现取决于德国人民自己依然记得民主机构是如何运转的。毕竟他们的民主制被关了12年的禁闭。如果当时德国人需要从克莱和他同事那里获得民主操作的具体指示的话，他们肯定会感到很失望的。正如克莱后来所承认的那样，“在这一（民主的）领域里我没有什么经验，那个时候我自己都没有投票表决过。我来自一个士兵不被允许投票的州。”有一次，克莱，约翰·福斯特·杜勒斯和一群国务院的官员们“在对民主定义的分歧上花了一整天时间。这场辩论完全是在美国代表团内部发生的。对于民主的定义，我们没能达成任何一致的意见。”在与德国未来总理康拉德·阿登纳的交谈中，克莱从华盛顿关于联邦政治的主题中寻求指导，但他根本“找不到一个他们建立一个联邦政府真正意图的严格的定义。”他可怜巴巴地总结道：“我想，美国人对自己的政府有一种奇特的观念，虽然不确切知道它是如何运作的，但确信它是完美的。”

一位在研究美国占领德国领域中的权威历史学家认为“1949年诞生的联邦德国政府……是由于美国陆军的构想并加以实现的”。但这更多的是一个权宜之计的胜利而不是民主化的专家技巧的获胜。在任何情况下都不要夸大德国真正民主化的程度，这一点很重要。尽管首届选举产生的联邦德国政府在1949年春天从盟国军事当局手中将德国接管了过来，但是那年颁布的“占领法规”仍然严厉地限制德国政治家们控制他们自己的外交和国防政策。如果占领当局认为“为保护德国民主政府有必要继续行使全部权力，他们将继续保留该权威”。

相比较而言，德国的经济复苏经历了痛苦而缓慢的过程。同日本的情况相似，大部分原因是由于战后策略的最初核心是直接或间接地阻止其经济增长而不是刺激它的增长——当然，这个政策在实际操作中是否存在连贯性此处姑且不论。事实上，从一开始，在亨利 · 摩根索 1944 年对德计划中限制其工业化的严厉报复想法与占领德国的美军当局手册中的更为实用的目标之间就存在紧张关系。国务院、陆军部以及财政部内部各部门之间也意见不一，更不用说参谋长联席会议了。参谋长联席会议的 1067 号文件是一个折中的文件，但它保留了原先要肢解德国的“摩根索计划”的一些要素。因此它正式指示军事占领当局不要在以下两种情况下采取任何积极的行动，即“(a) 指望德国经济的复原，或者 (b) 计划维持或加强德国经济”。克莱应当转而将目标锁定在“最大程度地分散德国经济的结构和行政管理”并且“要求德国人尽一切他们可能的手段将农业产出最大化”。就在那个时候，他被告知“必须确保产品产量以及商品、服务行业的稳定，以防止饥荒或那种会威胁到驻军部队健康和安全的疾病和社会动荡”。其结果是全美军占领区范围内的大混乱，正如众多像哈罗德 · 申克、路易斯 · 布朗和卡尔 · 弗里德里希这样的知情人在 40 年代晚些时候所披露的那样。他们中的很多人当时已回到美国的大学，将自己的经历变成了博士论文。

实际上，有许多想要改变美国占领区内经济政策方向的尝试。从一开始，克莱的金融顾问，路易斯 · 道格拉斯就对参谋长联席会议的 1067 号文件不屑一顾，认为这是那些不许欧洲最有技术的工人们尽他们所能为这个百废待兴的大陆进行生产的“经济学白痴”想出来的东西。早在 1945 年 9 月，由卡尔文 · 胡佛为军事当局起草的一份报告就承认“遍及多个关键行业的产业被裁军计划所波及，其极端程度与维持德国人民最低生活水平的目标之间存在冲突……同时还有如何提供驻军费用的问题”。11 月，在杜鲁门总统的鼓励下，美国战时舆论审查办公室主任拜伦·普莱斯到德国造访，他建议彻底改变现行的经济政策。1945 年 12 月华盛顿来了个政策大转折。新政策消除了“消灭或削弱为和平目的运行的德国产业”的意图。美国的唯一“期望是看到德国经济适应到世界体系中去”。次年 9 月在斯图加特的演讲中，伯尔内斯接受了道格拉斯从一开始就意识到的观点：“如果拥有巨大煤矿和铁矿资源的德国变成了一个救济院，欧洲的恢复速度……将不得不进展缓慢。”随着 1947 年美国与英国占领区的合并，其目标变成了“只要世界条件许可……就要扩大德国产品的出口”。然而，那个时候的经济发展如此缓慢，让人看来非常绝望，今天我们常常忘记这一点。1945 年末，克莱将德国经济描述为“简直就是停滞了的经济”。18 个多月后，他不得不以辞职来威胁，迫使国务院同意将德国工业产出定为达到战前水平的 75%的目标。事实上，这个目标直到 1948 年第四季度才在美英占领区里达到。与日本的情况相似，一项旨在让被占领国经济停滞的政策却提高了占领的有效成本。1948 年末，一名德国经济学家通过计算得出占领的成本将接近该年总税收的一半；即便在 1950 年它仍然占到联邦政府预算的 1/3 强。然而，德国同时还接受美国的巨大援助。这对美国人来讲，既不得民心也非有利可图。在德、日两个国家的经济体系中，混乱的财政与猖獗的通货膨胀并肩同行，德国的情况看上去就像是 1923 年恶性通货膨胀的重演。希特勒难道不正是那场“恶性通货膨胀的继子”吗？

取得国家重建的成功，解决被占领德国和日本的经济问题，实际上并非出于促进和平的想法。相反——这是整个冷战期间的关键之点——这是出于对竞争性帝国的恐惧。对于一个一直都在否认自己是一个帝国的帝国而言，其唯一出路就是问心无愧地行事，与其他对抗性的帝国作斗争。1947 年诞生的“遏制政策”的（总统）声明中，美国为它自己奇怪的帝国找到了思想体系，即“反帝国主义的帝国主义”。

1946 年 2 月在乔治·F·凯南从莫斯科秘密发给华盛顿的“长电报”

中，概述了美国需要成为帝国的新的逻辑根据。电报中他警告道：“美国只有彻底裁军，将空军、海军部队交给俄国人，现任政府必须退任，将权力转交美国共产党，只有这样才能减少斯大林的恶意的猜忌。”杜鲁门根据凯南的警告做出了自己的结论，并于1947年3月12日对国会两院的联席会议发表了演讲。他宣称“支持自由的人民抵抗拥有武装的少数人的镇压或来自外国的压力必须是美国的政策”。4个月后，凯南为《外交事务》杂志撰写的一篇划时代的《苏联政策的起源》中，清晰地表达出美国人心目中的“外国压力”究竟是什么。这篇文章发出警告，“苏联反对西方世界的自由体制”，莫斯科的目的是“蚕食……和平与稳定的世界的利益”。凯南还强调“美国任何针对苏联的政策关键必须是长期的、耐心而坚定的，但又同时要警惕地遏制苏联的扩张倾向”。在这个分析中，苏联的帝国主义是一个预设条件。凯南的意思是“通过不断变化的地理位置和政策行为，灵巧而警觉地运用对抗力量是可以阻止某些事情的发生的，但必须与苏联政策的改变和操纵手法相对应。（并且）在每一点上都计划以不可改变的对抗力量与苏联人抗衡……”到了1950年，美国的官方政策更是超越了凯南。国家安全委员会在NSC68号文件中以令人担忧的措辞，明确地说明美国现在所面临的威胁：“苏联与先前的那些野心勃勃成为霸权的政权不同，与我们恰恰相反，它是受到新的狂热信念的鼓动，寻求对世界上其他地方强加其独裁统治的政权……我们所面临的问题是重大的，不仅涉及到共和国的存亡而且涉及到文明自身的存亡……那些控制着苏联和国际共产主义运动的人们的根本目的是要保持并巩固他们的绝对统治。首先是苏联，然后发展到他们现在所控制的地区。然而，苏联领导人的意识中认为要实现此目的，必须不断扩大并延伸他们的权力，并最终消灭任何反对他们的有生力量……因此，此目的的实现要求屈从于克林姆林宫，并被其掌控的一个机构所取代，该机构的目标是完全颠覆或用暴力摧毁所有非苏维埃世界的国家的政府机器……美国作为……非苏维埃世界的权力中心和反苏扩张的坚定保垒是苏联的首要敌人，是必须被彻底颠覆或毁灭的。”

虽然从很多方面来讲是一个巧合，但是让所有这些观点如此具有说服力的是，不管怎么说，美国没有能够成功地遏制住共产主义在中国的发展。这时，蒋介石领导的国民党军队被马克思主义者毛泽东和他所领导的农民军队赶出了中国大陆。好像列宁和布尔什维克在30年前的情形一样，毛泽东的军队也是大战之后的混乱中产生的革命后继人。然而，虽然美国断定它处于来自另一个邪恶帝国的威胁之中，它所有的防御（美国人是用“遏制”这一概念）的内涵暗自展现着它自己的帝国事业。正如杜鲁门自己无意中宣称美国的责任甚至远远超过那些曾经与“大流士一世的古波斯帝国，亚历山大大帝的古希腊，哈德里安的古罗马（以及）维多利亚女王的大不列颠”对抗的人们。杜鲁门认为“拯救世界于极权主义之中”的唯一出路是“全世界要采用美国体系”，而美国体系“只有成为世界体系才有可能幸存下来”。

对于一个自觉的反帝国主义政治文化而言，遏制政策为美国的共和制的道德基础与行使全球权力间存在的早期紧张关系提供了解决方案。它的一个直接而非常重要的结果是：从三个不同的方面急剧加快了日本和联邦德国经济恢复的节奏。第一，这两个国家的经济体系都以美国直接援助的形式获得巨大现金注入。第二，为了最大化增长的计划，改变所有制结构和组织的计划被暂时束之高阁。第三，重整军备自身，不仅在美国而且在前敌对国家提供了内在的经济发展的促进因素。其结果应当被称为是一个“经济奇迹”。而真正的非同寻常之处在于，美利坚帝国首次处在能够自我支付帝国费用的地位。

德国的复苏要比日本的复苏获得更多的关注，因为它是国务卿乔治 · 马歇尔著名的重建欧洲计划的一部分。但是亚洲所发生的一切也同样重要，可能还有过之而无不及。对日本的援助翻了一番还多——与前一年半中的所有不到2亿美元的援助数字比较起来，从1947年1月到12月累计达到 4.04 亿美元。1948 年美国的援助再次提升至 4.61 亿美元。1949 年达到 5.34 亿美元的最高数字。总额超过了 15 亿美元的援助为日本经济的增长提供了强有力的推进作用。与此同时，解散财阀的运动也被放弃了，许多著名的日本财阀如三井、三菱从未被解散过；大约 80 个受挫财阀迅速重整旗鼓。1951 年仅仅 3 家公司的产出就占到生铁产量的 96%。1948 年由底特律银行家约瑟夫 · 道奇起草的一篇 9 点"计划"概述了针对日本的宏观经济方法。它远远不是一条自由化政策：为了反通货膨胀，强行实施工资和价格调控；对进口商品实行配额制，给予出口行业以优先权。至于清洗右翼，现在已被遗忘了。用约翰 · 道尔的话来说，权力被坚决委托给首相吉田茂的"大企业、官僚部门以及保守党的三足统治"。

联邦德国的情况大致相同。拆解大的工业及金融公司的计划被搁置；阿登纳的基督教民主党的政治地位仍占统治优势，直至 20 世纪 60 年代。继起的联邦德国经济奇迹实际上没有日本那样壮观，但比起欧洲任何其他地方所见的经济复苏都更为突出。1948 年前，工业产出仍然不及 1936 年水平的一半，到 1949 年 3 月，已经跃升至 89%。同时期的年出口量几乎翻了一番。这其中有多少应当归功于美国的直接援助，有多少应当归功于占领政策的变更——尤其是 1948 年 6 月的货币改革——在这个问题上存在争议。为期 4 年的"欧洲复兴计划"于 1947 年 6 月在哈佛大学被马歇尔揭开了面纱，次年 4 月开始实施。人们经常在讨论这个计划时，好像把它视为美国买下了西欧，如同当年用美元买下了阿拉斯加一样。但是，我们必须正确地看待同马歇尔计划相关的资金数量，其总额还不足美国国民生产总值的 1%。不管怎么说，联邦德国并非它的主要受益国。总共有 16 个国家受到马歇尔计划的援助，共计金额达 118 亿美元，还有 15 亿美元的贷款。德国只拿到了总数的 10%，约总数的一半流进了法国和英国（最大的单个接受国）的口袋。马歇尔计划本身并不保证经济复苏——如果它保证得了的话，那英国就应当出现经济奇迹了——事实正好相反。因此，将联邦德国创造的奇迹归功于价格控制的取消所带来的后果，以及新德国马克的发行所产生的信心大增看起来似乎更有道理。

经常有这种说法，美国的援助是通过灌输信心来促进增长的，这可能有一定道理。但美国部队的持续存在以及两个国家都被并入美国新的安全条约的框架内所灌输的信心也是同样重要的。要不是克莱决定击败苏联对西柏林的围攻而启动从 1948 年 6 月到 1949 年 5 月长达 11 个月时间的史无前例的空中补给线，美元同德国马克联手所取得的成果可能不会这么大。虽然对日本和德国的正式占领分别于 1952 年和 1955 年结束，但是大量美军军队仍旧在那两个国家停留了 50 年。事实上，直到今天还有军队驻扎在那里，这是另一个意料之外的结果。在冷战的寒气降临之前，美国人曾提出过一个长达 25 年，甚至是 40 年的强行废除德国军备的条约，但这遭到其他大国的拒绝。到 1953 年美军在联邦德国已部署了 6 个师，北大西洋公约组织的其他成员国部署了 9 个师，其中包括联邦德国自己的军队。不仅是美国，而且还有北约其他成员国的重整军备，进一步刺激了各国同军事有关的工业的发展。

受到遏制政策推动的新政策不仅仅成了被占领国经济发展的动力，而且也降低了美国自己必须支付的占领成本。通过不断加大的自由贸易条件以推进日本和德国两国的经济增长，他们也为美国的出口产品创造了新的充满活力的市场。早在 1948 年和 1949 年，销往联邦德国的货物已占到美国出口总量的 7%。到 1957 年，日本和德国市场对美国贸易的重要性首次赶上了英国（见图 2）。总而言之，促进往昔敌国的复苏，有一个自身利益的主导因素的存在。宣布援助项目之前，凯南为马歇尔准备的笔记中谈到，向欧洲援助的钱是必需的，“这样的话，（欧洲人）就可以向我们买东西”并且“他们就有足够的信心抵制外界的压力”。这个判断显然是正确的：美国“在欧洲有真正的经济利益”，这源于“欧洲……是美国产品的市场以及大量商品、服务的主要供应源”。

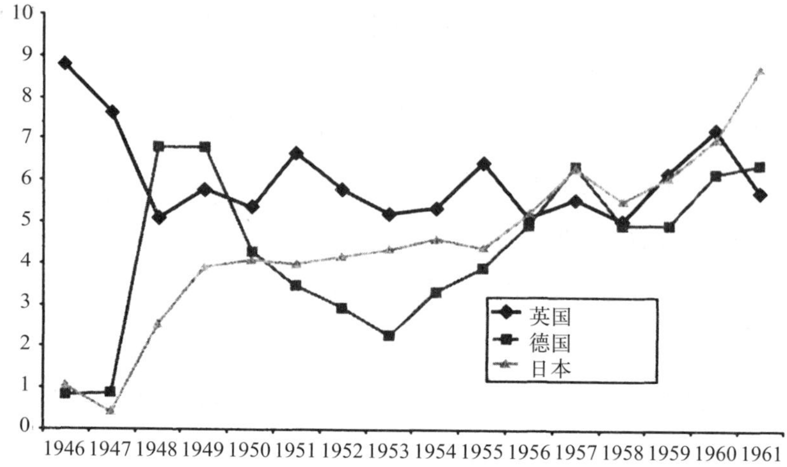

图 2　美国出口所占百分比，1946 年—1961 年

终于，一个难以得到的良性经济循环似乎已经被建立。美国传统的理想主义也得到了安抚，因为它的帝国主义政策是在反帝国主义的名义下得以执行的。而美国自身的利益也——在很短的时间之内——因为美国对海外国家的占领所取得的利润而获得满足。在此基础上，将联邦德国和日本从最劣等的“流氓政权”成功地转型为一个资本主义经济和民主政治的典范成为了可能。

只有一个难题还有待于解决。如果长期占领和互惠的经济利益相结合在这两个国家取得那么大的成功，为什么在世界的其他地方要重复同样的经验却如此困难呢？

麦克阿瑟的卢比孔河

1948 年，遏制政策开始实施的时期，美国处在其全球相对经济实力的顶峰。前几十年的时间里美国的经济产出实际上增长了 2/3，当时大约占到全世界总产出的1/3，是其竞争对手苏联的3倍。虽然仅占全世界人口的6%，美国却生产出全世界总电力的几近一半，持有大约相同百分比的货币化的黄金和银行储备金。美国的公司控制了世界大约3/5的石油储备总量。他们主宰了国际汽车市场。难怪杜鲁门不无夸张地作此声明："我们是经济世界的巨人。无论我们愿意与否，未来经济关系的模式取决于我们。世界正在看着我们的脸色。选择权在我们手中。"

这个"选择权"采用了一种与众不同而又新奇的形式。美国开始着力于通过关贸总协定下的多边谈判以持续推动降低国际贸易壁垒。阻碍国际资本流动的壁垒并未给予优先考虑；美国认为恢复到大萧条前的固定汇率体系为佳，尽管美元本位已取代了先前的金本位。由此产生了两个新的国际机构对全世界的金融体系进行管理：世界银行和国际货币基金组织。但美国"霸权"的实质在于，当涉及贷款和授予援助时（无论是用于发展用途还是用于军事用途），美国的盟友将获得优惠待遇。美国同其最富有的盟国之间的经济实力差距如此巨大，致使在美国经济规模下看来是微不足道的款项数额（见图3），对援助接受国来说却是相当可观的。1946年到1952年，美国对外经济援助的总额几近美国国民生产总值的2%，而其中

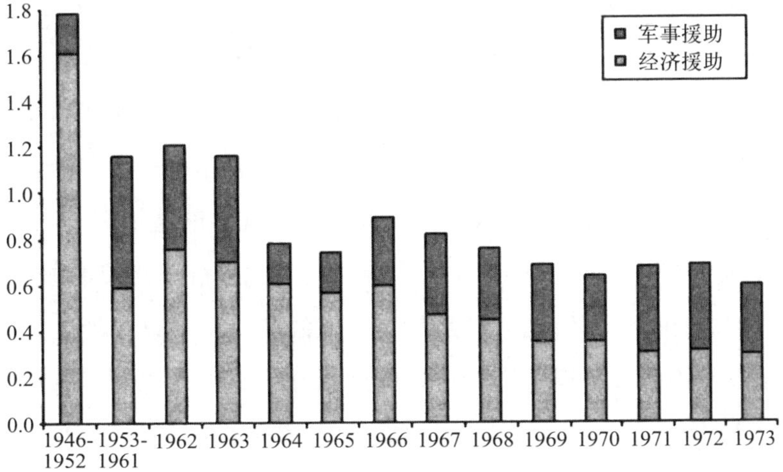

图3 美国对外援助所占国民生产总值百分比，1946年—1973年

马歇尔援助计划约占一半。后来的几十年时间里——包括困难重重的那几年里，这个数字跌至1%以下，尽管约翰·F·肯尼迪曾誓言："不管付出什么样的代价，承担怎样的重担（并且）遭遇何种困苦……都要确保自由及自由的胜利。"

更为重要的是美国的军事开支，经历了对德国和日本全面胜利直接导致的大幅军费削减之后，1948 年后，这些军事开支开始急剧攀升，从低于国民生产总值的 4%达到 1953 年的 14%的峰值，现金开销增加了 5 倍多。这其中的部分开销当然是由于原子弹储备的增加：1947 年美国仅拥有 14 枚原子弹，但是到了 1950 年，这个数字几乎上升到了 300，到 1952 年为止则超过了 800。美国常规部队的开支所占比重较小，但是仍呈巨大增长的态势。1948 年到 1952 年，美国军队的人力增加了 2.5 倍，战后最高数字达到 340 万。即使在朝鲜战争结束以后，军备力量仍旧维持在 20 世纪 40 年代后期的水平上。直到 1973 年，美国国防预算仍接近国民生产总值的 6%，军队人数总计 220 万。其中有不到一半的军队派驻在由海外的新、老基地形成的防务体系中，有些是美国直接控制的领土，而绝大多数军队驻扎在有独立主权的美国盟国土地上。1967 年美国在 64 个国家派驻服役人员：19 个在拉丁美洲，13 个在欧洲，11 个在非洲，11 个在近东和南亚，10 个在东亚。美国与不少于 48 个国家和地区签订盟约，从英国和联邦德国到澳大利亚和新西兰，从土耳其和伊朗到巴基斯坦和沙特阿拉伯，从越南南方和韩国到中国台湾和日本。这就是美国被称为一个"受人邀请的帝国"的原因。但惊人的是，美国竟然接受了如此多的邀请。一项估计表明，1946 年到 1965 年间，美国在 168 个单独场合中进行了武装干预。

但是仍有一个不解之谜。虽然美国在经济、军事以及外交方面的实力都毫无疑问的强大，但它进行干预的结果并不都十分成功。有一项评估回顾了 1945 年后的以国家重建为目的的 9 次军事干预行动。从是否建立了稳定的民主体系的角度来看，其中只有 4 次行动可以被称得上是成功的。其中有两个我们已经在前面讨论过了；另外两个是格林纳达和巴拿马，但只是在经历了许多重大的失败后，在冷战结束的阶段才获得成功。有人认为当美国以多边关系（就是与盟友的合伙关系）为保证，并被该国的民主力量所支持时，其干预行动才更有可能取得胜利，而不能仅仅依靠美国军方的精英。然而，这个论点犯了时代错误，将一个以民主国家建设为政策目标的评判标准运用到一个以遏制共产主义扩张为政策目标的时期中。我们更要问的问题也许应当是，为什么美国在那么多苏联和中国力求强行渗透的国家里没能取得遏制政策的成功呢？说得更准确些，远比那些国家富裕得多的美国本来被认为有希望常胜，但在实际的争夺战中为何不得不接受高概率的平局（比如在朝鲜）或干脆败下阵来（特别是古巴和越南）。

要从 4 个方面回答这个问题。首先，从地理方面来讲：除了拉丁美洲和加勒比海地区，在所有战略竞争的主要战场上，美国比苏联的战线要拉得长得多。其次，从军事技术方面来讲：一旦苏联得到哪怕仅仅是一颗原子弹，都能对美国造成无法想象的更为严重的威胁。这也就意味着，苏联人为了达到核均势平衡和常规军事实力平衡，准备建造比美国更大的武器库。再次，作为一个成员可以自愿加入的帝国，美国对其盟友的控制权远不及苏联对其卫星国的控制，最为明显的例子是在欧洲。在那些地方，苏联人为了强加他们的意志，不惜将坦克开到这些国家的大街上，而西欧的领导人们每次都能指望华盛顿可以近似平等地对待他们。最后，也可能是最为重要的一点是，美国政策的制定者们比起他们苏联的对手来说，不得不更多地顾及到自己国家公民的看法。不幸的是，当国内进行选举之时，“遏制政策”并不那么受到选民的支持。尽管他们如此憎恨和害怕“红色恐怖”，美国人并不想为击败对手而打一场旷日持久的常规拉锯战。这种民意的显示一旦变得明朗，美国人保证“要支持任何朋友（并）反对任何敌人”的可信度就会大大缩水。

所有这些可以得出一个重要推论。可以证明的是，如果美国在 50 年代早期动用其所有经济和军事手段，它是可以赢得一场反共产主义的“热”战的。但只有在美国国内政治性质发生明确变化的情况下，才有可能实现胜利。这样的话，美国人民就会彻底推翻共和制的宪法制衡，而将他们的国家转变为一个帝国。我们应当可以看到，1951 年这种可能性曾片刻出现过，但美国人放弃了它。一个受到外国邀请的帝国是一回事，建立一个帝国本身则是另一回事。没有美国人想要把一个帝王请回自己的国家。

朝鲜战争是冷战思维的直接结果。首先，苏联人拒绝在其占领区举行由联合国监督的自由选举。而美国原先是默许朝鲜半岛的分裂状况的，如同它默许德国分为民主德国和联邦德国的局面一样。实际上，自 1948 年以后，美国已经从朝鲜开始撤军。1950 年 1 月美国国务卿迪安 · 艾奇逊就已经表明，他并不认为韩国对美国的安全有多么重大的意义。同一个月，众议院驳回了白宫提出的韩国援助法案，虽然这个驳回决定后来被推翻了。即便如此，杜鲁门完全有理由称这场战争为一次“毫无示警的侵略”行动。由于苏联在安理会上的缺席，他毫不费力地获得了安理会的决议，要求“会员国为韩国提供战需协助，以击退对其的武装攻击并重建地区和平与安全”。在接下来的战争过程中，共有 15 个国家为此调派了部队。美国在当时看来既有实力又有权利打这场战争。除此之外，美国的民意起初是以压倒性的优势赞成干预行动的。1950 年 7 月的民意调查中，3/4 的选民同意杜鲁门采取行动。值得注意的是，超过半数的人表示同意有必要“阻止苏联”。麦克阿瑟决定在仁川登陆，这一从后方打击朝鲜军队的行动似乎让民众看见了胜利的曙光。民众强烈支持他，想要将朝鲜军队赶回“三八线”以北。有可能的话，甚至能让朝鲜改朝换代，实现朝鲜半岛的统一。就在美国部队跨过“三八线”的前夕，美国民众对战争的支持率达到了 81%。

中国于 1950 年 11 月发动的反击战本身并未能够保全朝鲜。然而，中国的初始参战如此富有戏剧性，使得美国领导的联盟一时间“群龙无首”，虽然，以美国的实力完全可以打败毛泽东领导下的羽翼尚未丰满的中国，但有三个因素使得美国没有成功。首先，美国同盟国中反对使用原子弹攻击中国的呼声很高。其次，杜鲁门政府自身也非常担忧核攻击行动会促成苏联对西欧进行核报复。尽管美国拥有原子弹的数量是苏联的 17 倍，但美国的政策决不想冒“第三次世界大战”的风险。最后，而且也是最为重要的一点是，能够克服这两个障碍的人在政治上已经被他人所算计。

1951 年也许是美国合众国历史上唯一一次近乎经历罗马共和国命运的时刻。扮演恺撒的那个人就是新日本的建筑师、现任联合国驻韩部队的总指挥官道格拉斯 · 麦克阿瑟将军。他深信杜鲁门所选择的“有限的战争”是大错特错的，麦克阿瑟公开说要跨过“卢比孔河”，实际上他也是这么做的。对杜鲁门的公然违抗，麦克阿瑟不仅拥有民众的广泛支持，还有国会共和党领导层和占有巨大比例的保守新闻媒体作为靠山。当杜鲁门将他解职后，麦克阿瑟回到家乡，受到了英雄式的欢迎，美国宪法本身看起来倒是处于岌岌可危的状态。人们时常说麦克阿瑟的失败是由于对美国战略的错误理解，在这一点上是有争议的。麦克阿瑟认为他可以不听命于他的总司令，甚至推翻上级的命令，这一点当然是不对的。恺撒也曾经因公然违抗罗马元老院的命令而铸成大错，但这件事并没有影响恺撒在民众中享有的影响力。麦克阿瑟没有成为恺撒的真正原因是，他遇到了一个更善长于政治谋略的对手。

长期以来，杜鲁门非常憎恨麦克阿瑟，他私下里给麦克阿瑟起了个绰号——“男一号，高级将领，五星麦克阿瑟”。在这位总统看来，这位“超龄服役道格（拉斯）(Dugout Doug)”不过是一个“演说家”和“爱表现的人”。他把自己看作是“上帝的得力助手”和美国政府派往海外的殖民总督，有临机处置的全权。早在 1948 年 1 月，他预言麦克阿瑟会取代他成为总统候选人，在共和党全国代表大会的一个月前左右，组织一次盛大的周游全国的游行。毫无疑问，麦克阿瑟对杜鲁门的“不顺从”是确实的。第一次是他给海外战争退伍军人全国大会的一封信，意欲在 1950 年 8 月 28 日公开宣读，信中谴责那些在亚洲地区主张绥靖政策和失败主义的人们。在杜鲁门的要求下，他虽然收回了这封信，但是信的内容早已泄露并登上了报纸。第二次抗命是 1951 年 3 月 24 日，麦克阿瑟提前 4 天得知杜鲁门正在精心计划开始与中国方面的谈判，于是他抢先介入，有意从中搅局。在一些欧洲观察家看来，这不啻是向总统发布讨伐檄文。第三次则是 4 月 5 日，众议院共和党领导人宣读一封麦克阿瑟的信，信中认为应当运用“最大攻击力”抵抗中国。他并做了这样的结论：“没有什么可以替代胜利。”这无疑违反了前一年 12 月份白宫给他下达的指示，要求麦克阿瑟的所有公众演说都必须经国务院授权才可进行。从技术角度来看，杜鲁门整肃麦克阿瑟的理由已经极为充分，但是从政治角度来看仍然不够，要证明麦克阿瑟的军事策略不足取便尤为重要。为了达到这个目的，杜鲁门不知疲倦地工作，最后成功地将麦克阿瑟在参谋长联席会议的上司们争取了过来。

4 月 11 日麦克阿瑟被通知就地解职，他不是如预想的那样，从一名总统特使那里得知此消息的，而是一名部队的副官听了无线电广播的白宫召开的特别晚间新闻发布会后告诉他的。他决定返回美国“闹个天翻地覆”——他没费多大功夫就做到了。他被解职的消息传出来后，引起了极大的民愤。共和党高层大肆鼓吹对总统的弹劾，《芝加哥论坛报》则以伤感表达对此事的回应。人们向麦克阿瑟致以敬意，认为他是“自成吉思汗以后，很长时间以来最为了不起的军事家之一”，他是“巨人”，是美国人民心中“当之无愧的偶像”；而杜鲁门只不过是个酩酊大醉的侏儒、“人民阵线，共产主义占统治地位的政府”的领导人。支持麦克阿瑟的游行从纽约到加利福尼亚的圣 · 盖博，从巴尔的摩到休斯顿比比皆是。有 4 个州的立法机关通过谴责总统决定的决议。势不可挡的电报从全国各地打过来，纷纷反对总统的决定。总统的民众支持率暴跌至 26%；一项盖洛普民意调查表明，麦克阿瑟得到 69%的支持率。白宫里的那些人开玩笑说，麦克阿瑟会跨过重洋，在 21 枚原子弹的礼炮中焚毁宪法，这是他们以最佳的方式来减轻一次严重的政治危机给政府带来的压力。麦克阿瑟的回国不是一件可笑的事情，他给国会作的演讲是一个精彩壮丽的演出，从虔敬之心到爱国情怀，感伤的愁情贯穿整个乐章。3 000 万观众在电视上收看了此次演讲，30 次被这些民选的国会代表们爆发的掌声所打断。“我们今天听见了上帝在这里说话，一个有血有肉的上帝，这是来自上帝的声音！”一名狂热的国会议员大声惊呼道。一名议员“感觉如果演讲持续时间更长一些的话，白宫前面就会进行示威游行”。而当麦克阿瑟自己昂首阔步地走在纽约大街上时，据说吸引了多达 700 万的民众，导致了一次即兴的大游行。这真是可以与恺撒相媲美的荣耀。

然而，杜鲁门的成功之处——不在于任何公众诉请，而在于静静地有系统、有方法地确保对麦克阿瑟的部队士兵的支持。麦克阿瑟认为，第一，“有限的战争”极大地削弱了驻韩美军的士气；第二，美国应当提高对华战争的作战级别，进攻中国的东北领空，封锁中国的海岸线；第三，应当动员中国台湾的国民党军队与美国共同作战；最后，在中国各大城市上空扔下 50 枚原子弹。若“胜利”的替代方案是“绥靖”的话，只会引起“新的更为血腥的战争”。杜鲁门的答复是，朝鲜战争是苏联一手炮制的，旨在将美国的注意力从更重要的西欧问题上转移走，全力进攻中国会导致苏联对西欧的侵略。对麦克阿瑟致命的一点是，杜鲁门说服了参谋长联席会议，并争取到了他们的支持。这使得麦克阿瑟的继任者，马修 · B · 李奇微将军能够很快地坚定驻韩美军的战斗信心。但最为关键的是参谋长联席会议主席奥马尔 · 布雷德利将军在参议院对外关系与军事委员会共同召开的听证会上的证词。布雷德利讲了那段让人难以忘怀的话，他认为对中国发动总体战的后果必然是让苏联在西欧可以乘虚而入，因此朝鲜战争是“一场在错误的时间，错误的地点，与错误的对手发动的一场错误的战争”。麦克阿瑟对此无法回应。作为一个“战区指挥官”，他承认自己对欧洲的形势并无深入细致的了解，他也从来没有从“全球问题”的角度来考虑问题。布雷德利的这个认知对麦克阿瑟来说是致命的，参议院听证会结束之时，麦克阿瑟的可信度已经消失殆尽。5 月下旬的一次民意调查显示麦克阿瑟的公众支持率已经跌至 30%，他在得克萨斯州的巡回讲演以失败而告终，一场为“选举麦克阿瑟为总统拟草案”的运动也有如打湿了的火药棒，变得悄然无息了。像沃尔特 · 李普曼这样的自由派人士意识到麦克阿瑟曾给共和国体制带来危险，此时，也不禁松了一口气。

麦克阿瑟试图穿过“卢比孔河”，只是还没到达对岸便沉了下去。政治上，他失算了。但是在如何赢得朝鲜战场胜利的这一战略问题上，他是否是错误的呢？至少在这一点上，他是有理由的。首先，有限战争的政策并不如杜鲁门所想象的那样，能够很快帮助美国同中国达成协议。休战谈判始于 1951 年 7 月，但双方用了两年的时间才取得结果。谈判的障碍从官方层面上讲是有关中国和朝鲜的战俘是否应被强行遣返的问题。实质上，谈判困难的原因还在于，美国一边在打一场有限战争，一边又在进行和平谈判，这使得中国人不会对美方采取战争升级的打法有所顾忌。正因为如此，在麦克阿瑟去职的几个月以后，白宫又重新认真严肃地讨论了他所倡导的战略。1952 年 1 月，杜鲁门本人提议向中国和苏联发出最后通牒，警告他们如果他们的态度在十天之内没有改变的话，美国将封锁中国海岸线并摧毁满洲地区的军事基地。这就意味着“一场全面的战争。它意味着莫斯科、圣彼得堡、沈阳、海参崴、北京、上海、旅顺港、大连、敖德萨、斯大林格勒以及中国和苏联的所有制造业工厂将被统统摧毁”。三个月后，参谋长联席会议建议“战术地使用核武器”。然而，当谈判于秋天再次搁浅时，李奇微的继任者，马克 · 克拉克将军给华盛顿送去一份计划，“目标是取得军事胜利，并获得根据我方条件商定的休战”。这份计划明确提出了采用核打击“进攻合适目标”的可能性。杜鲁门的继任者艾森豪威尔总统也企图“以足够大规模”的核弹头来结束这场冲突。这本是麦克阿瑟的一贯立场，也是美国公众的立场。当被问及“如果停战谈判中止……是否赞同对敌军使用核弹攻击”，56% 接受民意调查的美国人的答复是肯定的。

可能就是因为这个迟来的威胁迫使中国方面在主动遣返战俘问题上，最后放弃了先前的主张。如果是这样的话，麦克阿瑟的判断至少有正确的一面。有限战争并没有成功地确保战争的结束，采取核战争威胁反而奏效了。杜鲁门和参谋长联席会议对麦克阿瑟的否决不经意间使得战事拖延了两年多的时间。到 1953 年 7 月 27 日停战协定签订之时，已有超过 3 万多美军士兵因此丧生（虽然，人们应当记住 1951 年之后，伤亡数字已锐减）。更多的士兵在战争中受了伤，超过 7 000 人不得不忍受牢狱之灾，其中 1/3 以上的人没有幸存下来。参战的联合国军队中其他国家军队有近 4 000 人在战争中丧生。韩国的损失则惨重得多，超过 40 万人牺牲。更加糟糕的是，战争只打了个平局。朝鲜半岛依然一分为二，朝鲜人民军队泰然处在离首尔仅 35 英里之外的地方，这个局面一直维持到今天。

从某些方面来讲，朝鲜战争所展现出来的是美国共和体制非凡的自我约束性。1951 年，美国同时拥有给新中国以决定性打击的军事实力和民众基础。许多其他帝国强权若拥有像美国这样在核军备竞赛中的绝对领导地位的话，是断然不会关上这扇机会之窗的。然而，杜鲁门退却了，反对他的将军被制服了。为什么？亨利 · 基辛格博士以及其他政治家们从朝鲜战争得出的经验教训是：与其说美国的那些盟友们是在帮助美国，不如说他们是在阻碍着美国。正如基辛格博士 1956 年所认为的那样，“盟国或是没有增添我们的有效实力，或是没有形成一个共同的目标，或者两者皆然……我们不得不面对这样的事实：只有美国国内和经济方面的实力才足以让我们承担全世界范围的责任，倘若我们所走的每一步都必须事先取得所有盟国的同意才进行，这种做法并不能够导致大家的共同行动，而只能够导致共同的无所作为……如果我们的战略利益要我们这么做的话，我们必须保持单独行动的权利，或是与地区性的一组盟友一起行动的权利。”对朝鲜进行军事干预的多边性质产生了一些麻烦，这点是毋庸置疑的。麦克阿瑟的战略显然不符合美国欧洲盟友以及英联邦盟友的胃口。但是，即便美国单独作战的话，杜鲁门还是会选择有限的战事，这一点是明摆着的。但具有讽刺意味的是，在面对麦克阿瑟的挑战时，他捍卫的是总统和共和国宪法的权威。但他这么做反而与民心背道而驰。麦克阿瑟被解职的当月，战争支持率大约在63%。到1952年10月份，半数不到的被调查者认为，朝鲜战争是“值得打的”（见图4）。打有限战争产生的麻烦是，民众对战争的耐心更为有限。美国要通过另一场旷日持久的战争（即越南战事——译注）才汲取到这个教训，这场战争并没有以平局收场，而是美国羞辱性地吃了败仗。这个帝国式共和国的自身矛盾在于，赞同有限战争的主要是政治精英和一些军方要人，而选民整体却对此不以为然。

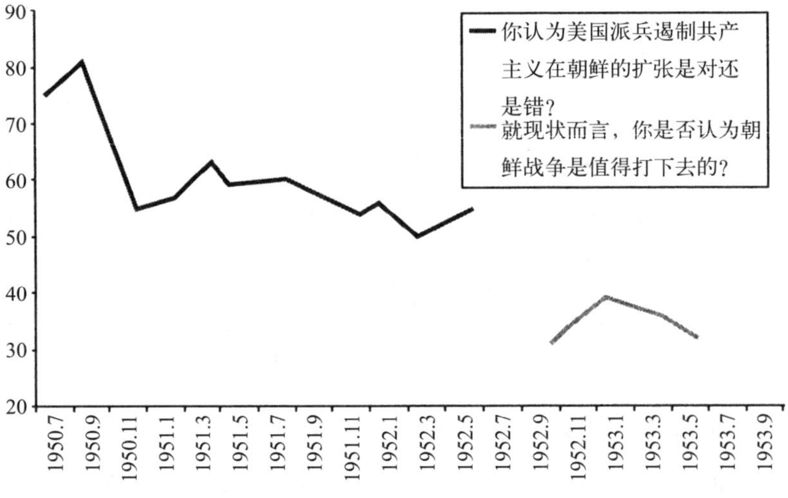

图4　支持朝鲜战争统计，1950年—1953年

帝国出局

“越南的教训”在朝鲜战争中其实已经很明显了，但是美国的决策者们选择了错误的教训。他们深信是盟国和联合国给他们造成了负担，他们不

仅决定未来不会再受此约束而发动战争，而且还决定通过代理人的方式发动战争，而不是他们自己。这就使得情况变得更加糟糕，而不是更好。以朝鲜战争的模式来解决越南问题的话，也许同样可以以南北方分而治之的形式解决问题。选择更为狭窄的帝国主义方式，命中注定只能是彻底失败。

当然没有必要在这里表现出事后诸葛的样子。格雷厄姆·格林写过一部预言式的小说《沉静的美国人》。这部小说写于美国仍然还在支持命途多舛的法国殖民政权的时代，小说中美国人对待中南半岛的态度被帕尔这个人物表现得活灵活现，他没有意识到他与那个愤世嫉俗的英国朋友——小说中的主人公，同样都是“殖民主义者”（具有象征意义的是，他同时也让这个朋友戴了绿帽子）：

> （帕尔）正在谈论着老牌殖民国家——英国和法国，你们就是不能指望赢得亚洲人的信心。现在，美国人两手干干净净地进到这里来了。
>
> “那么，夏威夷，波多黎各，”我说，“墨西哥又如何解释呢？”
>
> ……他说……总可以找到既不属于共产主义也不受殖民主义侵蚀的第三种力量，他把它称之为“民族式民主”。你只需要找到一个领导人，并保证他不受老牌殖民国家的伤害。

帕尔没有意识到，如此寻找当地合作者正是典型的帝国主义作派。他也没有意识到，要安置这样的一个第三种力量而不给那个国家以长期承诺，其结局必然是灾难性的。格林笔下的主人公为了说服帕尔，举了两个相似的例子，即英国在印度和缅甸的经历：“我去过印度，帕尔，我知道自由派所造成的伤害。尽管自由党已不复存在，但自由主义对所有的政党都有影响。我们都是自由派，或是自由主义保守派，或是自由主义社会主义者。我们都怀有一颗正义之心……我们去那里，侵略了那个国家，得到当地部落的支持，因而我们取得了胜利。但是……（在缅甸）我们制造了和平……然后我们离开了，留下我们盟友被处死，被锯成两半。他们是无辜的，他们以为我们会留下。但我们都是自由派，我们不能忍受良心上的愧疚。”

那些越南南方的人以为美国人会留下——至少是会以朝鲜半岛的模式保卫分裂后的韩国——他们低估了正在美国国内成长的自由主义势力以及一些居心叵测的美国精英。一名年轻的美国军官，菲利浦·卡普托曾公开声称，他在“同新的野蛮人……作战，他们威胁到了新罗马在遥远东方的利益”，但他却用一种奇怪的致歉口吻说道：“这大概是我在私立中学学的公民学课程的效果，（当搜查越南人村庄的时候）我感到不安，就好像入室的夜贼，或好像是我们国家在大革命时期经常闯入美国人家中作恶的英国军人中的一员……我愚蠢地笑着，煞有介事地收拾着被我们弄乱的东西，然后离开。看见了吧，女士们，我们不是法国人。我们都是好样儿的美国大兵。你们应当学着喜欢我们。我们是美国佬，美国佬想要被人喜欢。我们可以捣毁这个地方，如果我们想要这么做的话，但是我们会将所有的东西都物归原处。”正是这种否认帝国主义性质的心态对美国制订当时的战略起了阻碍作用。很快，人们开始了解这样一个现实——帝国主义者很少被人爱戴——正如一名觉醒的老兵所说的那样：“我们应该是来拯救这些人的，但是在这里，我们并不被人看作是救世主。他们并不怎么喜欢我们。进入村庄的时候，我们看不见挥舞着彩旗欢迎的人群，没有人跑出来向我们掷以鲜花，我们胜利行进时，也没有漂亮姑娘出来亲吻我们。‘哦，该死的美国人又来了。救世主啊，他们什么时候才能明白呀？’”

美国军事的计划员们从敌人的死伤人数与自己的死伤人数的比率来定义军事上的成功与否，由此产生的这种令人毛骨悚然的“净尸体统计”和“杀伤率”计算方法。如图5所示，根据他们自己的标准，获得高分的军事胜利发生在1967年或1968年。到1971年，战事已明显处于失利的状况。当然这种计算方式有些赤裸裸和冷漠。军事上取得胜利还取决于双方人力损失各有多大，更重要的是，双方军队和平民的士气丧失有多少。总而言之，战争的更重要的目的是要使另一方投降或逃跑，而不是增加死亡和伤员。整个冲突阶段中，从伤亡的绝对数字来讲，美国给越南民主共和国造成的损失当然更高。但随着美国人在越南的人数逐步减少，而且美国人民不再愿意为了那里牺牲士兵们的生命，胜利的可能便偏向了士气更为高昂的敌方。

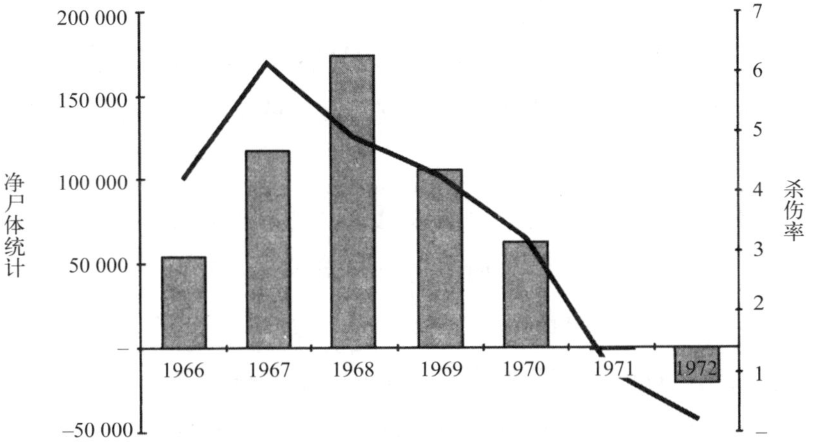

图 5 净尸体统计以及杀伤率，越南，1966 年—1972 年

定义：净尸体统计（柱形）：越南民主共和国军队加上越南共产党部队死亡、失踪或行动中被捕人数，减去美国军队加上越南南方军队死亡、失踪或行动中被捕的人数。杀伤率（线形）：越南民主共和国军队加上越南共产党军队死亡、失踪或行动中被捕的人数除美国军队加上越南南方军队死亡、失踪或行动中被捕的人数。

如果战争打得更为惨烈一些的话，美国是否会取得越战的胜利呢？许多美国军事分析家认为，越战暴露了有限战争概念的许多缺陷。指挥美国部队战斗直到 1968 年的将军威廉 · 威斯特摩兰将责任归于那个“考虑不周”的“战争升级”策略，他认为这个策略阻碍了快速并且果断地解决冲突的进程。布鲁斯 · 帕尔默将军认为“阶段性地逐步使用空中力量打击，违反了战争的许多基本原理”。陆军上校哈里 · G · 萨莫指责美国军事计划员们采用追击越共游击队的策略。这些游击队旨在骚扰驻在越南南部的美军，等待更大规模的越南民主共和国正规师介入战斗。美国在这场“平叛作战”中耗尽了自身的实力，他们本应当长驱直入，进占老挝以封锁敌人南下渗透的路线，从而将打击越共游击队的任务留给越南南方的本土军队来执行。这个观点得到国防部长詹姆斯 · 施莱辛格的认同。他后来写道：“越战的教训之一是，宁可反击敌人的进攻，也不要卷入无休止的军事辅助手段中。必须寻找对手的核心基地，摧毁其军事力量。”海军上将托马斯 · H · 摩尔认为，“美国本应当在北方打仗，在那里每个人都是敌人，这样就不用担心伤及友好的平民了……发动这场战争的唯一原因就是要去推翻一个你们不喜欢的政府。”

从战术层面来看，这场战争本来也可以更有成效。在中欧受训以对付苏联红军的美国军队要花一定时间适应越南丛林密布的山岭和稻田，他们要花时间学习反游击战的奥秘。然而，学习过程却困难重重。为期仅一年的战地服役制度挫败了部队的士气，破坏了战斗群体的内聚力，降低了战斗集体所接受的教训的重要性。尽管如此，美国人最终还是找到了战斗操作和战术挑战的解决办法。越南北方人讥笑美国人“精密的武器、电子设备和其余装备面对被动员起来的人民毫无用武之地”。不过，在战争的最后阶段，美国全面使用了武装直升机、精确制导的导弹和B–52 战略轰炸机。正是这种新式空中作战方式在 1972 年复活节时消灭了越南民主共和国的入侵部队。

本来还有其他提高作战效率的办法。美国对越军事援助司令部负责指挥在越南南方的作战，而美军太平洋司令部的司令则负责从夏威夷对越南北部进行空战指挥。指挥系统并不十分清晰。情报收集本来也可以改善的，考虑到美国与它所支持的越南南方政府之间联络的重要性，美国军方领导层和美国外交代表之间的合作应当更为密切。然而，即便战争策略、操作以及战术的效率好上两倍，胜利的一个基本政治障碍是：急速下降的民众支持率。早在 1967 年 10 月——离首批海军陆战队抵达并保卫岘港机场之后仅两年半的时间——反对战争的选民就已超过了支持战争的选民（见图

6)。公众对越战热情的降低，一般说法是由于不断上升的美军伤亡率。在这两个可变因素之间一定是有表面上——实际上是统计数字上——的联系的。然而公众对战争支持的决定性因素远比这些简单的算术所推出的结论要复杂得多。越战的伤亡率与美国打的其他海外战争比起来，并不算特别高。1967 年的军事行动中死亡的美军服役士兵为 9 378 人，是美军在越南服役士兵总人数的 2.5%。在东南亚服役的美军有 870 万人次，总计仅牺牲了 1.4%，2.2%受了重伤。两次世界大战则远比这个数字更具毁灭性。真正的问题在于，到 1967 年时，即便这些数字也受到是在为战争目的开释的质疑，持有这样观点的美国人的比例在不断上升。美国攻打越南的目的不明确；政府对快速赢得这场战争的信心不足；美国人对既定的目标是否值得持久地为之牺牲表示怀疑——这些都是造成公众对战争支持滑坡的原因，与此同时，尸体数目的统计，正无情地上升至累计总数差不多达到 6 万人，其中 4.7 万人是阵亡。

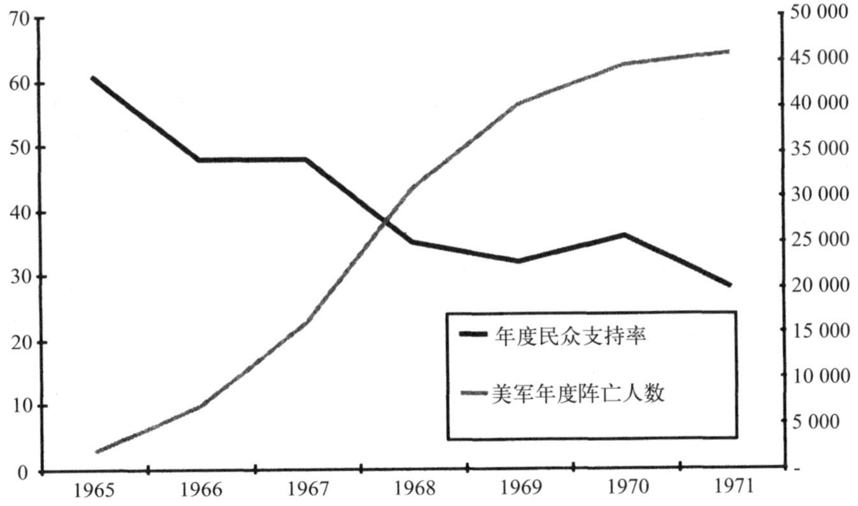

图 6　越南战争：伤亡率以及民众支持率

很难说哪个是因，哪个是果。究竟是因为战争支持率的下降迫使林登·约翰逊去寻求和平谈判，还是和平谈判导致了支持率的下降？有一些人认为，20世纪60年代的美国社会不可能打赢这样一场战争，但缺乏有效的政治领导则有一个强有力的例子可以佐证。约翰逊完全没办法向公众或国会解释发动战争的必要性。更糟糕的是，早在1965年圣诞节，他便开始着手致力于通过暂停对河内的空中打击，谋求和平谈判的策略。这个计谋在1967年得以再次重演，最后证明是灾难性的。它表明美国人准备接受一个妥协的和平方案，因而鼓舞了越南北方人民继续奋战的决心，同时，在美国国内又制造了一缕战争快要结束的曙光。因此，在后来的一个月里，民众反对战争的呼声超过了赞同战争的呼声，这并非巧合。然而，即便在1968年，支持战争的基础仍未消失，有超过40%的选民认为如果美国放弃这场战争，“共产党就会接手越南，继而向世界其他地方进军”。一等兵杰克·S·斯万德，绝不是唯一一个认为“美国还在越南南部继续战斗以阻止共产主义的扩张，这总比在金凯德、洪堡、布卢芒德，或堪萨斯城这些美国城市来做这件事要好得多”的美国人。威斯特摩兰将军在越南人发动春节攻势时给敌人以重创。新任国防部长卡拉克·科克利弗德却犯了致命的错误，他拒绝调派更多军队前往越南作战。同时，约翰逊总统决定宣布暂停又一轮的局部轰炸，希望开始谈判。从这一天开始，美国的政策开始变为寻求不失脸面地退出越战——后来则变为不管以何种形式退出都可以。

这正是尼克松和基辛格不择手段追求的目标。一边秘密轰炸柬埔寨，一边秘密与黎德寿在巴黎进行谈判，显示出双重马基雅维利主义的诡诈。但是，他们从约翰逊那里继承来的局面已经无法挽救。于1973年1月最终签订的停火协议成了越南南方政府的死亡宣判书，而美国原本的干预就是为了救助这个政府。在柬埔寨造成的“间接损害”无力阻止那个国家沦为亚洲范围内最为野蛮的政权。于是，1975年4月金边被红色高棉政权统治与最后一批美国人搭乘飞机离开西贡差不多同时发生。这成了“美帝国主义”十足的耻辱——这在当时是美国媒体以及中国报纸上用来骂美国的专用名词。曾被称之为“白人的负担”的说法在参议员J·威廉·富布赖特的口中变得面目全非。他在1968年曾哀伤地重新贴上“大国的责任”的标签。总而言之，美国人更倾向于选择软弱的不负责。

有些人赞同格林的预言：美国在越南继承了欧洲帝国主义的事业。美军排长马里昂·李·坎普纳在1966年阵亡前三个月这样写道：“(如果)这能够使美国成为世界警察，那就这么做吧。这确实不过是英国在1815年到1915年期间承担的责任，我们有很多理由挑起这个担子，那是因为，英国那段时间里绝没有受到我们现在所受到的威胁——整体面临被歼灭或征服。这是毋庸置疑的。”然而，在其他许多人的头脑中，帝国的自我否定的状况仍然继续存在。路易斯·哈勒坚持认为，“美国并非是为了帝国的理由进攻中南半岛的……我们并非为了扩大我们的领地或是建立一个帝国而在那里打仗的。”恰恰相反，越南战争完全是一个搞错身份的例子。肯尼迪和约翰逊犯下了悲剧性的错误，将越南北方政权仅仅看成是美国发誓要除掉的世界共产主义所利用的工具。但是这场战争更多的是由炙热的民族主义情绪激起的，胡志明自己不就十分赞许地引用美国“独立宣言”吗？相比较而言，西贡政府并不值得美国这样扶持。无论如何，像乔治·F·凯南和小亚瑟·J·施莱辛格这样卓越的分析家现在所认识的那样，中南半岛只具备最低的战略意义。由此得出的推理非常清楚，尼克松实际上在关岛宣布“尼克松主义”时也采用了这种观点。美国只能当自己国家的利益受到威胁时才发动战争，那些寻求美国援助、危如累卵的政权从今往后恐怕只能好自为之了。

美国在中南半岛进行干预的不光彩的结局使得更多的人接受这样的观点。1974年4/5的人投票赞同“美国应当在国际领域里管好自己的事，让其他国家自己决定如何最好地发展自己”的说法。十年前，仅有18%的人如此认为，到1978年为止，很多人开始认为越南战争“不仅仅是一次过失，而是犯了本质上的错误，根本上就是不道德的”。一连串的影片重复着这一主题。虽然这些影片的预算按照好莱坞的标准过于庞大——影片《现代启示录》更是惊人——但是它们都证明了一点：战争题材的影片比战争本身更具有经济价值。即便进行最为保守的估算，越南战争的成本也要超过千亿美元，这些钱绝大多数是借来的。1964 年到 1972 年间，联邦政府的赤字总额增加的数字与越南战争的花费大约相等。无可否认，这个数字同美国后来几十年时间里公共债务增加的数字相比并不算巨大。越战期间最大的赤字刚刚超过美国国民生产总值的 3%，低于 2003 年的赤字。这样看来，越战浪费钱财的重要性同流血的重要性相当，难分彼此。然而，在海外战场花费如此之多金钱的事实，严重影响了美元的国际地位。按布雷顿森林体系的构架，美元是国际货币体系中的关键货币。1971 年 8 月 15 日，此时离最后一批美军撤离越南还有一年半的时间，理查德 · 尼克松承认了美国经济霸权地位的终结，他决定“关闭黄金窗口”，结束美元与黄金的可兑换性，并宣告浮动汇率新时代的到来。值得注意的是，正是欧洲对美元的施压——尤其是法国——敲响了布雷顿森林体系的丧钟，欧洲挑战（虽然不是终结）了美元作为世界储备货币的地位。越战的失败不仅重新定义了美国对世界的心态，使得很多美国人转向批判战后的全球主义，它也改变了世界对美国的看法。不管共产主义在全世界范围里是如何具有可怕的压迫感，越战都释放了冷战中的人们（特别是西欧知识分子阶层内的）的反美情绪的浪潮。这种情绪在冷战的后一阶段一直持续下来。反帝国主义的帝国主义最终不可避免地失败了，在世人的眼睛里，似乎扮演邪恶帝国角色的正是美国。越战后所有的电影中最为成功的是一部根据科幻寓言小说拍摄的片子——《星球大战》。这并不奇怪。观众在影片中受邀与一帮衣衫褴褛的自由斗士们一道为弱势的反抗军同盟抵抗一个邪恶的银河星系的帝国。影片《星球大战》中，乔治 · 卢卡斯完美地表达了美国人民对于脱离帝国主义黑暗一面的渴望。在这一电影史诗中的前传作品里，大恶棍达斯 · 维达年轻时代表现了一个充分美国化的绝地武士的形象，这具有重大的意义。

表 3　越战影片票房总收入

电影	放映日期	票房总收入
回家	1978 年 2 月	$32 635 905
猎鹿人	1978 年 12 月	$48 979 328
现代启示录	1979 年 8 月	$78 784 010
野战排	1986 年 12 月	$138 530 565
全金属外壳	1987 年 6 月	$46 357 676
血肉战场	1987 年 8 月	$13 839 404
早安越南	1987 年 12 月	$123 922 370
越战创伤	1989 年 8 月	$18 671 317
生于七月四日	1989 年 12 月	$70 001 698
现代启示录（重制版）	2001 年 8 月	$4 626 290
我们曾经是战士	2002 年 3 月	$78 122 718
沉静的美国人	2002 年 11 月	$12 988 801
总额		$667 460 082
星球大战系列总额	1977 年 5 月	$1 802 544 288

小恺撒们

在亚洲的失败当然同韩国和越南离美国本土相隔太远不无关系。但是，即便是在美国自己的后院——拉丁美洲和加勒比海地区，要使反帝国主义的帝国主义获得成功仍然困难重重。美国在该地区进行了大量的干预。但是，就如过去发生的那样，在美国的协助和同意下，左翼政府被颠覆，它们通常被军事独裁统治所取代，这些专制政府的谋杀行为丝毫不能帮助美国争取到西裔美国人的爱戴。这样的事情发生在 1954 年的危地马拉、1965 年的多米尼加共和国和 1973 年的智利。约翰逊为了粉饰其派驻军队到圣 · 多明戈的决定，上演了一出经典而激昂的帝国否定说：“多少年来，我们的军队进入过那么多的地方，但无驻扎必要之后，他们都回来了。因为美国的意愿是永不压制自由，总要守护自由；永不剥夺自由，总会还以自由；永不破坏和平，总要鼓励和平；永不占有他人土地，总会救人性命。”而在每次干预之后建立的全然非民主政体的历史记录，均成为这段说辞的极大嘲讽。然而，最莫名其妙的例子就是古巴。美国一系列对古巴的干预行动都未获得成功，而它在地理位置上是最靠近美国的国家，经济上是最有价值的，而同其他所有国家相比，也是最具有战略意义的。并不仅仅因为美国无力于1959年阻止菲德尔·卡斯特罗的共产主义革命取得成功，而且因为两年之后，它想通过反卡斯特罗流亡分子赢得反政变的胜利，也以不光彩的失败结局收场（猪湾事件的惨败）。1962年10月当苏联将核导弹送到这个岛国时，差一点爆发了第三次世界大战。肯尼迪兄弟同意秘密从土耳其撤出美国导弹，世界才真正避免沦为赌徒的地狱——也就是说，美国对古巴的入侵——同时也确保了苏联武器的和平撤回。古巴导弹危机揭示了一点，两强相遇，相持不下时，他们就会发现自己跟对方越来越相像了。我们现在知道，两个政敌当时正针尖对麦芒地铆足了劲——也许认识到这一点才让人感到惊奇。事实是，两个反帝国主义的国家都是不会为了一个古巴去面对热核武器决斗的危险的。这场势均力敌的和局的主要受益人正是那个卡斯特罗，历史上这不是第一次，也不是最后一次。只要超级大国只能通过代理人进行竞争，出现小恺撒们的地方通常是一些小国，甚至还有可能出现卡里古拉（古罗马的一个暴君）。

COLOSSUS

第三章

冲突的文明

然而80年后，当真主之剑落在美国人头上的时候，这些伪善者却站了出来，为那些践踏穆斯林的鲜血、尊严和圣洁的凶手的命运哀叹……当他们挺身而出，保护巴勒斯坦和其他穆斯林国家的弱者、保护他们的儿童、保护自己的兄弟姐妹的时候，那异端的世界里，伪君子们却开始聒噪。这些伪善的家伙，他们和屠夫一起残杀受害者，和压迫者一起践踏无辜的儿童……这一事变之后，每一位穆斯林都应该为信仰而战。

奥萨马·本·拉登，2001年10月7日

我们必须担忧战争时期的人类生存状态。有一个价值体系是不能够妥协的——就是神授的价值。那不是由美国创造的价值，是自由、人类生存状态、母亲爱孩子的价值。有一点是非常重要的，我们通过我们的外交途径和军事行动非常清楚明白地表明一点，我们从未表现得我们在创造——（好像）我们是这些价值的作者。

乔治·W·布什

涌向圣地

历史上的所有帝国都会为了世界上某些地区的矿产财富，寻求控制那些地方。公元1世纪，是铅矿和银矿将罗马人引诱到英国。公元16世纪是金矿把西班牙征服者吸引到了秘鲁，也把公元19世纪的英国人吸引到了南非的德兰士瓦省。这些帝国还有在榨取了那些国家的矿产后向这些国家输入自己文化的传统。英国被罗马化了的过程就好像南非兰德金矿区被英国化了一样。这个模式使许多当代分析家们看到了美国与中东关系中的帝国特征。一方面，美国对这个地区巨大的石油储备有着明显和长期存在的兴趣。另一方面，据说美国人渴望改变这一地区的政治文化，即改变那种对民主化有特别强大的抵抗力的政治文化。

如果上述这些是定义美国对中东政策的原因的话，那么那个政策离成功的目标就太遥远了。第二次世界大战后，由于国有化政策的影响，使得美国对阿拉伯油田的控制力迅速降低——国有化是公开反美政权所采用的一贯政策。根据每年“自由之家”的调查所给出的分数——只有以色列和土耳其，中东地区15个国家中的两个国家——在今日可被称作是民主国家。1950年的情形也一样，不同的是，当时的埃及、伊朗、黎巴嫩和叙利亚比现在更加接近政治自由。

如本章一开始引用的号召所示，美国领导人的措辞有时看上去确实证实了他们在阿拉伯世界最充满敌意的反对者对他们的指控，即他们要进行一次新的“十字军东征”来反对伊斯兰教。在短暂的期间，甚至乔治·W·布什自己也用十字军东征来描述2001年“9·11”恐怖袭击事件之后他想发动的反对恐怖主义的战争。然而美国人提出的“文明冲突”的概念同外国人将美国的中东政策仅仅定位在石油利益上是一样荒谬的。事实上，将美国想象成一个并不怎么热心于介入该地区那种特别的“冲突性的文明”也许更具启发性。在这种功能失效的文化里，互相对抗的宗教信仰和自然资源是政治冲突的基本原因。但它的冲突形式倒十分特殊，那就是恐怖主义。

一般人都认为，2001 年 9 月 11 日是现代历史转折点之一。如果我说决不至于，那并不是要缩小恐怖分子带给成千上万家庭的巨大痛苦——或带给美国人民的集体精神震动。毋庸置疑，奥萨马 · 本 · 拉登和他的追随者们必须为他们所犯下的恐怖的累累罪行负责。但如果不考虑他们的动机的话，也完全应该这么说。在历史学家们眼中关键的一点是，那些动机都是长期历史原因造成的，其根源在几十年前就已经种下，其发展方向随后几乎完全没有改变过。美国与中东的关系史只是在那个阳光灿烂的夏末的早晨达到了一个转折点。然而，就像德国历史上 1848 年的“三月革命”一样，从很多方面来讲，2001 年 9 月的事件并未真正形成一个转折点。

起初的步骤

人们通常认为冷战期间美国政策最大的失败就是越南战争的失败。在中南半岛输给了共产主义政权的结果证明这里在战略上并不重要，虽然使得美国在政治上陷入窘境。美国丢了面子，这才是美国遭受损失的全部。越南人民和柬埔寨人民为美国的失败付出了令人无法想象的高昂代价，美国人自己却能够从“遏制政策”造成的残垣断壁旁走开了。而华盛顿的决策者们也渐渐地明白了这个现实，越南其实并不重要。经过充分考虑，古巴其实也并不重要，所以美国悄悄地放弃了颠覆卡斯特罗政权的想法。不管共产主义在河内也好，在哈瓦那也好，发展中国家的共产主义分子相对不会对美国国家安全造成多大危害。就古巴来讲，美国目睹着卡斯特罗一边积极参与安哥拉和埃塞俄比亚的内战，一边在冷战的外围战场上竭尽其能给华盛顿制造麻烦。如果说加勒比海地区对美国还有一定重要性的话，黑非洲就无疑是无关紧要的地带，尤其是与世界上的一个地区相比更是如此——到20世纪70年代早期的时候，美国已经不能失去的那个地区就是中东。

有关美国对该地区的态度的认识存在很多的误解。一种观点认为，美国是被与以色列的一种无条件、绝对的“特殊关系”所驱使。另一种观点则声称，美国主要是被中东茫茫沙漠下面巨大的石油储备所吸引。第三种说法是，“9 · 11”恐怖袭击事件是美国在该地区犯下种种罪行之后，应当得到的惩罚。鼓吹这个观念的绝不仅仅局限于基地组织的武装分子们。在下曼哈顿中心商区的大火刚刚熄灭，混乱尚未平息之时，已有大批的评论家们在报纸和其他新闻媒体上发表过类似的观点。现实则要复杂得多。首先美国与以色列的关系长期以来的特点呈现出既存在抵触情绪，又有爱恨交加的一面。这个“婚姻”绝不是天作之合。第二，石油储量丰富的美国对中东石油的依赖程度远低于西欧和日本，美国早就否认要“控制”阿拉伯的石油储备；如果出于保证西方世界的石油供给的目的，这种控制是有必要的话，也应该是德国和日本这两个贫油国家最为起劲。第三，中东的恐怖活动现象——但实际上还有其他地区——直到最近才与美国扯上一点关系。“9 · 11”恐怖袭击事件最值得关注的地方只不过在于恐怖分子拖了这么久才施行了对美国本土进行的一次重大恐怖暴行。激发攻击的原因如果被归结于美国的罪行，看起来也是站不住脚的，因为美国在沙特阿拉伯派驻军队是为了保卫那个国家免遭其邻国——即另一个阿拉伯国家伊拉克的入侵。

中东在过去30年美国外交政策上具有如此重要的地位，人们很容易忘却它曾经是多么被忽视的一个地区。50年代以前，美国在中东存在的战略重要性不过是在教育方面，具体体现在一些著名学府的建立上，如开罗和贝鲁特的几所美利坚大学，伊斯坦布尔的罗伯茨学院和伊朗的阿尔伯兹学院。1946 年 9 月，美国国务院近东及非洲事务办公室主任罗伊 · W · 韩德逊将美国在该地区的“主要目标”定义为：“防止那个地区相互竞争的对手之间的利益冲突升级为公开的敌对事态，从而最终有可能导致第三次世界大战的爆发。”这至多使美国扮演了一个和蔼仁慈的裁判角色。美国并没有寻求更多的约束性的承诺，事实上是 1947 年英国决定推卸其在土耳其（以及希腊）的责任才促使美国接管了中东地区的事务。那之后的至少十年时间里，英国仍然是该地区的主要外部力量。即便在苏伊士危机惨败之后，英国仍然继续把波斯湾视作他们势力范围的一部分。

美国长期从该地区获取经济利益，这是不争的事实。自 20 年代以来，美国石油公司都努力在那里插足，1927 年在巴巴格格地区发现油矿之后的一年后，他们强迫并非心甘情愿的英国公司将土耳其（后来还有伊拉克）石油公司的一部分股权分给他们，这还是中东石油生产的初始阶段。即便到了 20 世纪 40 年代的时候，中东石油生产商的产出也占不到世界石油供应量的 5%。但是美国人那时已经相信这里有巨大的未被开采的石油宝藏。30 年代里，他们辛勤工作，在后来叛逃的英国的阿拉伯专家，哈里 · 圣 · 约翰 · 菲尔比的帮助下，将沙特王室家族统治的这个沙漠王国变成了美国的一个附属国。第二次世界大战期间，美国人乘英国人之危提出一个交易方案：美国将拿下沙特阿拉伯，将波斯留给英国；而伊拉克和科威特则大家共享。美国–沙特两国的关系模式已经建立起来了：美国为沙特王室提供金钱与武器，沙特王室则以石油开采特许权以及军事基地加以回报。由石油公司财团组成了沙特阿美石油公司（ARAMCO），这个石油公司则变成了王室收租的一个渠道：很快他们付给沙特相当于他们一半的收入所得，这个收入在美国财政部看来是可以免税的。1953 年访问中东的第一位美国国务卿约翰 · 福斯特 · 杜勒斯对该地区印象深刻。他宣称，这个地区的“石油资源和其他矿产资源将对我们的经济利益起到至关重要的作用”。

如果美国当真这么想的话，那么它肯定会在一个基本问题上表现得非常不同：没有什么能比坚定地支持以色列更能疏远阿拉伯人了。在以色列建国之初，哈里·杜鲁门立即承认了这个新国家的合法性，对此他负有个人责任。1948 年 5 月他不顾国务院的反对建议，坚持己见。杜鲁门的承诺不顾艰难险阻持续了下来，到 1958 年为止，美国同以色列的关系的极端重要性已成为美国外交政策的一条基本原则。用前美国驻埃及大使的话来说：“以色列代表了我们在该地区最早的直接利益……继续支持以色列作为一个独立国家，当然代表了美国基本外交政策的一个承诺……”许多分析家将注意力集中在产生这个承诺的诸方面因素：所谓犹太复国主义的院外集团在美国的政治影响力；多数美国人民就德国对犹太人的大屠杀所产生的负疚感；以色列是中东唯一的一片民主绿洲的事实；对基督福音派的信仰，认为犹太人民重返圣地是基督快要再来的征兆。然而，人们并不太关注以色列和美国之间存在多少意见上的分歧。杜鲁门对以色列的支持并不涉及军事协助方面，例如，杜勒斯不止一次暂缓对以色列的援助。1956 年以色列占领西奈山和加沙地带时，美国是持反对态度的，并坚持要求以色列公民撤出。尽管在联合国面前保证会确保以色列船只在“六日战争”前夕自由通行于蒂朗海峡，但是美国并没有做到这一点。后来美国赞成耶路撒冷的国际化，批评以色列在 1967 年从阿拉伯抢来的领地上实行殖民主义的政策。以色列对加沙和约旦河西岸的占领很明显并不符合美国的利益。

20 世纪 50 年代，真正把美国卷入中东的既不是以色列，也不是石油，而是对苏联的畏惧。说得更准确一点，是害怕苏联人利用欧洲各殖民帝国的危机在阿拉伯世界一举成功，就像他们在亚洲获得的成功一样。首先，苏联人表现得特别笨拙，斯大林向德黑兰进军却造成了事与愿违的结果。相比较而言，英国发起而由美国中央情报局执行的对伊朗总理穆罕默德·穆萨德的颠覆却似乎保证了美国以最低成本进行统治的优势。穆萨德曾鲁莽地将英国-伊朗石油公司进行国有化。美国的颠覆计划称为“阿贾克斯行动”，从实质上讲是一场先发制人的遏制行动。正如美国中央情报局的一名特工所回忆的那样，“那是针对苏联所作所为的行动，而我们对他们未来的计划也了然于心。”在他看来，伊朗在苏联的“优先列表”上，排名十分“居前”。

一些美国人对美国政府支持老的殖民主义者，反对一个明显不是马列主义者，并且为大众所喜爱的政治领袖的做法表示怀疑态度。在埃及，美国起初是支持一个反对英国的民族主义者和政治煽动家——这就是加麦尔·阿卜杜勒·纳赛尔上校。实际上，美国国务院肯定并鼓励了埃及领导人要求结束英国军方继续留在苏伊士运河区域的做法。但是到了1956年，纳赛尔和苏联人暧昧了起来， 同时，他的个人风格对其他的阿拉伯国家有极大的吸引力，这一切都令艾森豪威尔和杜勒斯大为光火，他们决定迫使纳赛尔（与赫鲁晓夫）摊牌。美国拒绝资助纳塞尔的阿斯旺大坝的项目触发了又一场轰轰烈烈的国有化运动，这次的矛头直指苏伊士运河。如果在这个关键时刻，美国能够控制住它的两个理论上最亲密盟友——英国和以色列——的话，历史的结局可能会大不相同，而且不仅局限于在中东地区。但英国首相安东尼·艾登爵士却同意了法国的一个愚蠢的计划。他们将以阻止一场阿拉伯-以色列之间的战争作为托辞，用武力收复苏伊士运河地区。以色列共和国当然很乐意为其效劳。艾登不仅没有跟艾森豪威尔商量此事，而且，他实际上已经受到美国方面关于此事的明确警告——美国将不会同意发动这场打击。原因很简单，美国方面认为，这种新殖民主义的做法看起来要比颠覆穆萨德政权更为过分，所冒的风险更大，很有可能会将除了以色列之外的所有中东国家推入赫鲁晓夫的怀抱。艾森豪威尔忧心忡忡地问道：“如果这么做会让我们失掉整个阿拉伯世界，我们怎么可能支持英国和法国呢？”

不幸的是，在世人的眼中，赫鲁晓夫公开威胁将使用核武器成了英–法联军撤退的原因。然而，真正的原因是英镑在国际货币市场上灾难性的一路下滑，而且，除非艾登同意撤军，美国是不肯借给英国任何资金以解救危机的。更糟糕的是，西方世界的混乱给了苏联人为所欲为的机会，它以极端残忍的手段镇压了匈牙利改革主义者伊姆雷 · 纳吉的政府。这样一来，美国结束艾登的行动计划并没有为其在开罗赢得信誉，并且仅在两年之后，一群受到纳赛尔鼓动的伊拉克军官在巴格达上演了一出军事政变，致使亲英的哈希姆王朝被颠覆，费萨尔二世及其总理努里 · 埃斯 · 赛义德总理被暗杀，美国对此却无能为力。此次政变后，美国派驻 1.5 万名海军陆战队到黎巴嫩的决定也未能取得任何结果。实际上，很难看出他们在那里能做出什么影响巴格达和其他地方的事件（此时的贝鲁特还是大都会的游乐场所，同它后来变成的战火纷飞的地区大相径庭）。如果美国的战略是受操控中东石油的欲望所驱使的话，这便是一次严重的受挫。政变发生不久，新的伊拉克政府便取消了伊拉克石油公司的特许经营权（由此也切断了英国自 1917 年侵略伊拉克成功以来的主要收入来源）。伊拉克是首批实行石油产业国有化的阿拉伯国家之一。与此同时，沙特阿拉伯也停止了其从美国购买武器的行为，并且拒绝与美国续约以出租达兰空军基地。纳赛尔与古巴的卡斯特罗不同，他对苏联的经济模式兴趣不大，但他仍然乐此不疲地接受莫斯科的施舍，并以此来讥笑华盛顿的无能。

加沙与海湾之间

20 世纪 50 年代末，关乎美国在中东所处的严峻形势表现在三件事上。第一，以色列人认为美国对他们的支持是无限制的，这样以色列就可以按照自己的意愿行事。第二，美国的石油公司与英国在苏伊士运河的利益同样脆弱，都受到阿拉伯政府的国有化政策的制约，那些政府本来就没有太多的兴趣要与外国人分享石油收入。第三，以色列与其阿拉伯邻国的和平共处非常困难，也许是不可能的了。美国不得不设法将他们之间的矛盾冲突所造成的损害降到最低。站在美国的立场上看，苏联对中东的渗透远不如 1958 年所预期的那样成功，这是好的一面。但是，糟糕的一面是，在那里激起了比苏联渗透更为可怕的——或至少更难以预测的——阿拉伯世界与以色列之间的战争所导致的危险后果。这就是恐怖主义——现代中东的原罪。犹太复国运动的极端分子曾经为了把英国人赶出巴勒斯坦采用过恐怖主义的做法。现在，一旦阿拉伯世界对以色列军事胜利的希望破灭之后，巴勒斯坦极端分子也用同样的方法来对付以色列人。阿拉伯国家给他们自己带来了失败，解决犹太与阿拉伯世界的冲突的两国分治的方案从一开始就存在于英国对巴勒斯坦的委任托管制中，并体现在联合国大会 181 号决议案中，而阿拉伯世界却选择了战争。在沙特阿拉伯的支持下，黎巴嫩、叙利亚、伊拉克、约旦以及埃及的军队联手想要将以色列扼杀于摇篮之中，却遭到了惨败。苏伊士事件对英国和法国来说是一个羞辱，而对以色列来说却是一场胜利：他们占领了加沙地带和沙姆沙耶克，虽然该地区后来被联合国所控制。战争给埃及军队造成了重大损失，以色列国防军的损失则相对较低。1967 年的“六日战争”（第二次中东战争）是以色列军队对完全由埃及一手炮制的战争的直接的、合理的反应。第一次以色列空袭之前十天，纳赛尔曾明确号召阿拉伯人将以色列从世界地图上抹掉。于是阿拉伯世界又一次被轻易打败，以色列则再一次占领了西奈山和加沙。而现在为了回应约旦要加入埃及一方的决定，以色列又拿下了（古代罗马所统治的）巴勒斯坦南部，包括耶路撒冷和撒玛利亚（即西岸地区）以及戈兰高地。埃及和叙利亚虽然在 1973 年 10 月发动的“斋月战争”中一开始取得了胜利，但最终仍以失败告终，为其攻击以色列续添了拙劣的一笔。即便是有了伊拉克，后来还有苏联的帮助，阿拉伯军队还是被赶回了他们自己的领土范围。到 1982 年，以色列已经是踌躇满志，准备入侵黎巴嫩了。

在对这些外来威胁作回应时，以色列并不认为有向美国请示的义务。美国人因此并没有接到爆发“六日战争”的警告，他们也没有为以色列所取得的一系列战争的胜利而欢呼雀跃。正如 1970 年尼克松在一次采访中所评论的那样，中东已经变得“十分危险了。就像第一次世界大战前的巴尔干一样——两个超级大国：美国和苏联，因为存在分歧，有可能会被卷入一场两方面都不想发生的交锋中”。当时，由于冷战遏制政策给国际缓和政策让了道，两个超级大国都不希望看到又一场阿拉伯与以色列之间战争的爆发。1973 年时，只有当美国人很明确地知道苏联人正在帮助阿拉伯时，美国才向以色列提供了支持。两个超级大国都以促成停火来标榜自己给予帮助的目的。然而，要促成和平的进程却是极度困难。美国和以色列的政客们继续念着现在为大家所熟悉的咒语，他们的“特殊关系”和“深厚友谊”云云，美国对以色列的援助达到了一个前所未有的高度：1976 年到 1985 年间，美国对外经济和军事援助的 1/4 提供给了以色列——总共大约 250 亿美元。这大约相当于以色列国民收入总额的 13%（见图 7）。但是美国越是想在埃及和以色列之间扮演一个公正的和事佬，花出去的这些钱越是买不到什么结果。

诚然，美国总统吉米 · 卡特说服了以色列总理梅纳赫姆 · 贝京为了与埃及达成和平而放弃西奈山。然而，那是他所能做的极限了，关于被占领地区的未来的谈判终于还是成为泡影。1981 年 12 月，以色列决定改变戈兰高地的状况，将那个地方纳入自己的法律、司法和行政管理体制下，美国在这个问题上支持了联合国一项谴责此行动的决议。7 个月后，以色列入侵黎巴嫩，美国派维和部队增援以防止双方的冲突升级。同年罗纳德 · 里根“开始一个崭新”的和平进程的想法实际上是被以色列否决了。事实上，1983 年里根和以色列总理伊扎克 · 沙米尔之间签订协议后，就追加了大量的军事合作和经济协助。然而以色列坚决抵制住了来自于美方的

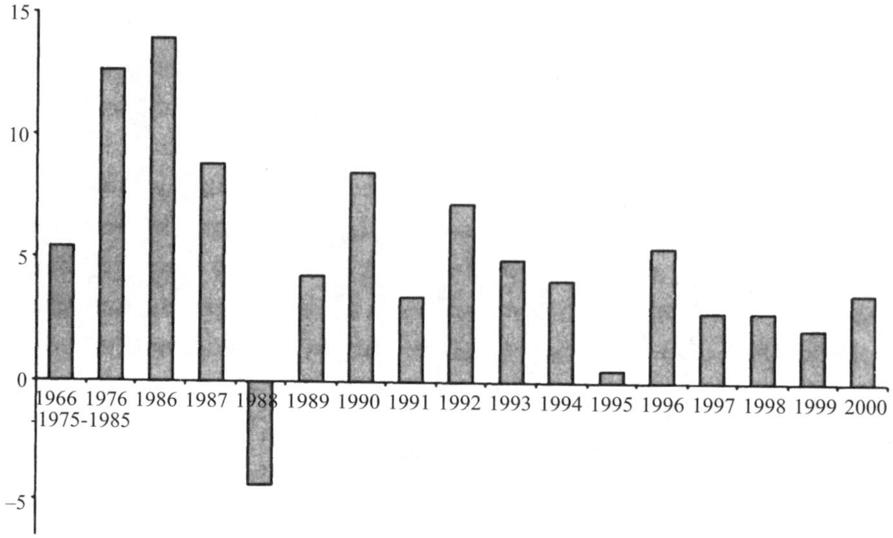

图 7 美国对以色列援助相当于以色列国民收入总额的百分比，1966 年—2000 年

注：1988 年基金回报以及主要偿还款项超出了新的基金和贷款。

压力，不与巴勒斯坦人进行谈判。早在 1988 年 12 月，亚西尔 · 阿拉法特就接受了美国双边对话的条件（弃绝恐怖主义，承认以色列的现存状态并接受联合国安理会第 242 号和 338 号决议），然而以色列已经不愿意考虑回到 1967 年时的疆界里去了。在此前的每一年中，被占领地区定居的新移民都在不断地增加着（到 1983 年，已有将近 3 万的定居者），而且住在那里的巴勒斯坦人重新恢复了使用暴力手段，要回到战前状况的想法越发困难起来。美国反对定居政策，抗议对近在咫尺的巴勒斯坦使用实弹镇压，但是这丝毫没有帮助。

对于美国来说，关键的难点在于，当以色列人的军事优势高高地凌驾于其他阿拉伯国家之上，而巴勒斯坦人被逼迫只能诉诸恐怖主义手段来取代传统战争时，阿拉伯国家的经济重要性也在不断增长。1953 年，美国仍然拥有超过世界一半的石油产量；到 1973 年美国所出产的份额只占到 21%，美国的石油进口曾一度无关紧要；到 1977 年的时候，石油进口量占总消耗量的份额上升至46%，增长的那一部分石油都来自于中东。这对美国来说利弊参半，因为富裕起来的石油输出国们不断增加购买美国商品的金钱，并将大量的石油美元投资到美国。例如，1970年到1972年间，沙特阿拉伯从美国公司购买的武器量增加了20倍。在随后的几年时间里，等值于830亿美元的武器被出售给了沙特。无论如何，相当部分的中东石油产业仍然掌握在美国人手中，虽然当沙特最后对沙特阿美石油公司(ARAMCO)进行了国有化之后，这一比率有所下降。此外，并不只有美国，还有其他主要同盟国都确实开始依赖阿拉伯的石油了。冷战期间，这给了中东不仅战略方面的未来，也给了他们经济方面的未来。正如尤金·V·罗斯托所认为的那样："(美国）首要的、最为基本的利益在于中东对欧洲防务的地缘政治的重要性。我们与西欧的同盟对世界权力的平衡至关重要，是美国安全最基本的依托……苏联霸权对中东的石油、空间和人民的统治，也能够使它支配整个西欧。北约将解体"。话说到这里，其实，并没有太多需要担忧的理由。苏联自1972年他们的军事顾问被埃及驱逐以来，多少已经逐渐停止对开罗施加影响了。虽然他们在叙利亚还有一些优势，但是那也算不上是什么"霸权控制"。相比较而言，美国人则表现出要在"黑金"最富饶的波斯湾各小国接管英国先前的统治地位：其中包括科威特、阿拉伯联合酋长国、巴林、卡塔尔和阿曼。与此同时，基辛格的穿梭外交不仅说服了埃及和以色列于1973年—1974年从交战状态中摆脱出来，此举还很快结束了沙特对西方的石油禁运。

然而，并不是苏联对中东石油的控制才会给美国及其盟国的经济带来烦恼。对阿拉伯国家的控制已足够他们头疼的了。利比亚独裁政权领导人奥马尔·卡扎菲已在1967年阿以战争之后就证实，他会充分利用西方对利比亚石油需求的增长，提高油价和赢利份额，最后实现石油公司资产国有化。直到1972年，既支持以色列，又支持沙特国王，这一看起来不可能办到的事情，美国却做到了。要知道沙特国王是如此憎恶犹太复国主义，就好比憎恶共产主义一样。1973 年，沙特支持埃及人对以色列进行攻击。沙特的支持不是以派驻军队的方式，而是将油价上涨 70%，并以滚动禁运的方式切断以色列支持者们每月 5%的石油供给。当美国对以的增援加倍时，沙特强行封锁了对美的全部石油出口。美国和西欧的金融管理机构还在学习如何使用浮动汇率时，他们的财政当局还在广泛地拥护凯恩斯主义庸俗化的需求管理时，油价这把锋利的尖钉发挥了其戏剧性的效果。通货膨胀大幅上升，公共财政全面出现赤字，与此同时，失业率也在上升（见图 8）。美国外交政策倒退的最为糟糕的事件是 1979 年的伊朗革命。将美国支持的伊朗国王，曾经极度自负的穆罕默德 · 雷扎 · 巴列维赶下了台。不过他并不是被苏联的傀儡所取代的，而是人们意想不到的势力：一个激进的、拥护神权的伊斯兰原教旨主义。伊朗革命之后，世界经济各方面都出现了前所未有的“滞胀”局面。

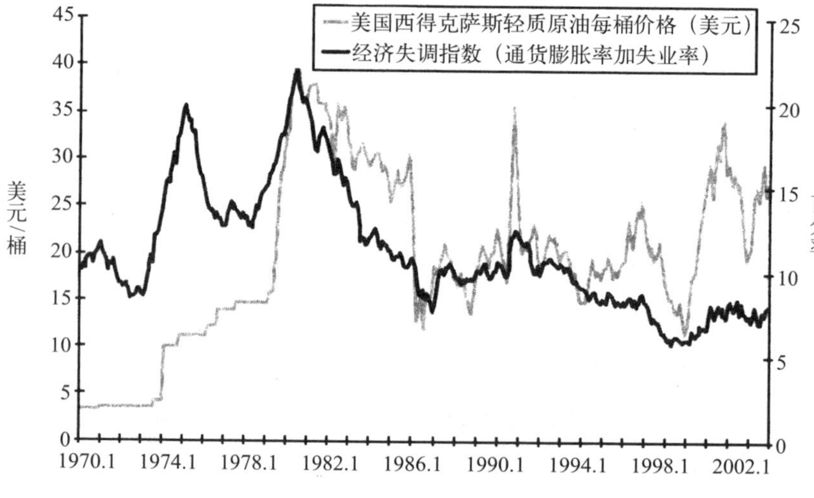

图 8　油价和美国“受难”指数 1970 年—2002 年

伊朗国王并不是美国冷战期间所扶植和支持的最糟糕的专制君主。诚然，这个政权离自由相去甚远，而且，这位国王还有挥霍无度的嗜好。然而，与美国在尼加拉瓜和智利扶植的统治者相较，他还算是一位开明的君主。按照美国和西欧的标准来看，伊朗国王的伊朗是一个相对不平等的社会，这一点毫无疑问。但是，伊朗的情况不比土耳其更糟糕，跟许多拉丁美洲国家比起来，还要好一些。不同寻常的地方在于， 现代伊朗的美国规划师对它滑入革命边缘的倾向却表现得漠不关心。如我们所见，尽管越南被胡志明和他的继承人所攫取，从地缘政治的角度来看，这真的算不上什么。而将伊朗交给伊斯兰教什叶派领袖阿亚图拉 · 鲁霍拉 · 霍梅尼，伊斯兰宗教革命的“列宁”，则是一个大灾难，其造成的后果在当时和现在都无法估算。伊朗是继土耳其之后，中东最大的国家，其人口是伊拉克的 3 倍。关键的一点是，它是仅次于沙特阿拉伯的产油大国，占 1973 年全世界产油总量 10%以上，成为全世界第三产油大国（当时，美国依然是世界头号产油大国）。

1980 年卡特总统还在为禁闭在德黑兰大使馆里的 52 名美国人质忧心忡忡、举棋不定时，他迫切希望重新定义美国在中东的战略。从此以后，他宣布，“任何‘外部力量’想要获取波斯湾控制权的企图将被视作是对美国根本利益的攻击……我们将采取任何必要手段抵御此种攻击行为，包括军事武力手段”。这是给苏联的警告信号：不要利用伊朗危机来达到自己的目的。苏联此时正好在一次考虑欠妥的阿富汗入侵行动中惨败。这个时候是冷战过程的一个新的低点：卡特自己将苏联的行动描述为是 1945 年以来对世界和平最大的威胁。其后果是，欧洲的军备竞赛进入了也许是最危险的阶段。在此过程中，首先是苏联部署了中程核导弹，然后——时常是在一片强烈抗议声中——美国也加入进来，对莫斯科会从德黑兰的混乱状况中渔利的担心，并非没有道理。长久以来，俄国人一直把波斯湾看作是具有战略重要性的区域，而且实际上，它与英国一起从 19 世纪晚期就开始非正式地分享那个地区的权益，直到 20 世纪 40 年代。然而，卡特心中所想象的“外部力量”结果并没有成为中东的大问题。从这时开始，来自该地区内部的力量对美国的利益造成了最为严重的威胁。

如同所有革命政权一样，霍梅尼的伊朗很快陷入与其邻国的战争中。伊拉克独裁统治者萨达姆·侯赛因由于害怕自己国家亲伊朗的什叶派民众起来反对他，1980 年决定入侵伊朗。基辛格不无讽刺地如此评论——“遗憾的是他们双方都不能战败”——这恰好反映了美国所面临的窘境。一个将美国视为“大撒旦”的伊朗政权几乎不可能成为美国的政治工具。然而，萨达姆·侯赛因在巴格达的巴斯党暴政虽然是非宗教的老式阿拉伯民族主义的形式，但其对美国的吸引力也不会比伊朗大多少。20 世纪 70 年代，现实政治的功绩甚至盖过了基辛格的水平，因为美国最终对交战双方都提供了帮助。美国将武器秘密出售给了伊朗，先用这笔交易来换取大使馆人质的获释，后又为美国在中美洲的秘密行动募集资金。萨达姆同时也收到大量的商业信贷，而在 1989 年则超过了 10 亿美元。尽管事实上他的军队不仅使用化学武器，有一次还攻击了美国的一艘战舰。如果海湾战争的结果是双方都没有失败，那么它至少归功于美国马基雅维利式的谋略——同样是这个迂回战术启发了里根政府另辟渠道，将金钱与武器送给了在阿富汗与苏联红军作战的反苏圣战游击队。

但是美国面临的真正难题是，在海湾地区施加任何直接影响都必须有赖于美国在那里保留其军事存在。而伊朗革命的一个结果就是，沙特政权对提供通道给美军进入海湾基地一事不再热衷。虽然在德黑兰革命发生之时，沙特迎来了美国的F–15 战斗机中队，1980 年 10 月，空中预警指挥机又接踵而至，但是沙特政府对美国国务卿亚历山大·黑格所暗示的提供美军更广泛进入海湾地区军事基地通道的“战略共识”不感兴趣。值得注意的是，旨在执行“卡特主义”的联合快速反应部队的指挥部一开始是设在远离中东的佛罗里达州的坦帕。1981 年 5 月，沙特主导的海湾合作委员会宣布，应当保持整个海湾地区“无国际冲突，尤其不应出现军事战舰和外国军事基地”。后来只是当伊朗和伊拉克都明显准备攻击经过海湾的中立国运输船只时，美国海军的出现才被接受。1987 年，科威特油轮重新插上美国的旗帜使得美国海军对其的保护成为正当的行为。最后，到1990年，沙特才变得温和起来，并允许美军踏上他们的土地。那是一个对双方都充满危险的决定。美利坚帝国在不经意之间，结下了一个新的、危险的仇敌（即沙特籍的奥萨马·本·拉登——译注）。

恐怖的逻辑

为什么身为沙特人的奥萨马·本·拉登会命令21名他的追随者（他们大多也为沙特人）劫持4架飞机去撞击纽约世贸中心大楼、华盛顿五角大楼以及（在所有可能的情况下）白宫呢？1998年2月23日，在世界穆斯林对抗犹太人及西方十字军的圣战阵线的宣言上，拉登和其他的签名者对下达“消灭美国及其盟国”恶名昭彰的判决书给出了三条理由：

> 首先，美国占据伊斯兰的至圣之所，阿拉伯半岛，长达7年时间，掳掠这里的财富，对这里的统治者指手画脚，羞辱这里的人民，恐吓四周邻国，利用其在半岛的军事基地将矛头直指邻国的穆斯林人民。
>
> ……其次，基督教十字军—犹太复国同盟给伊拉克人民带来了巨大的毁坏……美国人还要试图在此上演恐怖的大屠杀……
>
> 再次，如果美国隐藏在这些战争背后的目的是宗教信仰和经济利益的话，这些目的也是为犹太人的这个弹丸小国服务的，以此达到转移人们对他们占据耶路撒冷，谋杀那里的穆斯林教民的注意力。最有力的证据是，他们急于摧毁最为强势的阿拉伯邻国伊拉克。以及他们还致力于将这个地区所有的国家，如伊拉克、沙特阿拉伯、埃及和苏丹瓦解成纸做的小国。再利用他们的分裂和软弱来保证以色列的生存，并继续在半岛进行其残忍的十字军占领。

因此，消灭美国人的目的非常明显：就是为了“从他们的魔爪中解放阿克萨清真寺（又名远寺和麦加清真寺），为了把他们的军队赶出伊斯兰的全部土地，把他们打败，使之不能再威胁穆斯林”。11个月后，“9 · 11”恐怖袭击事件发生仅8个月前，本 · 拉登在一次采访中重申了上述这些话，这次采访在《时代》杂志上发表了。简而言之，他的目的就是要把美国军队赶出沙特阿拉伯，从整个中东地区统统赶出去，消除阿拉伯各国政府对美国的同情心，摧毁以色列。他在随后的声明中，始终坚持这些观点。

一些西方的评论家被本 · 拉登的泛伊斯兰主义、全球圣战的花言巧语所欺骗，把他想象成一个诚恳的文明冲突的预言者。如下解释本 · 拉登会更加准确些：中东有着独特的冲突性质的文明，这是一种发展缓慢的政治文化。在这样的文化中，长期以来，恐怖主义取代了和平政治以及传统意义上的战争，而拉登正是这种文明的产物。无疑，人们满足于想象一个全体穆斯林的历史性觉醒，它是一种古老而高傲的情结，历经数世纪的历史衰落，转化为“一股由仇恨、敌意、狂暴和自怜以及压迫的复杂情结交织而成的黑洞”。然而，基地组织的意识形态与大部分穆斯林国家的绝大多数穆斯林的信仰体系是不太一样的，如印度尼西亚和土耳其，更不用说来自西方的穆斯林社区的移民了。即便是本 · 拉登自己的宗教信仰也深深烙上了瓦哈比教派的印记，该教派历史上是属于阿拉伯沙漠地区的。所以还是这样理解基地组织为好：它是特殊的阿拉伯政治宗教的极端派。这个用词是近年来的史学家迈克尔 · 布尔雷启蒙性抓住其纳粹主义实质特性的一个术语。这些特性是：救世主般的领导人、灌输教义的必要性，以及迫害他人的强烈欲望。

应当注意到，这并不意味着基地组织就是“伊斯兰极端主义–法西斯主义”的产物，虽然它们两者都有暴力和反犹主义的共同点。20世纪20年代到30年代的法西斯运动从未能特别熟练地操控恐怖主义，他们更倾向于夺取现有民族国家的控制权，利用传统军事力量发动战争。

恐怖主义——为了达到政治上的目的，通过非国家军队手段，不规则地使用暴力——根本不是什么新概念，尤其在中东不是这样，而且它肯定不是只用来反对帝国主义霸权的。到 20 世纪 40 年代，英国人对它已经相当熟悉了，因为他们国家中一些极端的爱尔兰少数民族和孟加拉人民为了寻求独立，长期以来一直从事暗杀活动。恐怖主义手段在打倒哈布斯堡皇室和罗曼诺夫家族的沙皇帝国时起到了决定性的作用。从 19 世纪 60 年代以来，像谢尔盖 · 涅查耶夫这样的沙俄无政府主义者，长期以来一直散布、鼓吹恐怖主义信念，其中暴力的使用——名义上是为了深化“革命”——本身渐渐地变成了一个目的。正是涅查耶夫写了那本《革命问答》（1868 年），宣称：“革命所知的唯一科学就是：毁灭的科学……（它的）目的只有一个：以最快、最有把握的方式毁灭这个丑恶的政治体系。”另一个欧洲人，意大利的卡罗 · 皮萨卡纳更是生造了一个短语“以行动作宣传”。约瑟夫 · 康拉德也会立即想到本 · 拉登目标的选择。读他小说《秘密特工》的读者可以回想起弗拉基米尔先生，那个密谋轰炸格林威治天文台，并要“在这个国家实行一系列暴行”的危险阴谋家的一番话。弗拉基米尔解释说：“这些暴行必须是能够引起足够震惊效果的。比方说，操控它们撞击建筑物……攻击必须达到骇人听闻的震惊效果，（并且）成为最具警示性的凶残易懂的表现形式。”简而言之，它必须是带有象征性的，能够代表自己意见说话的行动。“资产阶级认为最时尚的是什么呢？维洛克先生？”弗拉迪米尔向他的一个准备执行爆炸任务的爆破员问道。一百年前，“时尚”是对科学的崇拜，因此也就引发了爆炸天文台的设想。2001 年的时尚是经济，准确地说是，是经济全球化，因此我们也许可以认为，这就是产生爆炸世贸中心大厦计划的动因。

然而，现实世界中的恐怖主义不仅仅只是有象征性的意义。它是一种无力发动正常战争，却以其他方式继续战争的手段，并以此达到他们的政治目的。恐怖主义的特性是，其使用的暴力无规则性，它并没有什么技术含量。与大多数人所认为的恰恰相反，操作恐怖活动的人员面对反抗措施时是极为脆弱的——尤其当恐怖分子在没有基地的外国国土上发动恐怖袭击时。恐怖分子的资金来源远比那些他们所对抗的国家军队要差许多，所以大多数恐怖分子组织只能依赖偷窃和乞求得来的钱维持他们的经费。在没有外援资助的情况下，恐怖组织要在一个国家里面进行运作并非不可能，但这要求一个非常安全的地理位置，好让恐怖分子成员们在准备他们的攻击时，免受政府的明令禁止所造成的干扰。如果没有这个条件，恐怖分子肯定得寻求来自外国的协助。向他们提供支持的国家——或甚至仅仅是对他们表示同情的国家——是不太可能成为他们暴力攻击的目标的。相反，协助另一方，即恐怖分子所反抗的政府——的外国政府很可能会发现他们自己也被卷入冲突当中去了。

阿拉伯国家在战场上受到了羞辱，一开始它们曾诉诸对巴勒斯坦流亡的解放组织的恐怖主义活动提供资助。1949 年后，巴勒斯坦突击队队员（实际上就是“人体炸弹”）在位于埃及、黎巴嫩和约旦境内的基地进行活动，对以色列平民发动了不计其数的攻击。在 1951 年到 1956 年的 6 年时间里，有超过 400 名的以色列人被杀，900 人因攻击受伤。“六日战争”之后，巴勒斯坦自由组织在约旦境内进行活动也不受任何惩罚，直到 1970 年迫于以色列的压力，约旦不得不将他们驱逐出境。巴勒斯坦解放组织然后转战黎巴嫩南部地区，黎巴嫩随后陷入了内战之中，正好为恐怖组织提供了绝佳的温床（1976 年叙利亚对黎巴嫩的侵略也没有任何改变）。基地设在黎巴嫩的巴勒斯坦解放组织的游击队，不断进行恐怖攻击行动，从而导致了以色列入侵该国，结果便发生了 1978 年 3 月的极为血腥的劫机事件。虽然黎巴嫩后来同意将边界区域交联合国部队接管，4 年后的 1982 年 6 月，以色列还是竭尽全力发动了对黎巴嫩的侵略，围攻巴勒斯坦解放组织在西贝鲁特的要塞，再一次将该组织的领导人赶了出去——这次赶到了遥远的突尼斯。以色列国防部长阿里埃勒 · 沙龙不满意于此，他玩世不恭地决定放手让以色列的黎巴嫩盟友，基督教马龙派联盟来对付巴勒斯坦人，直接导致黎巴嫩的萨布拉和沙提拉两座巴勒斯坦难民营有700到1 000名无辜难民惨遭屠杀。在一片国际声讨中——美国也参与其中——联合国再次部署了维和部队，其中包含了数百名美国海军陆战队士兵。

巴勒斯坦解放组织和它的盟友多年来一直在两条战线上发动攻势：他们不仅直接对以色列发动战争，而且也采取非直接的手段对以色列公民以及被认为是同情以色列的外国人发动攻势。但恐怖主义就像是条多头蛇：虽然巴勒斯坦解放组织在以色列对黎巴嫩的侵略中遭到重创，但是20世纪80年代里新的组织层出不穷，如阿布·尼达尔组织、解放巴勒斯坦人民阵线、黎巴嫩真主党和哈马斯。但是，巴勒斯坦解放组织更多的是受民族主义和马克思主义的影响，而新一代的恐怖分子主要认同的则是伊斯兰极端主义。他们在战术上与20世纪60和70年代的恐怖分子的不同之处是，他们采用的是自杀式爆炸以及更愿意攻击美国人——也许这两个特点中的第一点没有那么重要。在多数国家里，大多数犯了谋杀罪的恐怖分子实际上只能是坐以待毙了，因为他们要么死在邪恶的行动中，要么会因为他们的罪行被处死。那些不时为“9·11”恐怖袭击事件中“为了杀死别人而甘愿自杀”的攻击者的行为所困惑的专家们忘记了许多类似的先例。然而，恐怖分子现在已经把美国人当作了合理的攻击目标，这个特点则重要得多。这一现象的转折点发生在1983年4月18日，一个自杀式人体炸弹袭击了美国驻贝鲁特大使馆，造成63人死亡，其中包括美国中央情报局在中东地区的整个情报小组。6个月之后，另一敢死队执行任务，将满载TNT炸药的卡车驶入黎巴嫩兵营，这是美国海军陆战队的驻地，造成241人死亡。同样的战术在袭击美国驻科威特大使馆时又导致了4人丧生。

2001年9月的恐怖袭击影响实在太大，以至于人们很容易就忘记这样一个事实：国际恐怖袭击事件的数量自20世纪80年代中期达到顶峰后一直呈下降态势（见图9），1987年恐怖袭击的数量是2002年的3倍（虽然此数字在 1994 年~1995 年间有些微下降)。但与此同时，攻击矛头指向美国人和美国利益的比率正在上升。如表 4 所示，自 1991 年以来，跨国恐怖主义事件中伤亡人数超过 1/10 的人为美国人。世贸中心大厦第一次遭受攻击是在 1993 年，接着是 1996 年美国驻沙特阿拉伯的兵营被炸，1998 年 8 月美国驻内罗毕和达累斯萨拉姆的大使馆先后被炸，以及 2000 年 10 月停泊在也门亚丁港的美国库勒号驱逐舰被炸。由盖里 · 哈特和沃伦 · B · 鲁德曼两位参议员就任主席的美国国会属下的国家安全委员会在 1999 年 9 月的报告中就发出了警告："恐怖分子和其他不满美国的一些势力将获得大规模杀伤性武器，一些人会使用这种武器。将有大量的美国人死在美国土地上的可能性。"这个警告绝非是耸人听闻。有必要重申一遍，"9 · 11"恐怖袭击事件的惊奇之处只是在于，这类攻击在此前尚未发生过。美国多年来资助以色列，它也在伊朗支持过伊朗国王的政权，它还在阿拉伯半岛部署军队。中东不管哪一个恐怖小组都不乏对其实施攻击的动机。

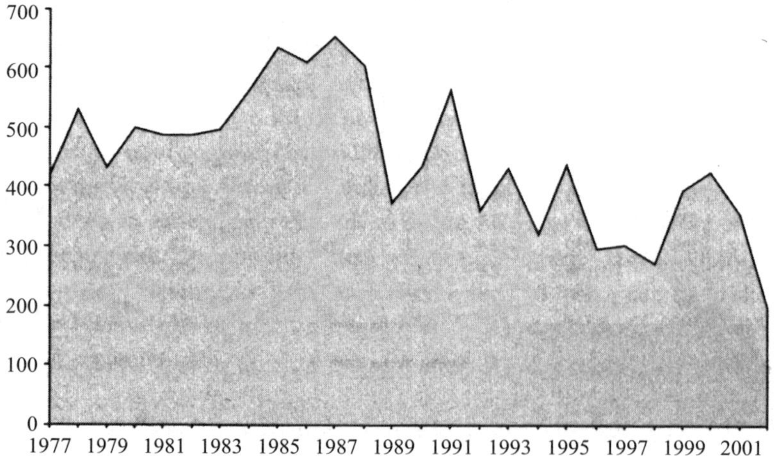

图 9　国际恐怖事件总数，1977 年—2002 年

表 4

年份	总攻击次数	总伤亡人数	每次攻击伤亡人数	北美攻击次数	北美伤亡人数	美国公民伤亡人数	伤亡人数中美国公民百分比
1991	565	167	0.3	2	—	23	13.8
1992	363	729	0.2	2	1	3	0.4
1993	431	1 510	3.5	1	1 006	1 011	67.0
1994	322	988	3.1	0	—	12	1.2
1995	440	6 454	14.7	—	—	70	1.1
1996	296	3 225	10.9	—	—	274	8.5
1997	304	914	3.0	13	7	27	3.0
1998	274	6 059	22.1	—	—	23	0.4
1999	395	939	2.4	2	—	12	1.3
2000	426	1 196	2.8	—	—	70	5.9
2001	355	5 534	15.6	4	4 091	1 530	27.6
2002	199	2 738	13.8	—	—	61	2.2

2001 年 9 月 11 日让普通美国人认识到的事实，已经为专家们多年来所广泛意识到了。美国不仅仅是恐怖分子的攻击目标，而且是一个非常容易攻击的目标。恐怖主义不是新生事物，但是今天的恐怖主义者比起其先辈来，有着惊人的优势。当前的科学技术意味着，以可以忽略不计的成本就能导致巨大的破坏，因而每次恐怖攻击的伤亡人数正不断上升。卡拉什尼科夫自动步枪（AK47）用几百美元就能够在市场上买到。核弹头的真实成本——当然是指产出相当于千吨TNT的核子能量——自“曼哈顿计划”成功以来，下降到了前所未有的低水平。1945 年第一枚原子弹的造价约 20 亿美元。转换成 1993 年的价格，这个数字要上升 10 倍，足以购买 400 枚三叉戟II型潜射弹道导弹。法国能够使其核武库的储存量翻一番（从 1985 年的 222 枚核弹头上升到 1991 年的 436 枚核弹头），而同时国防预算的增长实际上低于 7%，这一事实本身就足以说明问题了。然而基地组织不需要如此复杂的武器装备就能够摧毁曼哈顿最高的建筑物：他们只需要上几节

飞行课和准备几把纸箱切割刀。本书写作之时，不到 9 000 美元就能够租一架飞机，飞 80 小时，并外加飞行指导。而一把美工刀另附 6 枚刀片的市价仅是 2.11 美元。一小伙人，以微不足道的现金花费就能够杀死 3 173 人，造成直接经济损失估计在 272 亿美元，这只是国民收入累计损失的一小部分，早先的预计是达到国民生产总值的 5%。对于保险行业而言，这场灾难的最终成本据说在 300 亿到 580 亿美元之间，美国航空业以及旅游行业都遭受重创。纳税人于是收到一张账单，不仅要支付航空业紧急援助的重建工作和国防开支的极度上升，而且还要支付维护“国土安全”产生的巨大花费。因而，“9 · 11”恐怖袭击事件的长期成本只能靠猜测——其形式体现在不确定性的增加，市场的多变性，安全成本以及风险保险成本的上升。

美国经济承受住了这个打击，不像许多人那时担忧的那样。严格从经济的角度来看，“9 · 11”恐怖袭击事件可以与一场严重的自然灾害相比：昂贵，但不是负担不起。它也远没有一年半之前股市泡沫导致的通货紧缩的影响更为重大。况且，如果冷战变成热战的话，同苏联交手会带来的损害相比较，这些数字也的确是微不足道的。不能仅仅因为第三次世界大战没有爆发，就误导我们得出这样的结论认为对美国而言，基地组织是比苏联共产主义更危险的敌人，这种想法是错误的。如我们所见，两个团体的意识形态间存在某些相似性，但是，斯大林、赫鲁晓夫以及勃列日涅夫在军事实力上比本 · 拉登的那些装备超出了无数个数量级。苏联的攻击可以造成数十万计，如果不是数百万计的美国人死亡，也不会仅仅废掉两座高楼，而是数个城市。基地组织的问题在于，它并不是一个巨大的威胁，但它是一个很小的、有组织的扩散性威胁，这就极大地增加了我们确定其方位的难度，无论想消灭它还是与之谈判都难以办到。于是，我们一方面达成了一个强有力的共识，绝不允许像“9 · 11”恐怖袭击事件这样的人祸再度重演。另一方面，我们不禁心中怀疑，要完全避免这样的事情再次发生，也许是办不到的。

11·9

20世纪30年代的人们曾相信过这样一个神话："爆炸最终总能得手。"今天恐怖分子同样也创造了"总能得手"的神话。如果不能彻底根除国内恐怖活动的数量的话，至少这一数字可以通过加强治安维护，以及双方谈判的手段而有所降低。问题是，20世纪70年代的欧洲，恐怖主义相当严重。无论是少数民族分裂主义者也好（爱尔兰和西班牙），还是极端的马克思主义者也好（意大利、德国和希腊）都会利用恐怖主义手段发动暗杀或毁灭行动。今天，除了西班牙的巴斯克分离组织"巴斯克民族和自由组织"（ETA）之外，犯有恐怖罪行的罪犯都已在押，或是被排除在社会之外，或是被劝降从此弃绝暴力，恐怖主义事件的数量得以骤降。虽然爱尔兰共和军的"临时派"离取得全爱尔兰统一的目标还相去甚远，但实际上，它还是被分化了。该组织领导层最终被迫在弹药箱和投票箱两者之间做出了选择。1968年的那些极端左翼分子已经过世，进了监狱或是面对权力的诱惑时，他们神奇般地温和了起来——被纳入了政府。当面临胁迫和对话的选择时，没有任何恐怖主义运动能够逃脱分裂的命运。

那么这种消除恐怖主义内部融合性的做法在中东是否行得通呢？只要以色列完全寻求军事手段来解决问题的话，答案不言自明。以色列和巴勒斯坦之间的暴力冲突自2000年9月"阿克萨"起义至2003年夏天以来，已在以色列及其被占领土地上夺走了近3 000人的生命，其中2 000多巴勒斯坦人和700多以色列人死亡。阿里埃勒·沙龙政府在绝望之余，被迫采取措施在巴勒斯坦人定居地周围建造城墙；这个政策的采用既受到乌布利希的民主德国政府的启发，也有维尔沃德的南非的影响——一道贯穿圣地的"柏林墙"打下了新的种族分离政策的印记。

然而，只要有国家愿意资助，中东的恐怖主义就不会停止。恐怖分子的国际主义——或者说得更为准确些，针对美国的国际恐怖主义的蔓延——必须要求跨国援助。阿富汗、古巴、伊拉克、伊朗、利比亚、苏丹和叙利亚均支持恐怖组织的活动，要阻止其行为，必须通过对这些国家的内部事务进行干涉。这在 2001 年 9 月之前的很长一段时间里就是明白无误的事情。而在冷战期间进行这种干预绝非轻而易举的事情，因为那个时候，美国的任何举动都一定会引发苏联的反应。但即便是苏联政府的垮台给美国带来意想不到的"一超独霸"的地位，美国的决策者们依然很难做出只对那些国家给予象征性惩罚的做法。1986 年 4 月，里根总统下令对利比亚的 5 个目标进行空中打击，用国防部长卡斯珀 · 温伯格的话来说就是"给卡扎菲上一课，让他知道以国家的形式支持恐怖主义的行为是要付出很大的代价的"。12 年之后，1998 年 8 月，克林顿总统为回应肯尼亚和埃塞俄比亚美国大使馆遭恐怖轰炸采用了同样的战术：发射导弹攻击阿富汗和苏丹境内那些与"恐怖分子有关联的组织设施"。这些举动收效甚微。实际上，发射巡航导弹去攻击一个（空的）帐篷的画面似乎成了美国无能的象征，这种战术后来被克林顿的继任者（小布什）描述为简直是"笑话"。

然而，20 世纪 80 年代的美国开始对自己的军事实力信心倍增。1980 年 4 月，美国企图使用空降的方式营救在德黑兰被劫持的美国人质，结果失败了，成为美国的耻辱，五角大楼于是进行了重要调整。美国在中美洲继续从事一系列秘密反共的行动，支持反对 1979 年在尼加拉瓜上台的桑迪诺政权的战争，资助萨尔瓦多反共政府，把洪都拉斯变得还不如美国的一个武装营。总的来说，对于这个地区采用的手法还是老一套的"我们豢养的狗杂种"（美国总统里根的名言。尽管某独裁者也许是个狗杂种，"但他是我们豢养的狗杂种"，所以仍然得到美国的支持——译注）的方式，只是以冷战式的花言巧语作伪装，平添了少许新意。公众对此的兴趣是有限的；一项民意调查显示，1/3 的美国人以为反桑迪诺的武装是在挪威打仗。而小说更多的是描写 80 年代一些公开的干预行动。1983 年 10 月，为了扭转当地左翼政变的局面，里根总统下令全面入侵加勒比海地区一个非常小的格林纳达岛国。此次行动的代码——“紧急愤怒”，表达了美国采取军事行动的心态发生了某些变化。继格林纳达一战胜利，6 年之后，老布什总统下令推翻巴拿马的曼纽埃拉 · 诺列加将军的独裁统治的行动再获成功。虽然此前存在美国同意在 1990 年 1 月将巴拿马运河移交给巴拿马的事实，但诺利加宣布先前 5 月进行的选举为无效这一事件成为 25 000 美军全面入侵巴拿马的正当理由。这个命名为“正义事业”的军事行动是新的开端：使用压倒优势的军事力量，以单边行动推翻而不再是扶持一个独裁统治政府。

这种新的信心的来源部分出自美国国内。高华德–尼科尔斯的 1986 年国防部重构法改变了美国军事的指挥结构，将美国参谋长联席会议主席提拔为总统的主要军事顾问，更为重要的是，设立了新的军事精英阶层，以五大战区组成“联合作战司令部”，每个司令部对某一特定地理区域的所有兵种和军事行动全权负责。尤为重要的是，联合快速反应部队转型成为一个新的中央司令部，所谓“中央”的地位已经超出了一般地理概念的范畴。在这个新的结构框架下面重新描绘的地图集，让人感到其中深藏着非常重要的操作含义。因为，显然美国并没有均匀地在这五大区域里部署部队。中央司令部缺乏可以调派的部队；主管从非洲好望角到中亚这一块极具战略意义区域事务的指挥官起初只有一个“酋长”，但没有几个印第安人。这样做的一个结果便是高度机动灵活的特种行动部队的重要性不断上升。值得关注的是，这些新的军事实体预算的剧增恰好与国务院经费的锐减发生在同一时间。首先，重新考虑美国的作战方式的过程——更准确地说是接受了越南战争的经验教训——最终取得了理论上的成果。老布什的参谋长联席会议主席科林 · 鲍威尔曾清楚地说明哪些是应当吸取的经验教训。今后决不应当出现在越南战争中出现的现象，即指挥战事的指挥官们“默默地忍受美国人民既不理解、也不支持的这样一种战争，且政府对它也是三心二意，战争的理由也不充分”。从今以后，美国“除非被认为是在从事与国家或我们同盟的利益生死攸关的事情，否则不应考虑出兵海外”。一旦这种情况发生，而且出兵是最后的解决办法的话，部队必须“全力以赴，并怀有制胜的明确意图”。他们应当被给予“经过明确定义的政治和军事目标”，但是，“如果有必要的话”，无论方法还是目的都“必须不断进行再评估和调整”，而且我们必须“以合理的方式确信，我们取得了美国人民以及国会中他们选举出来的代表的支持”。（为了确保国会的支持，鲍威尔后来增加的附加条款就是美国的所有干预行动都应该有“退却战略”。）

鲍威尔强调有必要将目标透明化的想法是诚挚且有益的。他明确表明，在他的领导下，不会再发生像1983年黎巴嫩远征惨败的事情了。然而有一点很重要，鲍威尔心中所想的干预是要在全球战略背景发生根本性改变的前提下才有可能的事情。柏林墙才倒了一个多月，就发生了对巴拿马的入侵，这两件事情几乎同时发生，根本不是巧合。来自苏联的威胁使得美国更倾向于偷偷摸摸地做，通常是为了保护可信赖的、反共的拉丁美洲的独裁政权执政者。而现在，随着苏联的崩溃，美国可以采取相当公开的方式进行干预了，至少可以道貌岸然地代表民主的力量了，不仅仅是在拉丁美洲，而且可能的话，在世界任何地方。无论从哪个角度看，真正的历史转折点并非是“9 · 11”恐怖袭击事件而是“11 · 9”。1989年民主德国的11月9日革命以后，事情突然变得非常清楚，苏联领导人戈尔巴乔夫不会，也不能够再把坦克开进东欧城市里来维持苏联帝国了。考虑到德国的重要性，一个由联邦德国领导的两德合并开始了，这曾经是苏联前领导人们最为黑暗的梦魇。接着便暗示着，从现在开始美国多少可以不必有太多顾虑了。12月2日那一天，布什和戈尔巴乔夫都正式宣布冷战结束。12月19日，入侵巴拿马便开始了。

1990年8月2日，当萨达姆 · 侯赛因入侵科威特时，他无意间为美国用刚刚对付诺利加的办法来对付他创造了机会——或许并不如此。因为，即便苏联处于危机之中，中东也不完全是中美洲。对巴拿马的政变是由美国单方面实行的，国际抗议之声几乎只是嘀咕了几句，就不了了之了。然而，有两个关键的理由证明伊拉克是不同的。首先，大家认为（这在 1990 年几乎是全世界公认的）对于中东的干涉需要取得联合国的批准和认可。其次，即便在联合国取得了一致通过，在无政府的伊斯兰–布尔什维主义者眼中，这种认可仍是不合理的。因为美国在冷战中所取得的胜利——在遥远的、几乎被遗忘的喀布尔的废墟中——也已经成了他们的胜利。

在 20 世纪，美国的地缘聚焦点不断地变化着。世纪初的时候，它是西半球世界的帝国，东至加勒比海地区，南入中美洲，西达太平洋。到了 20 世纪中叶，它勉强被迫将触手伸到了欧洲，很大部分原因是冷战的缘故，西欧的安全看似比亚洲或实际上比加勒比海地区更为重要。然而，中东逐渐成为美国战略转变的中心，原因是以色列、石油，还有恐怖主义。冷战的结束，给了美国使用重振旗鼓的军事实力对付一个或几个危险国家的机会，这些国家同时威胁着以色列，霸占着石油，而且还资助恐怖主义。问题并不是美国要不要对这些公开宣称的仇敌采取行动而是它是想单干呢，还是会与它长期以来的盟友们合作。

第四章

光荣的多边主义

“一个没有视野的会议室。”

委内瑞拉外交家迭戈·阿里亚是前驻联合国大使兼安全理事会主席，他形容安全理事会的秘密会议室为：一个永远拉着窗帘的会议室。

我们能够单边地做这件事当然好啦，但是我们做不到。

国务卿鲍威尔对总统乔治·W·布什如是说　2002年8月5日

美国和联合国

一个真正的帝国需不需要同盟，或者说，它是否可以独立地获得世界上任何它想要的东西？在许多评论家的眼睛里，萨达姆·侯赛因的伊拉克对世界带来的威胁塑造了“单边主义”和“多边主义”之间的一个分水岭。整个20世纪90年代中，美国通过“国际社会”的机制途径与萨达姆打交道。这是一个模糊的概念，通常是指联合国。但是在现实生活中，有时是为了讨好那几个反对美国的国家而说的。老乔治·布什总统的批评者们认为当他没能按照联合国授权的那样将伊拉克赶出科威特、入侵伊拉克、既而改变巴格达的政权，是因为他对国际社会的反应表现得非常敏感。12年后的小乔治·布什总统的批评者们却恰恰相反，他们认为在没有联合国明确授权的情况下，小布什下令入侵伊拉克，并推翻了萨达姆·侯赛因的统治，因此他对国际社会的反应太过漫不经心了。这些评论家认为，法国政府要求以多边途径和手段来解决伊拉克问题的一贯立场是正确的。

然而，这在许多方面来说是一个错误的两分法。2003年对伊拉克的入侵并非缺乏国际法的合法基础，这个行动以不同的方式得到了大约40个其他国家的支持。没有一个国家如此强烈地反对伊拉克的政权变更，以至于愿意与美国发生争战。它们最多不过使用雄辩的词句——这个最廉价，也最无效的武器。另一方面，法国政府也很难被描述为“多边主义”道德的典范，正如将联合国安理会看作是国际关系中合理性的唯一源泉一样是荒谬的。伊拉克危机起源于联合国——尤其是安理会——13年（指2003年以前）来对伊拉克所持的极其暧昧的态度。这些年里，随着冷战的结束，一个“新的国际秩序”亟待出台。联合国在美国的支持下，起到了举足轻重的作用。那些今天故意抬高联合国地位，而批判美国做法的人，他们的记忆是带有选择性的。因为，忽略联合国的主要责任，而对美国所犯的小错加以苛求，实在有欠公允。

维多利亚女王时代的政治家常常喜欢谈论“光荣的孤立”，尽管这是自相矛盾的概念。他们认为所谓“光荣的孤立”并不能代表帝国的理想状况。然而20世纪90年代发生的事情揭示了过度依赖于国际机制也会有不利的方面。多边主义也没有那么“光荣”。

联合国在很大程度上是美国创建的。联合国的名称是与轴心国对抗的26个联盟国家1941年末草拟共同宣言的时候，由富兰克林·罗斯福建议的。三年半后，《联合国宪章》在旧金山歌剧院被来自50个初始成员国的代表们正式采用。虽然联合国的会议地点起初是伦敦，自20世纪50年代以后，安理会和联合国代表大会便开始在纽约的一栋由洛克菲勒家族捐献的房子里办公。虽然，1996年受到共和党支配的国会的煽动，美国中断了其联合国成员国会费的缴纳，但在1999年，美国恢复了会费的缴纳，并付清了部分拖欠的款项。直到今天，美国仍旧是联合国最大的个别捐助者，这个状况从联合国成立伊始，一直如此。为期两年的25.4亿美元的联合国预算中，有超过1/5（22%）是由美国支付的，比1999年之前的25%的配额只是略低一些。此外，世界粮食计划署预算的一半是来自美国；联合国维和行动、国际原子能机构、联合国难民署的预算中，美国也出了1/4；世界卫生组织、联合国儿童基金会和联合国发展委员会约1/5的预算还是由美国贡献的。2002年，美国声称对国际组织的整个联合国系统的捐助估计总共达到30亿美元。

关键的一点是，联合国并不是可以一个替代美国作用的机构。它是美国创造的，其资源要比美国政府的资源少得多，因而，它的职能对美国权力所能起的作用只能是补充性的。更为准确地说，联合国每年的预算相当于大约0.07%的美国联邦预算、0.4%的美国国防预算和17.6%的美国国际发展和人道主义援助预算。用前国务卿马德琳·奥尔布赖特的话来说，联合国的年度预算相当于“大约五角大楼每32小时的花费”。奥尔布赖特是1993年到1997年美国驻联合国常驻代表。因此联合国永远也不希望与美国对立，也不指望会赢美国，只要出现分歧，美国就只会按照自己的方式行事，就像在国际法庭的司法程序中所表现的那样。虽然美国在小布什总统任职期间做了更多这样的事情，但这些在以前就曾发生过，没什么新鲜的。美国需要联合国，但是这并不意味着对联合国的所有国际协定美国都会同意签字。联合国则更需要美国，所以它必须容忍它的这位主要赞助人。要是联合国和美国之间彻底破裂的话，联合国实际上是难以存在的。

今日的联合国对美国的权力确实存在抑制，但答案必须在“多边主义”面纱的后面寻找。可以从安理会的三个前帝国，和一个仍然存在的帝国，即英国、法国、俄罗斯以及中国在联合国的权力过大中找到答案。是他们，而不是联合国本身有权力来否决美国的外交政策，国际社会的批准和认可是以安理会决议的形式体现的，他们可以单独行使此权力，也可以联合起来行使这个权力。因此，具有讽刺意味的是，多边的共识可以被仅仅一个安理会常任理事国成员的单边行动所阻止。如2003年在伊拉克问题上出现的现象。美国容忍这样的事情发生是它自我约束的标志，也是出于自身利益的考虑。安理会——其实就像19世纪大国外交部长的例行会议一样——是今天某些（尽管并非全然如此）大国追求自己利益的便利工具和交易的场所。当它认可美国的政策时，肯定对美国是有用的。当它表示反对时，安理会不过是美国的眼中钉、肉中刺。也许安理会提供了一个舞台，让这些前帝国沉溺在对自身重要性的良好感觉中。其实，如果他们不在安理会当中，没准实力还可以更为强大些——这恰恰是因为他们的出现给那些经济实力处于上升阶段，但现在仍不是安理会永久成员的国家感到十分不快。这些国家未能成为安理会永久成员国纯属历史的原因。截至2004年，安理会其余4个永久成员国的国民生产总值加在一起达到4.5万亿美元，略低于美国国民生产总值的一半，也不到安理会三个最大的非成员国国民生产总值总和的 3/4，它们是：日本、德国和印度。

第一次海湾战争

当萨达姆 · 侯赛因的军队 1990 年 8 月 2 日入侵科威特的时候，正赶上历史上千载难逢的时刻，此时的安理会几乎无条件地支持美国的行动，但这是一个美国无论如何也一定要单独执行的行动。乔治 · H · W · 布什总统在 6 天之内宣布将在沙特阿拉伯部署美军以保护该地区免遭伊拉克的进一步侵略。次年 1 月，在部署了大量军队后，美国总统下令将伊拉克军队赶出科威特。6 个星期的空战后，萨达姆的部队在势不可挡的地面攻击中被送回了家，陆地战斗的持续时间几乎不到 100 小时。

这里需要强调 5 点。第一点，也是最明显的一点是，在苏联行将灭亡的剧痛中，美国政策在安理会的传统障碍也消失了。因为，苏联对美国的政策一定是会采取抵制态度的，就像朝鲜半岛危机中它所做的那样。萨达姆的侵略行为显然是违反《联合国宪章》的，但是戈尔巴乔夫之前的克林姆林宫一定会本能地反对“沙漠之盾”行动和“沙漠风暴”行动这样大规模的美军部署的。而这次不费吹灰之力就通过了一系列决议，要求伊拉克从科威特撤兵，对伊拉克的石油出口实行禁运，封锁该国的进口，安理会最后还授权美国和任何其他成员国使用“一切所需的手段和方式解放科威特”。第二点，萨达姆低估了美国要以一次决定性的军事胜利“断然消除越南综合征”（如布什总统所言）的坚定决心。毁灭性的地毯式轰炸加上 4 天的闪电袭击，以最小限度的美军伤亡歼灭了伊拉克军队。这次行动，美军在海湾地区部署总共超过 110 万人的军队，伤亡仅 148 人。用中央司令部前首席指挥官安东尼 · 辛尼的话来讲：“沙漠风暴一举成功……我们成功抵制了这个星球上唯一的一个蠢人，因为他实际上什么都缺，还想跟我们抗衡，这包括对科威特的所作所为和道义上的缺乏。”

然而，第三点，美国没有在入侵科威特战争中将其优势坚持到底，恰恰是因为害怕“越南综合征”的缘故。参谋长联席会议主席科林·鲍威尔敦促布什停止地面战争，使得至少一半萨达姆忠诚的共和国卫士幸免于难。美国挑唆北方的库尔德人和南部的什叶派穆斯林反叛萨达姆政权后，便袖手旁观，坐看鹬蚌相争。胜利后，他们首先为伊拉克北部的库尔德人强行开辟一个安全区域，后来在北纬 36 度和南纬 32 度之间，建立了两个禁飞区。这两个行动（支持库尔德难民的“提供安慰行动”和“南方守望行动”）又是一次由联合国安理会决议批准的多边行动——法国、英国和土耳其也都参与了这两个行动，美国仍希望终结萨达姆的统治。1993 年 6 月，由伊拉克资助的一项阴谋在老布什访问科威特时，用装满炸弹的小汽车对其进行暗杀。接着，克林顿总统下令发射巡航导弹，对巴格达进行不连贯攻击。美国也没有停止迫使联合国采取限制伊拉克战后军事活动的决议。为了惩罚伊拉克侵犯北方安全区的行为，1996 年美国对其进行了进一步的攻击。1998 年 12 月，美国又因为伊拉克拒绝同联合国特别委员会的武器调查小组合作，再一次发动进攻（沙漠之狐行动）。但是，到了 20 世纪 90 年代末，事情已经变得非常清楚，除了进行全面攻击之外，没有其他办法可以彻底铲除萨达姆了。美国也有理由怀疑国际武器核查操作系统是否有效，是否能够清除萨达姆政权努力获取或囤积的“大规模杀伤性武器”（核武器、化学武器和生物武器的简称）。

第四点，第一次海湾战争在许多方面，在伊拉克外部取得的成果要比在伊拉克内部取得的成果大。即便是取得了战争的胜利之后，美国也并没有完全从中东撤兵。相反，20 世纪 90 年代驻扎在那里的部队人数有增无减，如表 5 所示，从 1993 年的 6 000 人多一点到 2000 年的 1.6 万人。作为美国海外驻军的一部分，这个数字是美国承诺向该地派军的 3 倍。尤其

表 5　美国在中东的现役军事人员：1993 年和 2000 年

	1993 年	2000 年
海外驻军总共人数	308 020	257 817
巴林群岛	379	949
埃及	605	499
以色列	42	36
约旦	21	29
科威特	233	4 602
阿曼	26	251
卡塔尔		52
沙特阿拉伯	950	7 053
叙利亚	10	
土耳其	4 049	2 006
阿联酋	25	402
总计	6 340	15 879
占海外国家中所有部队的百分比	2.1	6.2

值得注意的是，美国在沙特阿拉伯的工作人员数量不断上升，这些王室邀请的临时“房客们”碰巧与一二百艘军舰同时出现。这些数字低估了美国人在该地区存在的程度，因为它没有将部署在海湾以及海湾周边的海军船只计算在内。这些数字也没有捕捉到另一面——沙特对美国的军事依赖程度也与日俱增：1990 年 8 月到 1992 年 12 月间，沙特向美国军火商签订了价值达 250 亿美元的订单。实际上，阿拉伯半岛的政治体制里，民众对军队的参与度非常之低，利雅得的安全要完全依赖美国的人力和军力。然而，如我们所见，在沙特阿拉伯内部和外部，这种对美国的依赖性对于激进的伊斯兰极端主义运动愤怒的烈焰来讲，不啻是火上浇油。早在 1991 年，沙特的神职人员们，包括萨法尔 · 阿尔 · 哈瓦里——此人是经常被奥萨马 · 本 · 拉登援引的权威人物，就公开抨击“西方世界作了更大的设计，企图主宰整个阿拉伯和穆斯林世界”。出于对沙特当局依赖美国保护的憎恶

(沙特政府曾经拒绝了本 · 拉登提出的带领一支阿富汗式的游击队去抗击萨达姆的请求)，本 · 拉登于 1991 年 4 月离开沙特阿拉伯，途经巴基斯坦和阿富汗到达苏丹境内的基地组织新建的大本营。

第五点，也是最后一个特点与伊拉克关系不大，就是以色列的边缘化。老布什政府认为，以色列不应成为对付伊拉克的军事行动中心——甚至也不能成为以供给、储藏、医疗为目的的中心。萨达姆努力把自己描绘为犹太复国主义的头号敌人，当他向特拉维夫（以色列港市）发射飞毛腿导弹时，美国积极阻止以色列的任何复仇行动。此外，在“沙漠风暴行动”之后，布什总统立即寻求向以色列施压，以期打开在巴勒斯坦问题上的谈判僵局。为了达到这个目的，他再次重申美国的信念，即任何和平“必须基于联合国安理会 242 号和 338 号决议以及地区和平的原则”。两个月后，国务卿詹姆斯 · 贝克尖锐地指出，他所知道的“对和平最大的障碍就是以色列人的定居活动不但没有缓和的趋势，还在不断地加快步伐”。如果以色列拒绝接受美国所要求的条件的话，就会使美国价值 100 亿美元的贷款保证化为乌有。1991 年之后，美国实际上冻结了对以的援助，而援助的实际数字也逐步下降。到 1999 年为止，作为以色列国民总收入的一部分的美国援助，已经下降到 1992 年水平的 1/3 了。

永远不说“决不再来”

在联合国安理会的庇护下，老布什极其严格地致力于创建“世界新秩序”。根据安理会决议的字面意思，伊拉克被打击，并受到了遏制。在同样的基础上，以色列被迫与巴勒斯坦和解。然而，逼着他的继任者重新审视——尽管是非常不情愿和踌躇的——美国对联合国的态度的问题到老布什 1993 年 1 月离任之时已经开始。

老布什遗赠给克林顿的定时炸弹之一就是美国卷入索马里内战。20 世纪 80 年代大部分时间里，在不断扩大的国家控制权的争斗中至少有 5 个不同派别的军事武装集团参与了这场内讧。但直到 1992 年末，眼看饥荒即将爆发，美国才真正加入了进来，它再一次怀揣着联合国安理会的授权书（794 号决议），派遣了一支由陆军、海军和海军陆战队混合编成的特遣部队，但不是去打仗，而是去到那里协助给最需要的地区输送救援物资的。新总统最初的外交政策法令之一是逐渐缩小这支队伍的规模，从 2.6 万人减到 5 000 人。然而，当效忠于自诩为“索马里联合国民大会”领袖的穆罕默德 · 法拉德 · 艾迪德的枪手谋杀了 24 名来自巴基斯坦的联合国维和士兵的时候，安理会发布了一条新的决议（837 号），批准对艾迪德进行逮捕。出于对联合国的责任，美国派遣了由三角洲特别行动部队支持的黑鹰突击队分队作为响应。

与所有的美国人一样，威廉 · 杰弗逊 · 克林顿从越南战争中学到了他的教训，但这是有别于科林 · 鲍威尔所得出的不同的教训。如我们所见，鲍威尔认为，如果不是在军事力量上具有压倒性优势并可以对有限目标实现快速制胜，美国就不应当出兵参战。同时，必须取得美国民众的支持。克林顿的教训则更简单些：任何总统就任期间如果发生士兵死伤惨重的战争，他是不会重新获选继续连任的。未曾被直言挑明的“克林顿主义”因而和“鲍威尔主义”一样简单而又激进：美国不应从事有可能危及美军现役士兵生命安全的军事干预行动。整整 8 年的任期里，他始终恪守此信条。如图 10 所示，克林顿总统任职期间，一名美国现役士兵因在敌对行动中执行任务而丧命的概率小于 16 万分之一。而这个人被其同事杀死的可能性则要超出这一概率 5 倍，自杀的可能性则要超出 18 倍以及死于事故的可能性则要超出 49 倍。对克林顿而言，非常不幸，他授权的第一次军事干预行动，结果却大败而归：有 18 名美国人阵亡。如今，人们称这次在索马里首都摩加迪沙发生的惨败为“黑鹰号击落事件”。

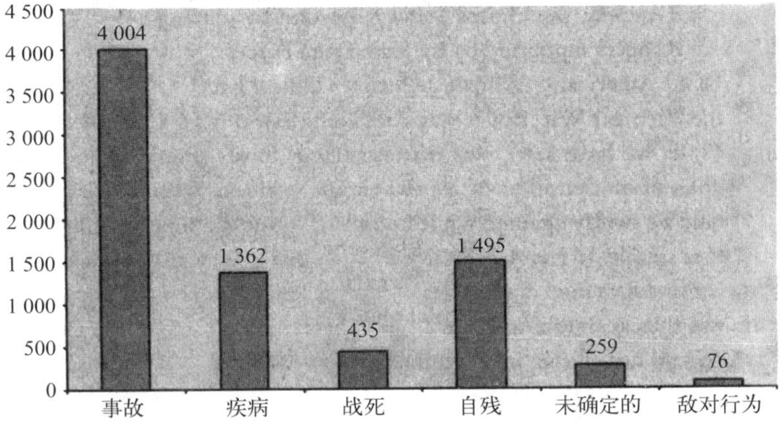

图 10　执行任务过程中美军现役军人死亡表（按死亡方式进行分类），1993 年—2000 年

故事片《黑鹰计划》的编剧马克 · 鲍顿认为，并不是运气使得索马里的武装分子击落了两架美国直升机，这是他们深思熟虑的成果。这两架直升机被匆忙地送上天，执行在光天化日之下“擒获”艾迪德和他的助手们的任务。鲍顿这样写道：“每个敌手都会在战斗中暴露他的作战方式的弱点。对艾迪德手下的斗士们而言，美国突击队的软肋非常明显。他们不愿意去死……要消灭这个突击队，必须得让他们在陆地上战斗。答案便是击落一架直升机。从某种意义上讲，美国人这种误导的优越感，以及不愿意去死的特点，意味着他们为了互相保护却可以做任何事情，这是勇敢的行为，但有时也显得有勇无谋。”人们在阅读鲍顿采访此次夭折的袭击行动中的幸存者的叙述时，印象必定非常深刻，但实际上这样的叙述还不充分，因为美国人似乎还愿意为了营救战友的尸体而甘愿冒生命危险。更值得让人玩味的是那未说明的结局，那就是突击队员们杀红了眼，不加区分地屠杀索马里人。在《黑鹰计划》的情节中，最糟糕的不是 18 名美军战士阵亡的那一幕，而是至少有同等数量，可能还不止这些数量的毫无防备的索马里男人、女人和孩子被惊慌失措的美军士兵不加区别地除掉了。

克林顿对这个事件的回应带有美国所有军事干预行动的一贯特色。他先派军队增援，但同时又明确宣布了撤离的日期，仅 6 个月之后，抓捕艾迪德的计划便被悄悄地放弃了。实际上，仅在几周之后，艾迪德便乘坐美国提供的军用运输机到埃塞俄比亚去参加一个和平会议了。这种方法存在的一个问题是不言自明的：美军肯定不久就要走人，这就打消了那些索马里的军阀们达成和解的念头。1994 年 9 月发生了非常类似的情况，克林顿政府在又一次执行联合国安理会决议（940 号）时，派遣一支 2 万人的部队前往海地。此次行动的目的是恢复由选举产生的让 · 贝尔特朗 · 阿里斯蒂德总统的职权，他是在三年前被反政府的军方以武力罢黜的。6 个月后，美国将责任移交给联合国一个特别执行小组后，仅留了几百人在岛上，这使得阿里斯蒂德得以继续海地政治的正常惯例：偷窃、谋杀、胁迫、腐败。

海地是单一民族的国家，在那里 95%的人口是非洲奴隶的后裔，所以那里不会有什么种族大清洗，只可能有大规模的屠杀。而种族大屠杀就意味着将一个民族或一个部落的一群人杀死。这个词汇本身是一个创新语汇，可以追溯到 1944 年，由雷费尔 · 莱默金在他的《轴心国统治其占领的欧洲》一书中新创的一个术语。莱默金是纳粹所迫害的一名波兰裔犹太难民，他的家族几乎全都在大屠杀中被杀（49 名亲属，其中包括他的双亲，只有他兄弟和兄弟媳妇以及他们的孩子一家幸存下来）。正是他，单枪匹马地发起了一场运动，将一个生造的词语编入了战后国际法基础原理中。到 1948 年时，莱默金似乎已经取得了胜利，不仅联合国大会一致通过决议，谴责 1946 年发生的种族大屠杀，而且到 1948 年通过了——再一次全体通过——防止及惩治种族灭绝罪行的公约。

然而，莱默金的计划被证实有一个致命的缺陷。给予他收容和庇护的国家——美国，拒绝批准这个联合国公约。换句话说，美国应该是采取行动阻止大屠杀最理想的国家，无论通过经济施压的手段还是通过军事干预方式都可以。而实际上，直到 1985 年，美国才克服了来自参议院的反对（里根政府企图修复同参议院的一场争执，起因是总统访问德国时期，对比特堡战争公墓的造访，是一次考虑欠妥的安排。因为那里还埋葬了49名党卫军军官的尸体）。强硬派的现实主义者们仍然争辩说，美国不应当批准和认可联合国的这类公约，因为那样做会提高国际法庭的地位。实际上，参议员杰西·赫尔姆斯试图用一堆所谓的“保留、理解和宣言”之类的词语来淡化这个公约的条款。不过，随着对犹太人大屠杀的研究和纪念活动在美国文化生活中开始显现前所未有的重要性时，这种现实主义观点便不那么受到尊敬了。民主党和共和党的总统们都争先恐后地宣称，种族大屠杀绝不能再度重演。于是吉米·卡特在1979年如是说：“我们必须携手全体文明人类，发起一个不可动摇的宣言：世界绝不会再站在沉默的立场，不及时防止这恐怖的种族灭绝的罪行再度发生了。”罗纳德·里根在1984年对犹太人这样说：“像你们一样，我就直截了当地说，大屠杀‘决不再来！’”比尔·克林顿1993年在华盛顿的犹太大屠杀纪念馆的开幕式上也说：“我们绝不允许那样的事情再次发生。”不幸的是，“决不再来”到了20世纪90年代却变成了“每10年不得超过一两次。”

我们没有必要在此细诉那些导致多民族的南斯拉夫联盟解体成12块支离破碎的领地的原因。关键的一点是，它的崩解是如此猛烈——尤其是，虽然不完全在波斯尼亚和黑塞哥维那、克罗地亚和科索沃——它极大地挑战了所有誓言不再允许另一场大屠杀发生（至少不在欧洲发生）的那些人们。要在1991年3月将波斯尼亚分离出去的交易——长期以来一直有此打算——在塞尔维亚领导人斯洛博丹·米洛舍维奇和克罗地亚领导人弗拉尼奥·图季曼之间达成了。此交易导致了该地的穆斯林被“清理门户”（因此称种族大清洗）。如图季曼后来所说的，就是打算“灭掉穆斯林的部分”，尽管穆斯林占了人口的2/5。自波斯尼亚塞族人宣布自己成为以帕勒为中心的独立的共和国，并开始对萨拉热窝进行攻击（1992年4月）的那一时刻起，整个世界面对的是一场由联合国公约定义的、真真切切的种族大屠杀。

而且，虽然冲突中的三方都犯下了针对平民的暴行，但早期阶段就有证据表明，大多数种族杀戮行为是由帕勒的塞族当局以及他们在贝尔格莱德的主子所为。根据美国国务院的情报，战争期间只有8%有记录可查的暴行是由波斯尼亚的穆斯林所为。并且战争期间所犯下的所有罪行中，最令人发指的残暴行为是塞族武装在斯雷布里尼察屠杀7 000多名波斯尼亚男性穆斯林。而且，这次大屠杀是有预谋的。

种族屠杀正在这里进行着。联合国哪儿去了？答案是，联合国就在那里。事实上，联合国部队就在那里经营着这场最为惨烈的种族灭绝暴行，这个讽刺实在是离奇得很。

企图避免南斯拉夫内部冲突的最初努力，是联合国授权的，在英国前外相卡灵顿勋爵主持的特别国际会议上决定的。但在1991年，联合国转而向一个美国人求助，即美国前国务卿塞勒斯·万斯，与其商榷维和部队的部署问题，这支部队将按时开赴克罗地亚，之后是波斯尼亚。联合国明确指定了城镇为“较安全地区”，由联合国维和部队负责保护。与此同时，联合国对整个南斯拉夫强行实行了制裁，包括波斯尼亚。这个形势对波斯尼亚的穆斯林极为不利，因为至关重要的武器和其他必需物资的内部来源，他们一概没有；而波斯尼亚塞族则从贝尔格莱德获得了巨大的帮助。

在这里有必要重新思考一下，这种痛苦不堪而又构想拙劣的回应，大部分责任在欧洲大国这一边，因为之前他们就已经声称自己有能力解决南斯拉夫危机，无须美国插手。按理说，这是“欧洲时刻”的到来。但是欧洲一如继往地传出多种声音。德国外交部长汉斯·迪特里希·根舍，正沉浸在1990年德国重新合并所带来的愉悦祥和之中，但次年秋天，他突然承认了斯洛文尼亚和克罗地亚的独立，正是此举加速了南联盟的瓦解。相反，英国政府采取的姿态则是一种谨慎的、不知羞耻的中立地位。当冲突不断升级时，英国坚持认为这是一场在道义上对等的敌人之间的内战，“古老的仇恨”占据着他们所有的心灵。接下来，几任英国外相都蓄意忽略米洛舍维奇发动的持久战，并在塞族中煽动带有谋杀性质的民族主义的确凿证据，转而集中注意力阻碍任何有效的国际干预——不管来自何方的干预。

实际上，早在 1991 年冬季，老布什政府已经想好了一个“类似小伊拉克”的计划，为军事打击塞族草拟了紧急备用方案，但后来又决定改听欧洲人自己怎么说。“他们会把事情搞得一团糟的，”国务卿劳伦斯 · 伊格尔伯格这样说道，“这会给他们一个教训。”伊格尔伯格的继任者沃伦 · 克里斯托弗也倾向于在这个“来自地狱的难题”上置身事外。1992 年总统竞选期间，克林顿自己也认为不应当派遣美国部队进入那一片“内战肆虐的湿地”。这句话是在无数场合下，很多大人物们不断回应的一句话，不只是科林 · 鲍威尔，他当时依旧是参谋长联席会议主席（“没有一位美国总统会为了解决这样一个莫名其妙的冲突，而以牺牲美国人民的生命为代价”）。国防部长威廉 · 科恩宣布美国不会为戈拉兹德城的失陷而介入战争，从而不经意地为塞族武装力量攻打该城开启了“绿灯”。然而，要求进行干预的呼声在华盛顿并没有消失。随着陆续发来的自波斯尼亚的悲惨新闻的报道，这个呼声越来越高。

然而，美国人虽然愤慨，但是在克服欧洲人的绥靖政策上还是花了一些时间。1993 年 5 月，英国政府阻止了美国想要撤消制裁并对塞族发动空中打击的提议（“撤销与打击”）。次年 11 月，当美国单边停止执行武器禁运时，英国外交部表示强烈抗议。美国的飞机将医药物资送往萨拉热窝，并执行联合国授权的禁飞区决定（好像种族大清洗是由战斗机执行的一样）。但是对塞族进行空中打击的立场遭到了英国方面的反对。理由是，那样做的话，会将联合国维和部队置于易受塞族报复的危险处境中。直到斯雷布里尼察——一个本应受到荷兰的维和部队保护的小镇——发生了大规模屠杀的暴行才打破了整个平衡，使政策倒向对迟来的美国干预进行支持这一边。此时，美国开始认真地坚持北约对塞族进行轰炸。这个被冠名为

“深思熟虑行动”的计划果然奏效。当时克罗地亚政府也向塞族军队发起了军事进攻，而米洛舍维奇和波斯尼亚塞族领导人拉多万·卡拉季奇的意见却发生分歧，所有这些因素都迫使塞族武装力量撤了军。

美国对波斯尼亚政策构架的演化，十分复杂，令人困惑。不仅仅是联合国，而且还有北约，就更不用说欧洲安全与合作会议（后来成为欧安会组织OSCE），或西欧联盟。看起来，所有的这些组织都必须有他们自己的发言权。然而，人们仍有深刻的印象说：如果其中有一个组织机构在波斯尼亚问题上大错特错了的话，这个机构便是联合国。而且，它的失败很大程度上是由于受了安理会两个常任理事国成员的引导：英国和法国。法国的责任相对较小些（主要是由于雅克·希拉克的坚持，联合国主管的所谓的安全区划归一名法国将军指挥）。最后，《岱顿协定》的拟定并强迫顽抗的塞族接受该协定的，绝非这些看似威严的任何一个组织机构的功劳，而是一个非正式的联络小组办到的。这个小组是由美国、英国、法国、德国和俄罗斯组成的，可以说依旧是19世纪的大国在行使着权力，不过现在是由一个叫理查德·霍尔布鲁克的美国人在坚定地领导着。带着那漫不经心的矜持，法国外长仍旧坚持：“不能管那叫美国的和平。”他甚至要求《岱顿协定》以《爱丽舍条约》来命名。现实则完全不同。正是美国空中打击的威胁迫使塞族接受了被分割后的波斯尼亚中较小的部分。正是2万美军部队的存在——即1/3的联合国维和部队——才确保了塞族人没有违背这项协定。

南斯拉夫的分裂始于科索沃，也终于科索沃。1989年，正是在科索沃的一次集会上——为庆祝科索沃的波列战役600周年纪念——米洛舍维奇首次暴露了他从一个共产主义者向激进的民粹主义者的转变。就一点来看，科索沃的情况十分清晰：科索沃有别于波斯尼亚，主要由一个大民族组成，因为在那里，阿尔巴尼亚人占到超过3/4的总人口。由于阿尔巴尼亚人的高出生率，这个比率在20世纪80年代还在上升。尽管铁托已在1974年授予该地居民自治，科索沃依旧是塞尔维亚的一个省。虽然欧洲联盟和美国都毫不犹豫地承认了波斯尼亚的独立，这等于让南联盟中一个共和国脱离了出去，但他们感到不能以同样方式对待科索沃。麻烦的是，即便当塞尔维亚人被迫在波斯尼亚问题上作了妥协，他们还是在科索沃逐步提升了已经上演了很长时间的暴力和威逼反阿尔巴尼人的运动。种族大清洗继续进行着：1998 年 3 月在德雷尼察，有 85 名科索沃阿尔巴尼亚人被杀；10 个月之后，在拉卡克镇又死了 45 人。对好战的科索沃解放军（KLA）的支持不断上升，于是和平的阿尔巴尼亚人开始跨出边境寻求避难。

通过欧洲安全合作组织的努力斡旋，各国在法国的朗布耶达成了妥协，计划通过延期对科索沃宪法地位作决定，达到阻止暴力的计划：该省将在三年时间里受到北约控制，这之后便由公民投票来决定它的未来。塞族人拒绝了这个提议，而美国知道如何让他们改变想法。然而，在决定是否释放美国空军的全部威力，不仅打击科索沃的塞族武装，还要打击整个塞尔维亚的问题上，有三件事是不同的。第一，克林顿政府并没有寻求联合国安理会的批准，因为是北约，而不是联合国参加了这场战争。第二，这次干预行动，很明显侵犯了塞尔维亚的主权，这也恰恰是为什么没有寻求安理会许可的原因所在。那个时候，许多评论家（本书作者也在其列）都在担忧，这场战争不仅违反了《联合国宪章》第二条，也违反了《赫尔辛基协定》的最后决议，并且实际上也违反了北约自身的防御原则。为了阻止种族大屠杀，美国有绝对充分的理由进行干预，但这需要取得联合国的决议授权，使其合法化。第三，空中打击还可能导致的不能预期的后果是，本来为了科索沃阿族人的利益而发动的这场战争反而会使那些人的状况更加恶化。1998 年 12 月到 1999 年 5 月间，总共估计有 3 万阿尔巴尼亚人被杀，几乎 100 万的人被迫流离失所。大多数情况发生在 1999 年 3 月 24 日开始的轰炸之后。宣战之后，米洛舍维奇感到几乎可以以希特勒式的无情继续他的种族大清洗了，然而他低估了美国的决心。在 78 天的轰炸之后，他被迫投降。空中威力再一次成功地消灭了塞族抵抗力量，美国无需发一弹，便能部署部队——5.5 万人的科索沃维和部队中有 7 000 人是美军。米洛舍维奇可能只是为了避免美国地面部队发动攻击，以支持科索沃解放军而愿意屈服的。

2003 年一个简单的事实看起来基本上被人遗忘了：北约发动战争攻打塞尔维亚并没有得到联合国的同意。直到战后——6 月 10 日，米洛舍维奇投降的第二天——联合国才拿出了一个决议（1244 号），规定可以建立对科索沃的军事占领，从而导致了联合国驻科索沃代表团的成立（UNMIK），由该组织治理该省。还有一点基本上被大家遗忘了，时值此书写作之时，科索沃的问题并没有被回答。尽管科索沃维和部队赞助了“募捐长跑”，并发起了其他一些有益的计划和活动，该省的暴力依然没有停止：2003 年 8 月两个年青人在格拉兹德巴奇的一个很小的少数民族聚居地被杀害。塞尔维亚政府也没有任何迹象表明会放弃其对科索沃主权的要求。科索沃的内战只是暂时停火而已。

然而，发生了一些非常重要的事情。用迈克尔 · 叶格纳提也夫这位最敏锐的战争观察家的话来说：“人道主义干预……根本不是它表面看上去的那样。它从来不只是为了要阻止米洛舍维奇羞辱人权的行为，或不让他在欧洲的后院得逞那么简单。它也是一个国家的少数民族通过帝国权力的使用，支持民族自决权的主张——这个主张就是通过暴力手段，来确保国际社会的关注和注意力。”的确如此，正如迈克斯 · 布特所解释的那样，美国由于受制于克林顿政府的“‘无伤亡’的思维方式”，它“试图以廉价的代价，扮演帝国主义的角色”。同时，美国却依旧漠视高空轰炸所导致的“间接伤害”。但是美国可以先斩后奏，即先开枪，回过头来再寻求联合国安理会的决议，这个发现却是一个启示。几乎同样重要的是，美国的指挥官威斯理 · 克拉克意识到在北约框架下作决定比在联合国框架下作决定好不到哪里去，差不多是一样的棘手。而美国从 2001 年 9 月的前两年开始就已经胃口大开，想要无拘无束地进行它的军事冒险行动。

表面上看，南斯拉夫和伊拉克危机有许多共同之处。它们都是第一次世界大战后建立的多种族政体，都是20世纪80年代里，由犯有虐待人权罪的残暴的独裁统治者整合在一起。对两个国家实行的经济制裁，都没有让人看到想看到的结果。两个案例中，都揭示了联合国作为一个实体的局限性。两个案例也都展示了美国令人畏惧的强大军事实力。对塞尔维亚的战争结束后，很多观察家得出一个明确的结论：只要斯洛波丹·米洛舍维奇和萨达姆·侯赛因的统治继续下去，塞尔维亚和伊拉克就仍将是暴力和动荡的根源。把他们的统治颠覆掉，这个任务只有美国能够付诸实施。但是美国似乎又不得不在没有联合国的授权的情况下采取行动。

20世纪90年代，人们以人道主义的名义做了太多的事情，一些怀疑论者开始抱怨这个“人权的帝国主义”。然而，毋庸置疑的是，最为惨烈的反人权种族大屠杀的案例，却遭到了美国和联合国令人痛心的漠视。这就是由卢旺达多数族裔的胡图族的领导人鼓动下的对卢旺达少数民族图西人进行的有系统的大屠杀。

至于那些对联合国作为一个国际机构感情挚深的人们，应该强迫他们研究一下，20世纪90年代中叶，联合国在面对卢旺达发生的一系列骇人听闻的事件中无所作为的可耻行径，曾导致至少50万人丧生。众所周知，克林顿政府的态度一如既往，其既定方针是害怕美国人的伤亡。1994年派遣一支200人的美国部队抵达基加利机场，这个滑天下之大稽的决定是基于“一名美军士兵的生命等价于大约8.5万名卢旺达人的生命”这一令人发指的计算。美国人坚持要求，任何联合国部队应当尽可能地被缩小。在派兵增援的问题上，美国采取的是拖延策略，它坚持联合国必须预先偿付美军的任何开支要求。美国拒绝干扰胡图族电台广播——在面对巴尔干地区史无前例的种族大屠杀的时候，这些疏忽不可不谓是非常龌龊的。不过，那些在今天将雅克·希拉克视作国际社会公德的守护者的人们，应当反思一下法国在这个恶梦般的情节中扮演了什么样的角色。因为正是法国，自20世纪90年代早期以来一直对朱维纳·哈比亚里玛纳领导的由胡图族统治的政府，给予军事支持。正是法国，将由图西族卢旺达爱国战线所支持的对乌干达的干预行动看作是“盎格鲁-撒克逊”的阴谋，视其目的是打击非洲的法语区。正是法国，派军队去为胡图族人——其中就有大屠杀的作恶者们——在该国的西南创建了“安全区”。也正是法国，当卢旺达危机吞噬了它的一个附庸国扎伊尔时，表示强烈反对，从而导致后殖民时代最恶劣的暴君，蒙博托·赛塞·西科元帅的垮台。1995年夏，当希拉克访问纽约的时候，他告诉联合国官员说：“如果你想找什么是白痴行为，看看美国人就行了。”这句话让这些官员们大为尴尬。希拉克居然能够如此大言不惭，实在令人惊讶。

克劳塞维茨的再现

即便是在“9·11”恐怖袭击事件之前，小布什政府也毫不掩饰对联合国授权的军事行动缺乏耐心。这位新总统阐明其意图是回避“没完没了的军事部署以及不明确的军事任务”，以达到“有序而及时地从像科索沃和波斯尼亚这样的地方撤退”。他的政策是“谦恭地”“建议我们的原则”，而不是傲慢地“强加我们的文化”。然而，当还是总统候选人的乔治·W·布什批评克林顿以这样的方式进行海外冒险时，他并不是在批判海外军事干预行为本身，而仅仅是说这样的干预行为没必要在联合国的框架下进行。2000年的总统竞选中，他说：“我不认为我们的部队应当被用来进行国家重建。我认为我们的部队应当被用来打仗，并赢得战争的胜利。我们的部队应当在对我们最有利的情况下，被用来帮助颠覆独裁统治政权。但在这里（他是指索马里）它是国家重建的一种演练。”对小布什来讲，“国家重建”是个禁忌字眼，因为它与联合国联系在一起。而美国领导的“政权变更”则是另一回事。

2001 年 9 月恐怖分子袭击之后，政权变更政策的重大意义变得十分清楚。从一开始，总统小布什就坚决主张，美国的复仇将“对那些策划那些行动的人和收容那些人的政权不加区分”。如果喀布尔的塔利班政权不交出本 · 拉登和其他阿富汗境内的基地组织成员，美国将颠覆这个政权。在所有的美国政府的高级成员中，小布什本人是最冲动的。他急切要求快速和果断地改变阿富汗政权。他坚持应当更多地介入反恐战争，不止“发射 200 万美元的导弹，攻打价值 10 美元的空帐篷，并且击中了靶垛里的一只骆驼”。他也向美国中央情报局和国防部施压，立即在阿富汗“启动”他的战争计划。小布什想要以彻底、全面的战争来回应国际恐怖主义的挑战。

1832 年出版的《战争论》这部杰作中最著名的那句话，是卡尔 · 冯 · 克劳塞维茨对战争的定义：“战争不只是政策的行动，而是一个真正的政治工具，无非是政治通过另一种手段的继续。”“政治目标就是目的所在。”他认为“战争是达到目的手段”。毫无疑问，小布什政府在随时准备使用战争手段以达到其政治目的这一点上，比其所有的前任更加信奉克劳塞维茨的名言。不可否认，克劳塞维茨不会想象得到敌人会以劫持的飞机、放射性炸弹、炭疽热病毒和沙林毒气为武装，从曼哈顿到蒙巴萨，他们可以想打哪里就打哪里。用 2002 年出版的《国家安全策略》报告中的话来说，这场新的战争中的敌人包括“虚幻的个人网络。只需出比一辆坦克还要低廉的成本，就能够让大洋这边的我们饱受巨大的混乱以及痛苦”。跟这样的敌人打仗，只能是悄悄地进行：在法兰克福机场或在破旧不堪的巴基斯坦廉价的小旅馆实行拘捕；在巴格达的别墅或巴勒斯坦的后街刺杀他们。在一些方面，反恐战争同冷战时期的间谍战有异曲同工之妙，没有任何正规作战的武器装备，没有排列密集的导弹和坦克，只有更大摄程的摄相机——一些藏在火柴盒里，另一些则在外太空绕轨道运行着。但这场战争也像 19 世纪的那场“大棋局”一样（即列强在中东的争夺战——译注），如今又在中东、中亚和阿富汗玩起了这场游戏，但现在增加了一些技术上的小玩艺儿。反恐战争需要还击恐怖分子在新技术上的各种优势（现代爆炸装置的威力和小巧），以现代反恐间谍战的技术优势（现代监控技术所具有的前所未有的威力）加以回应。

对克劳塞维茨来说，不难识别的是小布什政府打了两场平行的战争：在打击恐怖活动策划者的同时，也打击“收容”或以别的方式支持恐怖分子的组织。“9 · 11”恐怖袭击事件的一个结果是永远粉碎了一个梦想，以为美国人会在导弹防御体系的掩护下，退而安享其生产力的果实，任由世界上一些愚昧的国家自行毁灭。因为恐怖主义正好滋生在那些“流氓”政权和冲突四起的“失败”国家里，而一些共和党人曾一度认为美国应当忽视这些国家。这种战争——即采取军事干预来颠覆那些恶劣的政府——并不新奇，也非不可行。实际上，这恰恰是维多利亚时代所擅长的。一个典型的例子就是打击苏丹马赫迪教派的战争。瓦哈比教派的狂热信徒在喀土穆杀死了英国的查尔斯 · 戈登将军，从对公众的影响和打击方面来讲，这是维多利亚时代的“9 · 11”恐怖袭击事件。在乌姆杜尔曼发生的蔚为壮观的一场不对称的战役中，一支规模很小但具有致命杀伤力的装备精良的远征军，于 1898 年将马赫迪恐怖分子捉拿归案。小布什的脑子里肯定也是这么推算的。尽管在阿富汗并没有一个现成的政权变更方案，但是中央情报局和中央战区指挥部一起匆忙地拼凑了一个，并再一次以空中打击取得了摧毁性的效果。但是，在阿富汗的“持久自由行动”与其他军事行动不同的地方是，超过百名的中央情报局特工和超过 300 名的别动队人员动员了反塔利班的北部联盟，并成功说服其他阿富汗军阀投奔到他们这一边。美国的首次空袭是 10 月 7 日，即世界贸易中心被炸后不到一个星期。两个月之内，塔利班的头目就被赶出了喀布尔。这一年年底，哈米德 · 卡尔扎伊宣誓就任临时政府领袖。

一个阿富汗的乌姆杜尔曼战役并不是联合国所能反对的，在2001年末这样的高热气氛中更不可能反对美国的行动。塔利班自1996年5月起就为本·拉登提供庇护所。尽管“9·11”恐怖袭击事件空袭的操作细节是在欧洲和美国制定的，但是，行动的主策划就是本·拉登。然而，塔利班拒绝引渡他。因此，在联合国看来，美国的所为乃是合理的自我防御行动。2001年7月，联合国已经将塔利班政权描述为是对“国际和平和地区安全的一个重大威胁”(1363号决议)。“9·11”恐怖袭击事件发生之后的第二天，联合国又强调了一项新的决议：“那些负责援助、支持或收容犯罪分子、组织者和这些行动的赞助人们都当负有连带罪责（1368号决议)。”战争打响之后，安理会也故意回避任何有关美国的话题，而只是说些乏味的支持“阿富汗人民取缔塔利班政权的努力”(1378号决议)。但由于小布什政府不失时机地组建了一个新的阿富汗政府，安理会的其他成员也没有什么理由加以反对。其他北约成员国也乐得接受协助对阿富汗战后占领的邀请。综合所有这些缘由，阿富汗政权改朝换代，大体上是受“国际社会”欢迎的，尽管它确立了一个显而易见的先例。

2002年6月在西点军校的演讲中，布什重申了“先发制人”的战争思想。这个思想在3个月后白宫发布的长达33页的“美国国家安全策略”中被全面阐述。因为（用副总统切尼的话来讲）“一小撮恐怖分子的组织和残忍的独裁统治者手中如果掌握大规模杀伤性武器……将会构成所能想象得到的严重威胁”，总统将行使他作为三军总司令的权利，防范任何对美国安全的所构成的“致命威胁”。“按常识和自卫的角度来讲”，美国将“采取行动将那些带有这种苗头的威胁扼杀于摇篮之中”。许多批评家抓住这一点，认为这个“布什主义”是危险的，根本性地脱离了1945年后美国的一贯做法的轨道。然而，在面对濒临到来的威胁时，这种先发制人的想法是必要的，并不是对美国政策的重大背离。布什主义比较激进的一面就是行动胜于理论。也就是说，当小布什总统说他准备为自由而战，在“世界上任何一个角落”打击恐怖活动时，他是认真的。如果击败恐怖主义的唯一途径就是颠覆支持它的政权的话，他会毫不犹豫这么做的。

谁将成为下一个打击对象？整个20世纪90年代，共和党内部就一直有人强烈要求清算萨达姆·侯赛因。“9·11”恐怖袭击事件刚刚发生，国防部长拉姆斯菲尔德就开始敦促制定针对伊拉克和阿富汗的反恐战争。这个观点也受到了副总统迪克·切尼的响应。小布什却反对这样做，他坚持最初的方案，把焦点放在塔利班上，因为他们窝藏了攻击纽约和华盛顿的犯罪分子。但这并不意味着，小布什反对在未来的某一天取缔巴格达的政权。2002年1月29日，在布什的国情咨文演说中，他非常明确地将伊拉克、伊朗和朝鲜一道归入“邪恶轴心”的三个主要攻打目标。现在，唯一的问题是，他是否可以依赖已经建立起来的各种反恐联盟以及国际多边机构——应当顺便提醒一下，这些机构和联盟的重要性在他的“国家安全策略”中是绝不予以否认的。

联合国有许多——几乎是太多的合理理由授权对萨达姆·侯赛因发动战争。伊拉克政府在整个20世纪80年代不仅发展了生化武器（他用后者——包括芥子气和沙林毒气——对哈莱卜杰的库尔德人进行镇压），而且还企图获得核武器。海湾战争之后，根据安理会第687号决议建立的联合国特别委员会主要负责确保伊拉克的大规模杀伤性武器（WMD）的消除工作或对其进行无害化处理，直到联合国在伊拉克武器核查小组证实这些工作都已经做到了，对伊拉克石油出口的禁运措施仍然生效。从一开始，萨达姆就阻挠特别委员会的工作。一次又一次，伊拉克宣称制造了什么被禁止的武器，结果证明都是假的。1994年伊拉克开始停止与联合国伊拉克武器核查小组合作，直到面对将采取军事手段的威胁时，才同意调查人员继续展开工作。1997年联合国调查人员再次被禁止进入某些特定区域时，眼看着更进一步的军事冲突一触即发。1998年2月联合国秘书长科菲·安南飞抵巴格达从中斡旋，才化解了这场危机，并迫使萨达姆再次保证调查工作继续进行。联合国武器核查小组的最终报告如此严厉，以至于引发了美英从空中打击被怀疑是伊拉克生产大规模杀伤性武器的设施（沙漠之狐行动）。1999年又一支新的调查小组——联合国对伊拉克武器监督、核查与视察委员会成立了，但自2002年11月开始，这个小组就不再被允许进入伊拉克了。

违反人权的行为；既是又不完全是大屠杀；支持恐怖分子组织，特别是阿布·尼达尔组织；违反国际生化武器协定；试图取得核武器——对萨达姆政权的指控单子实际上从新世纪伊始，就已经很长了。但其中没有其参与“9·11”恐怖袭击事件的任何带有结论性的证据。鉴于萨达姆违反国际法和蔑视无数项联合国安理会决议的对他罪责的指控——仅仅4年时间里，共计17条——唯一的谜题就是，为什么在2003年之前不攻打伊拉克呢？

这个解释必须得从安理会其他成员国的态度中寻找。他们也许已经被认为会同意美国的想法，支持解除萨达姆的武装。英国的立场确实如此。然而，法国、俄罗斯都巧妙地怂恿伊拉克不配合武器核查。于是，美国和英国只能独自威胁巴格达，并实施军事行动对该政权进行调查。到1999年末，伊拉克武器核查小组主席理查德·巴特勒对安理会的其他永久成员国的行为感到如此愤怒，以至于指责他们正在设法“毁掉”特别委员会小组。其他成员国是肯定不会对已经解散了的调查项目显示出巨大的热情的。法国尤其是这样，它要利用其在安理会的权力，阻止不仅是美国的外交政策，还有安理会自身所表达的明确意愿，这并不是它最后一次这么做。

在2003年，人们已经写了很多有关当年“失败的”美国外交。当美国发动对伊拉克的战争时，民主党的领导人们，排着队指责总统的不称职。“我太伤心了，我为这位总统外交上输得如此之惨而感到悲哀。”参议院民主党领袖汤姆·达施勒如此动情地说道。“这可能是很长一段时间以来，我们在同盟关系处理上最不成功的一次，”众议院多数党领袖，共和党的斯腾

尼 · 霍耶下这样的结论说。“我们什么时候变成这样一个忽略朋友的国家了，还指责他们，称他们是不相干的？”老资格民主党参议员罗伯特 · 伯德也这样责问道。这些观点为更多理性的评论家所响应，特别是斯坦利 · 霍夫曼，还有前内阁的外交政策团队的成员们。可以公平地说，小布什和他的顾问们在方式、方法上太过于注重外交了。因为，首先他们并非希望要采取导致那个多余的“第二决议”惨败的单边行动（第二决议如果通过的话，就在伊拉克问题上更接近第22号决议了）。然而，美国政策的核心目标是一贯的，也取得了这个目标——也就是，坚决推翻萨达姆 · 侯赛因的政权。美国恰恰是以总统在国家安全策略中所设想的方式，建立一支临时的“自愿联盟”，因而获得一部分——尽管不是全部老盟友的支持而成功地达到这个目标的。并不是美国的外交失败了，失败的是自认为他们可以阻止战争或至少孤立美国的那些人的外交。

2002年下半年，布什政府对萨达姆的耐心已经耗尽。早在8月26日，副总统迪克 · 切尼就公开表示对萨达姆“欺骗和撤退的游戏”已经非常厌恶。肯尼思 · M · 波拉克在《恐吓风暴》一书中就总结道：“美国面临的谨慎而现实的唯一行动方针就是对伊拉克发动全面入侵，粉碎伊拉克的武装力量，废除萨达姆政权并且销毁这个国家的大规模杀伤性武器。”他认为，这个方针要优于遏制政策的延续，它由制裁、武器核查、禁飞区和美军在邻国的军事存在组合而成。出于对英国首相托尼 · 布莱尔的意愿有所眷顾，美国再次作出决定，将此问题提交到安理会。结果便是联合国安理会的第1441号决议，这项决议列举了萨达姆的众多罪责，指责他无视警告，继续犯罪，公然违抗且不与联合国合作。但是，此决议给伊拉克“最后一次按照安理会相关决议进行裁军的机会”，要求伊拉克“在30天之内准确、充分，而且全面地向安理会报告其所有大规模杀伤性武器项目的各个方面，并让武器核查工作继续开展下去”。决议以安理会先前对伊拉克的警告为总结：“如果继续违反决议的约束的话，将面临严重后果。”这个警告显得有些牵强。对美国人而言，对伊拉克采取军事行动的最后一个触发因素——或许是最后一批触发因素——是伊拉克就此所作的回应，即一份长达一万两千页的声明书，对联合国对伊拉克的要求一一驳回，美国人认为“那甚至不是一份可信的文件”。

小布什和他的顾问们现在有两个很好的理由采取行动。它们是：

1. 伊拉克始终不遵从联合国安理会的决议，而且有可能——当然没人能够担保，恰恰因为伊拉克的不合作——保留或恢复使用或出口其化学或生物武器的能力。

2. 萨达姆是一个血腥的暴君，犯有反人类罪行（如果不完全是大屠杀）。

姑且不论这些发动解除伊拉克武装或解放伊拉克的战争的合法理由，美方还有三条更进一步采取行动的实际理由。

① 颠覆萨达姆政权，通过向任何反对美国的政权发送明确的敌对信号，可能会对打破中东和平进程的僵局有所帮助——既鼓励了友好国家，又除掉了萨达姆本人。

② 创建一个民主的伊拉克也可能是大规模“改造中东”的开始（用康多莉扎 · 赖斯的话来说），使伊拉克再次成为其他阿拉伯国家的榜样，而且——

③ 控制伊拉克能够为美军在中东建立可供选择的军事基地，考虑到他们离开沙特阿拉伯的可能性（因而，至少符合伊斯兰激进派信徒的一项要求）。

并非所有的小布什政府内部要员都接受这三条为实行干预所作的补充论据——甚至在国防部内部也存在意见分歧，但显然总统自己将所有这三条理由视为合理合法。所以，将克劳塞维茨的理论运用于一场战争，以实现这些政治目的时机已经到来。

接着就遭到了法国政府的反对战争的攻击。此举虽不成功，但极具破坏力，对此表示支持的还有德国和俄罗斯政府。1 月 20 日，诗人兼历史学家的法国外交部长，多米尼克 · 德维尔潘在安理会的一次会议后的记者招待会上宣布法国不会“把自己同国际社会所不支持的军事干预联系在一起”。两天之后，希拉克总统在法–德《爱丽舍条约》签订30周年的一次庆祝活动中回应了这个观点。他几乎赞赏近期重新当选德国总理的格哈特·施罗德利用反对美国在伊拉克任何的“军事冒险”的政策来取得选票的做法。2月10日，布鲁塞尔召开的一次北大西洋委员会会议上，法国和德国再加上比利时的参与，阻止了由美国提出的在伊拉克战争爆发时对土耳其提供安全援助的要求。同一天，俄罗斯总统弗拉基米尔·普京在巴黎访问法国元首时，也宣告了俄罗斯反对战争的立场。

国防部长唐纳德·拉姆斯菲尔德因为宣称反战只是源于“旧欧洲”的轻蔑评论，遭受了如雨点般的责骂。实际上，这样说更准确些，反战立场源于约1/4的旧欧洲，加上美国往昔在欧亚的竞争对手（即俄罗斯）。另一方面，表示支持美国立场的国家有英国、西班牙、丹麦、葡萄牙和意大利——都是欧盟的老成员国——以及波兰、匈牙利和捷克共和国，这是欧盟新吸纳的10个成员国中的3个。1月30号的《华尔街日报》上刊登了他们支持美国的信件。信中指责安理会容许萨达姆“有系统地违反”众多决议，并强烈暗示是萨达姆自己断送了“解除武装的最后机会”，这封信赢得了10个较小的东欧国家的响应，其中包括3个波罗的海国家和保加利亚。因此，非常明显，欧洲的大部分国家（总共18个）站在了美国这一边。这并不奇怪。仅仅在几天之前，联合国武器核查首席检察官曾强烈谴责伊拉克的行为。那两封信发表之后，希拉克朝东欧几个国家发了一通无名之火，由此表明，法国被全面击败了。此外，甚至并不支持战争的几个欧洲国家，绝大多数也愿意提供一些有限的援助，诸如可以使用他们的领空、反化学武器专家或是人道主义援助。可以说，美国犯的唯一的一个错误在于听从了英国的劝说，小布什总统在英国首相的说服下，决定去寻求另一个联合国安理会明确授权发动战争的决议。这使得大多数的亲美的欧洲国家变成了毫不相干的力量，因为除了英国，只有两个成员国（西班牙和保加利亚）是安理会的成员。在世界媒体的众目睽睽之下，没有一个非永久成员国——叙利亚、巴基斯坦、喀麦隆、安哥拉、圭亚那、智利和墨西哥——想使自己的国家被视作支持一场“美国人的”战争的安理会成员国。具有讽刺意味的是，从后来出现的跨大西洋的分歧的角度来看，欧洲结果被证明是在安理会上各大洲代表中最支持美国的。关键之点是希拉克总统的否决，这是率先通过法国电视台发表的。虽然并不是在安理会上的正式否决，但这决定了布莱尔的“第二份”决议的命运，于是该决议案被美、英适时地撤回了。

就在第一枚导弹击中巴格达后不久，希拉克谴责美国“破坏联合国的合法地位，而且还将军事手段的使用放在首要地位”。法国到目前为止所做的一切是否完全是为了联合国的合法性，还很难说。希拉克已经声明，法国将“不管在任何情况下”否决第二份决议。然而，法国驻美国大使，让·大卫·列维却加上了一则重要的附加条件：“萨达姆·侯赛因要是使用化学武器或是生物武器的话，法国政府将立刻彻底改变立场。”希拉克自己也添加上了一条：如果在安理会规定的30天期限之后，如果萨达姆实际上仍在违反1441号决议，他事实上会考虑“一切手段，包括战争手段”。这就给了法国的立场以栖身之处。其实，只要萨达姆首先使用生化武器，他们是乐意支持战争的。如果他只是占有这些武器，把它们窖藏起来，就没有发动战争的必要了。再来一个空洞的最后通牒将会奏效。法国人认为，武器核查专家们可以在美索不达米亚无限制地玩导弹标签的游戏，而美国的海湾驻军则在此期间静待观望。法国人唯一考虑的就是要避免战争——就像整个波斯尼亚危机中，英国人所表现的那样。就希拉克和德维尔潘采取的所有姿态而言，他们的政策不多不少，正是绥靖政策。而这项政策所暗含的遏制政策的所有费用却被加在了美国人的头上。

布莱尔先生的特别答辩

假定萨达姆确有一些藏匿的化学和生物武器，他会不会使用这些武器呢？这对托尼·布莱尔来说是一个至关重大的问题，他自己所在的工党，也因是否应当支持现在被理解为是“美国”战争的问题而分裂。他自己内阁的两名成员因为这个问题而辞职。如果他在3月18日的下议院上被击败的话，他也很有可能不得不辞去首相一职。在布莱尔看来，只有一条补救措施。有确凿证据证明萨达姆不仅拥有大规模杀伤性武器，并且他已经能够使用这些武器了。只有这样才能够说服犹豫不决的后座议员们：英国这么做是为了自我防御。

首相尽量利用的是支持他想法的情报报告，这一点没什么可怀疑的。虽然他不像英国广播公司的一名记者所指责的那样犯有伪证罪，但他更像一名只选择最有利的证据办案的律师。在9月24日出版的一份英国情报档案汇编的序言里，布莱尔先生明确声明：“我确信（萨达姆的）威胁是相当严重而且是随时可以发生的。”萨达姆·侯赛因“对某些大规模杀伤性武器的军事计划可以在下达发射令后45分钟之内准备就绪”。就在同一天，他告诉下议院：“伊拉克拥有化学和生物武器……萨达姆已经继续在生产这些武器了……他有使用这些化学和生物武器的现成的积极的军事计划，可以在45分钟之内就付诸实施。”除了那最后一句话还有些模棱两可之外——到底是实施什么，武器还是军事计划——基本上，这位首相所想表达的意思与他的此番评论所基于的原始情报的内容之间是存在重大差异的。2003年8月，赫顿勋爵要求内阁对英国情报部门认为是哪些种类的武器可以在三刻钟之内准备就绪作出具体说明。联合情报委员会主席约翰·斯加莱特回答时透露内情说 “是一些与弹药有关的武器，我们诠释为战地迫击炮或小口径武器装备，与导弹不可同日而语”。

3月18日首相给英国下议院作演讲，这无疑是他职业生涯中最辉煌的一次演说。相比他在美国白宫的那位同事，他如此娴熟地将萨达姆·侯赛因暴政的威胁与伊斯兰恐怖主义的威胁联系在了一起。他赞成发动战争，不仅仅是要解除伊拉克的武装，更要解放伊拉克的人民，恢复中东和平进程，还有——可能也是最聪明的一点——要挽回联合国安理会的信誉。发动战争的理由从未如此具有说服力。然而说到他演讲的核心部分时，他极其巧妙地打住了。他只是声称，联合国武器专家小组至今在伊拉克未发现违禁武器，原因是与伊拉克人有可能正在策划一场可以与“9·11”恐怖袭击事件相匹敌的阴谋有关联。这两段话，由于一些会议纪要上的技术问题和来自议员席上的干扰，几次被中断，值得在这里被详细地引述：

> 3月7日，调查人员发表了一篇不同寻常的文件……详述了伊拉克大规模杀伤性武器未能找到答案的问题。这份文件列举了29个不同的他们未能获取信息的地方。举例来说，在针对人造化学神经毒剂(VX)的报告里，是这样说的：“联合国对伊拉克武器监督、核查与视察委员会可以获得的证据表明，伊拉克至少有将VX武器化的长远打算。”针对生物武器，调查人员的报告阐述道：“根据我们发现的未列入联合国估算的生物培养基的数量来看，伊拉克潜在生产炭疽热病毒的能力已经达到1.5万升到2.5万升的范围……根据所有可获得的证据表明，一个有力的假定，即伊拉克大约还有1万升炭疽病毒没有被毁掉，可能还存在……”
>
> 让我来解释一下它的危险性。一枚火箭发射3千克的人造化学毒剂将污染一个城市的0.25平方千米的面积。1升炭疽热中含有数百万乃至上千万的致命毒剂。1万升就解释不清了，9月11日已经使得美国人的心理发生了改变。

布莱尔先生的机灵与雄辩取得了胜利，但是仍不难逃脱这样的结论，他要在他听众的头脑中创造这样一种印象，就是萨达姆自己能够上演一场生化武器版的“9 · 11”恐怖袭击事件——而且地点有可能就在伦敦。尽管赫顿勋爵已经不加追究了，但如果布莱尔先生的信誉度在英国选民的眼中永远也恢复不了的话，他也只能怪他自己了。反对萨达姆的战争并不需要借助于完全不相干的基地组织的威胁，战争本身就有很好的理由。

美国人想当然地认为，他们是可以指望“英国人”的。小布什在“9 · 11”恐怖袭击事件发生仅一个星期之后，就已经宣布，“此后两年，只有英国人会和我们在一起”。事实如此：2001 年 9 月之后，没有哪一个国家能够像英国这样始终如一地支持美国政策，这个现象既重要又令人感到惊奇。它是重要的，不仅因为它确保美国可以在安理会上获得另一个常任理事国的支持，而且连美国人自己可能也没有意识到的是，它也极大地增加了美国入侵阿富汗和伊拉克的帝国风格。这令人感到惊奇，因为英国不像在波斯尼亚的危机期间，对美国军事行动表现得那样缺乏热心。当布莱尔支持美国出兵科索沃时，他是因为更加充分的理由而支持一位投缘得多的总统。克林顿为人权而战与布什发动的反恐（和政权变更）的战争完全是风马牛不相及。

然而，问题仍然存在：英国这么做究竟是为了什么呢？人们很容易理解为什么小布什总统要极力满足布莱尔提出的发动战争就得争取联合国授权的要求。有英国在安理会上撑腰，美国就可以领导反对萨达姆的战争同盟，也可确保美国军队会从实力雄厚的英国分遣队那里得到增援。尽管，英国军队无论从数量上还是武器装备上都不能够同美国军队相提并论，但英国军队在战后必然要担负的维持治安的行动中比美国人的表现更加迅速和有效。但为什么英国首相要为华盛顿设计美国需要的反伊战争计划，并甘愿冒自己政治生涯的风险呢？英国可得的好处相当有限，支持美国要付的代价则立刻凸显出来：英国必须分担战争的成本，以及承担接下来的占领任务。而与此同时，英国也成为了伊斯兰教狂热信徒，继以色列和美国之后的第三个热衷的攻击目标。但是如果战利品都归了胜利者一方，就如他们历来所做的那样，那么与胜利者一同扛枪的那个人又能拿到什么好处呢？举个例子，英国石油公司要确保在伊拉克油田战后重建工作中扮演重要角色的可能性看来不大。尚且，如果小布什总统下一次因为国内政治上的原因要提高进口关税的话，英国出口商当然也不会被豁免，因为所有的英国贸易的谈判都必须得通过欧盟来执行。在战争与和平的问题上，“老”欧洲与“新”欧洲也许是存在的。而在贸易中，只有布鲁塞尔独占鳌头。在 2003 年，“英美特殊关系”下的英国所获得的利益看来既微不足道，也不可捉摸。

当然，几乎所有的英国首相自二次大战以来都被与美国的特殊关系这一想法所引诱——一种被温斯顿 · 丘吉尔拟人化了的，情感与相互的失望奇怪地交织在一起的关系。当结束英国在伊拉克统治的政变发生时，这位 83 高龄的老政治家虽然已经退休了，却很想就盎格鲁–美国在中东的角色发表一场演说。他的笔记被保存了下来，46 年后的今天看来还是很有先见之明的：

> 美国同英国必须共同战斗，目的是要达到团结。中东出现的复杂情况，只有也仅仅能够通过联合起来的力量和共同原则加以解决，不能只依靠实力的增加。如果我们分开，我们就输了。

这是丘吉尔的一个观点，虽然他最终决定不写进他的发言稿。他旨在暗示，1958 年在巴格达发生的政变导致了美军对黎巴嫩的军事干涉，这可能是未来美国版的“苏伊士危机”的先兆。“要讽刺美国，实在太过容易了，”丘吉尔不无戏谑地说，“现在不是我们设法清算多头账务的时机。这些账务会自己趋于收支平衡。”但是英美特殊关系的账务是否会自动趋于平衡呢？

不是所有的首相都假定它们会趋于平衡的。哈罗德 · 威尔逊首相明智地抵制了来自美国的所有压力，没有派一兵一卒到越南。“作为英国人，”当外相乔治·布朗在 1968 年 1 月去华盛顿时，一名美国官员诚恳地说，“你们怎么可以背叛我们？”（国务卿）迪安·腊斯克只要在越南能得到英军“高地警卫团的一个营”就满足了。当这个要求也被否决的时候，他满腹牢骚地说：“要是苏联人侵略萨塞克斯，不要指望我们来救你们。”然而，即便是威尔逊，对美国的奉承与哄骗术也并非完全是有免疫力的。1975 年在一次对华盛顿访问活动结束之后，他告诉他的一个内阁大臣芭芭拉·卡斯尔说：“欢迎仪式远远超过任何我以前参加过的仪式。”那可能给我们一个启示，为什么这么多的首相愿意如此依附在这样一种特殊关系上，即使它的实际成果是那么难以确定。不管怎么说，与访问爱丽舍宫相比，访问白宫——甚至是得克萨斯的克劳福德镇（即小布什的农庄——译注）是更加令人兴奋的事。至访问德国联邦总理府，则更是兴趣索然。如果在布鲁塞尔和美国华盛顿的环城公路之间作选择的话，大多数英国首相会选择后者。这条规则中，唯一一个真正例外就是爱德华·希斯了，他告诉理查德·尼克松，从今往后，他将不得不将欧洲经济共同体的 9 个成员国当作一个来应对。甚至托尼·布莱尔也未能免俗，他原本更喜欢（意大利的）托斯卡纳而不是（美国的）得克萨斯州，但结果证明他仍没能抵挡住英美特殊关系的诱惑。

那么谁赢得了胜利呢？一个答案是克劳塞维茨赢了。美国再次通过战争继续追求其政治的目标。这是一场确保其经济和军事优势的战争，快速，也没有多少美国人牺牲：从 3 月 20 日战争爆发到 6 个星期之后，总统小布什在林肯号航空母舰的甲板上宣布战争胜利之间，只有 91 名士兵阵亡。这是一场与 20 世纪 90 年代打的不同的战争。尽管人们喜欢谈论“震慑”战略，空中轰炸的阶段短暂而带有选择性，更多的战斗仍然留给了高度机动灵活的地面部队，他们向主要大城市横扫过去，只遭遇了零星的抵抗。萨达姆被颠覆了。9 个月之后的搜捕，他被发现躲藏在一个“蜘蛛洞”内。

结果证明，萨达姆一直在虚张声势：最初的搜查工作并没有找到什么大规模杀伤性武器，甚至连制造它们的设施的踪迹也没找到。不过萨达姆更加愚蠢，倘若他直接将实情告诉联合国核查人员，而不是刻意愚弄美国中央情报局，他或许还能在他那众多的、令人厌恶的宫殿中，过着奢华而舒适的生活，安享晚年。即便是他的常规武器实际上也没有多大用处了，大多以这些武器武装的士兵简直就没有进行什么抵抗，而是落荒而逃。

因此伊拉克战争最终更像一场出于人道主义意图的战争，这一点出乎任何人的预想。由于缺乏明显的成批的大规模杀伤性武器，注意力开始被转移到了伊战同盟声明的第二个目标上：将伊拉克人民从暴政中解放出来。在很短的时间内，事情就开始变得明显，不仅克劳塞维茨赢了，美国也赢了。2003 年 6 月， 皮尤全球态度民意公司进行的一项民意调查，询问及伊拉克战争结果时，足足有 3/4 的法国、意大利和德国答复者赞同，没有萨达姆 · 侯赛因的伊拉克人民将会过得更幸福。甚至更加令人感到震惊的是，普通伊拉克人看来也持有同样的观点。在巴格达进行的第一次严格的投票显示，62%的巴格达居民认为“自入侵发生以来，他们个人所遭受的艰难困苦同取缔萨达姆 · 侯赛因政权的目的相比较是值得的”。此外，有 2/3 的人（67%）相信伊拉克五年之后的情形跟美国行动之前相比略有好转，或者要好得多，持前者观点的人所占百分比为 35%，持后者看法的人所占百分比为 32%。该城市的贫困地区对取缔萨达姆政权的支持尤其强烈。对这场战争的反对派的唯一安慰是，根据这项民意调查，在伊拉克人气最高的西方政治家居然是雅克 · 希拉克。

国际事务中没有感谢一说，正如谚语所说的那样：干好事反而不得好报。2003 年美国对萨达姆政权发动战争，这个政权屡次违反国际法，屡次公然违抗联合国安理会决议——根据人权观察组织报告——杀害自国公民，被萨达姆处决并埋在万人坑里的人数也许就有 3 万之多。大多数欧洲政府支持美国颠覆萨达姆的决定。欧洲和伊拉克自己的大多数有识之士十分欢迎萨达姆垮台这个结果。然而，同样在这些人当中，也有许多人抱怨美国的行动太过于“单边主义”；美国是真正的“流氓国家”，而不是伊拉克。这真是无稽之谈。如何有效地对付那些不愿接受国际社会管束的，从事武力侵略，或者从事大屠杀的国家，在这一方面，联合国太过软弱无能，这一点在“9 · 11”恐怖袭击事件之前已经非常明显。波斯尼亚和科索沃的例子已经证实，面对这些挑战，美国的军事领导是唯一有效的解决办法。阿富汗的事件表明美国多少有独立取得军事上的胜利的能力，但美国决不是想要完全孤军奋战，无论在阿富汗还是伊拉克。暴政被推翻之后，联合国就有事可做了——实际上，北约和国际社会的所有组织都可以有所作为。这个角色所承担的是与军事进攻非常不同的任务，这是政权变更所带来的不可避免的任务。准确点说，就是国家重建。小布什总统和他的亲密顾问们对国家重建政策一向是心存疑虑的。

阿富汗战争期间，在一次记者招待会上，当被问及塔利班政权被颠覆之后美国想怎么做时，拉姆斯菲尔德部长作了透露。他宣布说：“我不认为，我们有责任试图解决那个国家应该成立什么样的政府的问题……我不相信，来自别的国家的人特别聪明，能够告诉另一些国家的人们如何就统治他们自己的体制进行安排。”这也是总统的观点。拉姆斯菲尔德发表声明后的第三天，小布什在一次国家安全委员会的会议上如是说：“我反对使用军事手段进行国家重建，一旦做完我们该做的事情，我们的军队就不是维和部队了。我们应该把联合国放在那里，起保护作用，然后我们离开。”他特别赞同他的国务卿，科林 · 鲍威尔的一个有关“联合国授权，加上第三国军队统治的喀布尔”的想法。如同单边主义与多边主义之间的截然划分一样，要在美国实行的政权变更和联合国主导的国家重建之间做出明确的区分是不可能的。实际操作过程中，一旦大规模的战事结束，美国并不能轻易地从阿富汗和伊拉克撤出。

即使在入侵伊拉克爆发之前，迈克 · 伊格纳蒂耶夫称之谓“帝国监督的特别新形式，即国家重建”——用他诙谐的造词法来说就是“淡化的帝国”——已经至少在三个国家中进行了。虽然没有一次是联合国正式提出要求的，联合国参与的国家重建（准确地讲，是政权重建）工作之所以可能，美国的军事干预是先决条件。而且，每次都是联合国对美国的军事存在给予国际合法性和国际增援。随着时间的迁移，双方的目标当然发生了变化。在巴尔干地区，共同目标是人道主义：阻止大屠杀和大批难民的背井离乡。将塔利班政权赶出阿富汗显然有人道主义方面的益处，但这不过是经济学家们说的那样，纯属“偶然的外部因素”。主要的目标是“根除”恐怖分子和他们的支持者。然而，其根本倾向是打着国际主义的旗帜进行帝国主义活动。不管他们喜欢与否，不管敌人是大屠杀的罪人还是恐怖分子，美国和联合国现在正在以一种可以被称之为“半帝国”的方式进行合作。这在伊拉克也是不争的事实，虽然联合国对美国提出的政权取缔的解释持怀疑态度。毕竟，小布什总统所希望的将政权变更与国家重建划分为不同的行动领域是做不到的。不可避免的是，一方渐渐变成了另一方，而且虽然美国能够进行单边主义的政权变更（或至少是不需要联合国），他并不能够独立地进行国家重建。联合国也不能够独立进行国家重建，对布什和拉姆斯菲尔德而言，这一点十分不幸。到 2003 年年末，面对战后伊拉克的重建工作，美国和联合国都无法回避这个现实，只能尽释前嫌，取得成功。

COLOSSUS

第二部分

衰落

第五章

支持自由帝国的理由

帝国主义者们并没有意识到他们能做些什么，他们能创造些什么！他们掠夺了这个大陆（非洲）的亿万财富，但全因为目光过于短浅，他们不明白他们掠夺来的这亿万财富跟这块大陆的潜在价值比起来不过是可怜的一点点好处而已。潜在价值必须包括为居住在这片土地上的人们创造更好的生活。

富兰克林·D·罗斯福　1943 年

对许多独立尚不知时日的领地而言，谈什么给予其完全自治的政府，根本是愚蠢且危险的胡话。就好比给一个 10 岁的小孩子一把打开弹簧锁的钥匙、一个银行账户和一把手枪，对他而言又有什么用处呢？

赫伯特·莫里森　1943 年

对帝国说不?

与帝国比较起来，民族国家是一个新生事物，因为自有历史记录以来，帝国就已经存在了。殖民——即由大批的移民建立新的聚居地的行为——当然更是早于有历史记载的事情了。以有中心城区的复杂社会结构出现为标志的文明，可以追溯到公元前 4 000 年。然而，帝国则代表着更为复杂的含义：一种文明的延伸，通常是借助军事武力，来统治其他地方的人民。历史的真实性之一，就是帝国的兴衰。一个通常不大被人们理解的事情是，历史上有些阶段并没有主导性的帝国的存在，实际上，有时候根本就没有帝国。20 世纪 90 年代，世界就处于这种状态中。说得更彻底些，苏联帝国垮台之后的世界是身处一个独立的民族国家林立的世界和一个美国主导的世界的两个选择之间，虽然这些国家并非都采用民主制度。2003 年，那些小布什政府的反对者们的标语口号是“对帝国说不”，他们想当然地认为前者的这个选择现在并且仍将是可行的世界秩序。具有讽刺意味的是，布什总统自己，以及他的大多数高级顾问们也都持同样的观点。如我们所见，美国虽然使用军事力量对“流氓政府”和“失败的国家”实施政权变更，但就“国家重建”而言，他们没有多大胃口。“国家重建”是一种新形式的“多边主义帝国”的委婉表达方式，由美国和联合国共同接管和管理政权变更后的国家。理论上，这种国际主义化的帝国主义是可以在那些明显地不能实现稳定自治的国家之中永远维持下去的。但就小布什而言，美国在波斯尼亚、科索沃、阿富汗和伊拉克的存在不过是权宜之计而已，这绝非是克林顿式的国家重建方针，而只能算是过渡性的、行政管理的一种临时的形式，为那些国家回归自治政府铺平道路。

总之，无论是支持或是反对颠覆萨达姆·侯赛因政权的人们，都认可尽快将完全的政治主权还给伊拉克是符合民心的，这同样也适用于那些处于国际行政管理下的其他国家。本章所要讨论的就是将国家独立——也就是伍德罗·威尔逊所谓的民族自决——视作是一个全世界通用的可行模式是否是正确的问题。对于某些国家而言，能不能存在这种情况，即以一定形式的帝国统治。其含义是，不仅仅是数月、数年，而是数十年里部分或完全忽视它们的国家主权，这样做是否优于它们在完全意义上的独立呢？这里存在一个悖论：这些国家变为成功国家的唯一前提（特别是，如果我们认为民主是成功的一个关键标准），也许恰恰是对其政治独立和代议制机构进行权力的限制的那个阶段。要回答这个问题，我们就需要对帝国和独立的现代民族国家这两种体制的成本和收益作一下比较。

从帝国到民族国家

帝国时代从19世纪80年代直到20世纪80年代，达到它的顶峰。那期间的大部分时间里，屈指可数的几个国家几乎统治着整个世界。第一次世界大战前夕，英国、法国、比利时、荷兰和德国这些国家的国土面积不足全球土地面积的1%，人口不足全球人口的8%，却统治着1/3的世界土地面积和超过1/4的世界人口。大洋洲的全境、90%的非洲和56%的亚洲处于某种形式的欧洲统治下，还有加勒比海地区、印度洋和太平洋海域的几乎所有的群岛。并且，虽然美洲大陆只有大约1/4——主要是加拿大——处于类似于附属国的情况下，几乎所有的地方都在17世纪和18世纪的不同时期里，有过被帝国统治的经历。所有的美洲共和国都是由过去的殖民地形成的。

西欧海上帝国所控制的区域面积计算并没有将19世纪帝国的整个历史述说清楚。中欧和东欧的大部分地区在俄国、德国或奥地利帝国的统治下。实际上，俄罗斯帝国的范围从波罗的海延伸到黑海，从华沙延伸到海参崴。未被占领的地方只有中东的奥斯曼帝国和远东的中华帝国。虽然在欧洲帝国眼中，这两个帝国是由劣等的民族所统治的。总之，独立的民族国家是全世界范围内的帝国统治的例外。即便是日本，这个最著名的抵抗殖民主义（虽然其经济被美国强行打开）的亚洲国家也征服了朝鲜，踏上了帝国化的征程。如前所述，美国虽然是在反帝国主义战争的大熔炉中造就，却已经在通向帝国的道路上迈出了步伐。美国在1845年吞并了得克萨斯州，1848年吞并了加利福尼亚州，1867年吞并阿拉斯加以及接着1898年又吞并了菲律宾、波多黎各、夏威夷和关岛。实际上，美国在19世纪的历史可以被认为是从北美大陆帝国向西半球帝国的过渡阶段。

然而，20世纪是拒绝帝国的，如果说在实践中不是这样的话，在理论上至少如此。这种拒绝帝国说始于J·A·霍布森的《帝国主义论》的出版，这是所有反帝宣传册中最具影响力的著作，该书认为：大英帝国是一只球拍，随一小撮金融界的精英和他们的客户的指令选择攻击目标。这本书的中心论点后来触发了列宁的灵感，成就了他的宣传小册子——《帝国主义：资本主义的最高阶段》。列宁认为，第一次世界大战是帝国主义者们互相竞争的直接后果。其后果是要颠覆4个以上的中欧和东欧的帝王们。依然健在的5个西欧帝国则步履蹒跚地走过20世纪20年代和30年代，到了40年代却被德国、意大利和日本在欧洲、非洲和亚洲竞相建立的新帝国击得粉碎。第二次世界大战中，两个以胜利者姿态浮现出来的超级大国，却都采用了一种坚定反帝的语言风格，他们除了名字以外，在其他各方面根本就是帝国。富兰克林·罗斯福对他的前任伍德罗·威尔逊关于建设新的世界秩序的第一次努力作了详尽的阐述，他把第二次世界大战想象成为帝国的终结。而苏联人一直将法西斯主义和帝国主义之间划上等号，1945年后不久就指责美国说一套，做一套。两个反帝的帝国都相信他们可以从非殖民地化的过程中获得战略上的利益。

罗斯福为所有的前殖民地设想过一个暂时的托管体系，成为他们基于威尔逊民族自决原则获得独立的序曲（第一次世界大战之后，战胜国极力排除了非欧洲的各族人民的民族自决权）。尽管丘吉尔尽了最大努力加以阻挠，罗斯福仍然如愿以偿。第二次世界大战之后，在一波又一波的巨大浪潮的推动下，非殖民地化运动出现了。只有在美国愿意资助的打击共产主义“叛乱”的欧洲殖民地（如中东和印度尼西亚），非殖民化才被耽搁了。第一次世界大战已经拆毁了三个帝国——哈布斯堡王朝、霍亨索伦王室（德国普鲁士王室）和奥斯曼帝国——但他们的许多领地在尝到了转瞬即逝的独立甜头后，最终都落入其他帝国的手中。1945 年以后的情况则不同了。不仅英国，而且法国、荷兰、比利时和葡萄牙的帝国都开始寿终正寝，在世界上一些地区，非殖民化的速度较快，而在其他地方则缓慢而痛苦。到了 20 世纪 70 年代，只有少许的帝国痕迹被保留了下来。只有三个帝国继续得以维持：苏联、中国，当然，还有不愿自我标榜的美利坚帝国（罗斯福认为前两个国家在某些无法解释的方面，有别于西方的帝国，因为他们没有殖民地。也许因为他们的意识形态本来就是公开的平等主义）。结果，世界上独立国家的数量出现了飞跃，不止翻了一倍。1920 年，世界上有 69 个主权国家。到了 1950 年这个数字上升到了 89 个，在 1995 年，有 192 个独立国家，此时的苏联帝国也已经寿终正寝，其中两个最大的增长期发生在 20 世纪 60 年代和 90 年代（60 年代主要是非洲，1960 年到 1964 年之间有不少于 25 个的新国家形成了，90 年代则主要在东欧）。

因此，欧洲的筋疲力尽、欧洲以外的民族主义以及美国的理想主义三者相结合，合力向前推动着世界，开始了一场划时代的实验。这场实验要验证这样一个假设，即帝国主义导致了贫穷和战争，而民族自治将会最终铺就走向繁荣与和平的康庄大道。

为什么非殖民地化失败了

那个假设很大程度上是错误的。政治独立的到来只给很少的一部分前殖民地带来了繁荣。虽然前帝国的大国不再互相拼杀，很多情况下，非殖民地化的进程总被新独立国家之间的冲突——甚至更多时候是在其内部反复出现的冲突所左右。这已经成为自“二战”结束以来的60年里的双重失败。自治理应与民主携手并行，但是非殖民地化经常不能导致民主，而是在短暂的插曲过后，形成国内的专制政体。这些专制中，许多对于生活在其中的人民而言，比旧政府的殖民体制更加糟糕：更多的腐败、更多对法律的漠视、更多的暴力。实际上，恰恰是这些特征解释了为什么许多黑非洲地区的国家自从赢得了独立以后，实际生活水平却恶化了的原因。

大多数在中东的前殖民国家都更为富裕，只是因为自然赋予了他们中一些国家以丰富的地下石油储备，而这些石油的全面开采也是他们赢得独立后才开始的。但他们的政体几乎无一例外：跟专制差不多。殖民主义并非都是好的，当然，独立也并非都不好。但是要将今天发展中国家的所有问题都归咎于殖民统治的不良后果上，并不能让人信服（虽然这样做对像津巴布韦暴君罗伯特·穆加贝这样的人来说，要方便得多）。用非洲发展银行2003年报告中的话来说：“40多年时间的独立……也应该有足够的时间理清殖民遗产，开始向前发展了。”非洲和中东，还有亚洲的大部地方，自1945年以来有很多经验证明，罗斯福对非殖民地化的信心是错位的。

就拿贫困来说。虽然人均收入的历史数据非常不完整，也不精确，但仍然有可能去估算从帝国主义的最高阶段到后帝国主义阶段中，这些前帝国和前殖民地的经济是如何运行的。48个国家的长期人均国内生产总值是可以获得的，其中8个国家被认为是战前帝国，14个国家为殖民地。有两件事情在表6中体现得非常明显，表6将这些国家在1913年和1998年的

表 6　帝国时代中、帝国时代后，帝国与殖民地人均国内生产总值相比较

（以 1990 年的国际元为标准）

	1913 年			1998 年			名次变化
		美国=100	排名		美国=100	排名	
美国	5 301	100	2	27 331	100	1	1
新加坡	1 279	24	28	22 643	83	3	25
加拿大	4 447	84	5	20 559	75	7	–2
澳大利亚	5 715	108	1	20 390	75	8	–7
荷兰	4 049	76	8	20 224	74	9	–1
法国	3 485	66	12	19 558	72	10	2
比利时	4 220	80	7	19 442	71	11	–4
英国	4 921	93	4	18 714	68	14	–10
德国	3 648	69	11	17 799	65	16	–5
意大利	2 564	48	17	17 759	65	17	0
新西兰	5 152	97	3	14 779	54	19	–16
葡萄牙	1 244	23	29	12 929	47	21	8
马来西亚	899	17	36	7 100	26	29	7
南非	1 602	30	24	3 858	14	37	–13
斯里兰卡	850	16	38	3 349	12	39	–1
印度尼西亚	904	17	35	3 070	11	41	–6
菲律宾	1 066	20	32	2 268	8	43	–11
埃及	732	14	45	2 128	8	44	1
印度	673	13	47	1 746	6	45	2
越南	754	14	42	1 677	6	46	–4
加纳	739	14	44	1 244	5	47	–3
缅甸	685	13	46	1 024	4	48	–2

两套数据进行了比较。首先，唯一显著提高其相对经济地位的前殖民地是：新加坡，1913 年时人均国内生产总值是美国的 1/4，但到了 1998 年，新加坡超越了所有的前欧洲帝国。另一个地位有进步的前殖民地是马来西亚，只是幅度小得多，其人均国内生产总值从美国水平的 17% 提高到了 26%。其他所有的前殖民地比 1913 年的状况，都更加落后于美国，有些

国家更是大大落后于美国。第二点，从第一点延伸而来，就是世界前帝国和前殖民地之间的差距急剧拉大。1913 年菲律宾、埃及、印度、越南、加纳和缅甸的人均国内生产总值都处在美国水平的 13% 到 20% 之间。到了 1998 年，所有 6 个国家的平均收入还不到美国人均GDP的 1/10。相比之下，所有前帝国仍稳稳地跟在世界经济领袖的身后，彼此差距不大，唯一一个例外是英国，英国跟它在 1913 年的相对经济实力比较，则明显要差许多。

然而，这些数字低估了全球贫富分化的程度，因为这些数字疏忽了世界上许多最贫穷的国家，它们的历史数据根本就无从考察。要是集中关注从 1960 年到 1989 年，这个对非洲、亚洲和中东的后殖民地国家们至关重要的时代阶段，有可能发现更令人震惊的结论：由于政治上的独立导致经济失败的证据是确凿的。41 个前英属殖民地中，只有 14 个成功地缩小了他们的人均国内生产总值与往昔英国统治下的这 30 年里的差距。实际上，总共只有两个非洲殖民地（博茨瓦纳和莱索托），比率比前殖民地时期的收入有明显增长。

一方面，这个后殖民时代的大分化已不再明显，因为印度这个所有前欧洲殖民地中人口最稠密的国度，已经进入了一个经济增长时期，这个时代早就应该到来。然而，多数前殖民地继续加大了落后于富有国家中坚部分的差距。根据世界银行报告显示，世界上只有 14 个国家或地区人均国内生产总值达到或超过美国水平的 3/4。其中，除了两个不在欧洲，其余的全部都是在欧洲。这两个（日本和中国香港）代表了亚洲的两个极端的例子。前者从未有过成为殖民地的经历，后者在英国统治下长达超过一个半世纪的时间。然而，在天平的另一端有 20 个国家，他们的人均国内生产总值只有，或还不到美国水平的 3%。世界上超过 30 个国家的人均收入，每天低于 1 美元。除了 6 个国家以外，其余都是自第二次世界大战以来获得了独立的非洲国家。在最贫穷的前英属殖民地，塞拉利昂，现在人均收入每年是140美元，而英国的人均收入要高出其200倍，而在1965年，收入差别仅有8%。冈比亚，那个1943年时的国内状况让罗斯福感到震惊的国家，只是稍稍有那么一点小小的进步。他们的收入只有英国的0.8%，比1965年取得独立时的差距大得多了。根据世界银行的报告显示，尽管自独立以来，冈比亚获得的援助总计达16亿美元之多——平均起来，几乎相当于其国民收入的20%，其国内生产总值人均增长实际上自1970年以来只有14%。

简而言之，对极端贫困的国家来说，尤其是在非洲，政治独立是一次灾难性的实验。非洲人口的平均寿命正在不断下降，现在仅为47岁。这还包括了援助、贷款以及各种各样的债务减免项目。46个国家中只有两个黑非洲国家：博茨瓦纳和毛里求斯，是逆经济失败的整体潮流而动的。

为什么如此多的新独立的国家在取得经济增长的过程中输得那么惨？为什么没有几个国家在离开了帝国统治后提高了他们的相对地位？有人认为，自20世纪60年代以来，发生的贫富国家人均收入相差如此巨大的原因所在是全球化。但这是一个错误的观点。从理论上讲，全球化仅仅意味着商品、公共设施，以及资本和劳动力在国际市场上的国际一体化，这应该会增加其经济有效性，从而在所有相关领域中获利。21世纪早期的真正问题不但不是全球化，而恰恰是全球化的缺失以及对全球化的限制。实际上，一个关于全球化的可悲的事实是，现在的全球化根本不是真正的全球化。

问题的部分原因是世界贸易仍远没有达到真正的自由。至少其中一些责任，可以归咎于世界上一些最富裕的国家继续给予本国农民相当于非洲整个国内生产总值的补贴。美国对农业生产商支持的额度仍高达其农作物售出收入总额的20%左右，欧盟的这个数字则超过了30%。举一个简单的例子，给予美国棉花生产商的补贴降低了每年从贝宁、马里、乍得湖以及布基纳法索地区的棉花出口价值达25亿美元，几乎相当于他们这些国家国民收入总和的3%。但是，不只是富有国家负有责任，许多贫困国家也设置了形形色色制约商贸的壁垒，从而阻碍了经济的发展。20 世纪 70 年代和 80 年代国际经济不平等得以上升的主要原因实际上是不发达国家的保护主义，这一点可以被令人信服地表现出来。在发展中国家中进行的一项人均国内生产总值的比较研究发现，更为“开放”的经济体制每年以 4.5%的速度增长，而“封闭”的国家的增长还不足 0.7%。这些发现，广泛地被诠释为今天之所以需要全球化的理由——也就是说，论证了那些降低贸易障碍的国家比倾向于在经济上闭关自守的国家更有可能取得经济上的快速发展。

从劳动力流向方面也可以得出相似的结论。现在，国际移民（或对国际移民的限制）在决定国际不平等的程度上起着举足轻重的作用。劳动力的移动越是自由，国际收入的水平越是上升。现代全球化是与高度的不平等水平联系在一起的，其中一条原因是，相对不发达国家的劳动力要向发达社会自由迁移，存在太多限制。一项近期的评估表明，解放全球劳动力市场产生的总体经济利益比进一步解放商品和资本流动预期所产生的经济效益要大 25 倍。

首先，要考虑国际资本流动的迹象，这是全球化的另一关键组成部分。发展经济学家们花费几十年时间试图找出如何在落后的农业社会制度中提高投资水平。最显而易见的解决办法就是从资本丰富的地方——也就是说发达世界进口资本。根据世界经济最基本的古典模式，这应当是自然而然地发生的；资本应当自动从发达的经济体制流动到不发达的经济体制中去，这样收益可能更加高。但是，正如诺贝尔经济学奖得主罗伯特·鲁卡斯在 1990 年出版的一篇具有重大影响的文章中所指出的，在实际操作过程中，似乎并不会发生这种事。国际金融一体化的一些举措表明 90 年代经历了特别巨额的跨国境资本流动，而现实中的今天，大部分的海外投资还是发生在发达国家里。1994 年，只有 36%的海外直接投资和 10%的证券投资流向了贫穷国家（被定义为收入相当于经济合作与发展组织平均水平的 1/3 或者不到 1/3 的国家)，到了 2000 年，贫穷国家所获得的份额分别下降到 12% 和 2% 左右。今天的一些赤贫国家几乎没有从海外获得任何投资。大部分的跨境资本实际上是在美国、欧盟和日本之间流动。原因非常简单，富有国家的投资者们更喜欢向其他的富有国家进行投资。近几十年来的巨额的资本流动因此与国际经济不平等的加剧没有多大关系，罪魁祸首就是从富国流向穷国的净资本的缺乏。

有一种思想流派认为，地理、气候和疾病的发生为全球不平等提供了充分的解释。那些远离主要海上航线，坐落于热带地区的国家，他们的人民更有可能因患上如疟疾之类的疾病而变得更加贫穷，即使不完全按照宿命论的提法来诠释。然而，我们完全有理由相信经济成功的关键在于采取有益于投资和改革法律、金融和政治制度——而不应当去考虑它和地理位置、平均温度以及携带流行疾病的昆虫的关系。因此，投资者更喜欢把他们的钱放在私有财产的权利受到有效保护的国家中，虽然这个要求应当被看作是最低要求。在《新国富论》一书中，大卫 · 兰蒂斯主张如下观点——要取得“理想的经济成长与发展”，政府就应当具备以下条件：

1. 保证私有财产的权利，更好地鼓励储蓄和投资；

2. 保证个人自由的权利……反对专制与……犯罪和腐败等弊端；

3. 坚持执行合同的权利；

4. 提供稳定的政府……采取公开的法规进行统治；

5. 提供负责任的政府……

6. 提供诚实的政府……没有权力寻租；

7. 提供谦虚、有效、不贪婪的政府……缩减税收（并且）降低政府对社会公积金的要求……

经济学家罗伯特 · 巴洛在对战后经济增长的一项跨国比较研究中总结道：与一个国家的经济表现密切相关的有 6 个重要的变量。其中就有法律规则的强行实施和避免过度的政府开支，以及通货膨胀。在主权受代议制政体制约的国家里，财产权会更加受到尊重，这是现在被广泛接受的观点。而且，基于法治的宪政政权也更倾向去推行鼓励外国投资和国内资本组合的金融改革。代议制的立法、透明的财政系统、独立的货币权力机构以及一个有秩序的证券市场创造了各类公司——尤其是有限责任公司在其中能得以繁荣的制度环境。一个基于全民投票选举进行立法的民主制度对经济发展而言并不是必不可少的，从近期中国、马来西亚、新加坡、韩国、中国台湾和泰国经济上的成功就可以得到证明。如果太过急于拓宽公民权，释放了公众对整体国民经济有害的财政以及货币政策的需求，民主化反而会使一个国家的经济发展有所减缓。从另一方面来看，一个民主的社会更有可能对公共教育和公共健康进行追加投资，这将会提高一个社会的经济表现。亚洲的集权主义国家在经济上发展得很好，而大多数世界上其他地方的国家却并不像它们那么成功。当然也有例外，诸如 1973 年以后的智利，在经济领域也许有法治制度，但在人权领域一定是有所缺失的。在奥古斯托 · 皮诺切特的独裁统治下，财产比人有着更多的权利。

正是在这个经济、法律和政治制度的领域里，许多贫穷的国家倒下去了。过去的 50 年中，通过贷款和援助手段想要解决经济落后问题的努力及尝试不计其数。1950 年到 1995 年间，西方国家无偿转账给较贫穷国家的金额高达 1 万亿美元（以 1985 年美元为基准）。但这些努力往往收效甚微，很大程度上是因为，接受国缺乏必要的政治、法律和金融制度使得这些援助成为有效的经济发展资金。专断而腐败的统治者们对这一经济失败负有很大的责任。大笔大笔涌入的款项源源不断地逃逸到国外，通常流向瑞士的银行账户中——因为腐败的统治者通常将非法所得的财富隐匿海外。一项研究表明，1970 年到 1996 年间，30 个黑非洲国家的资本外逃共计高达 1 870 亿美元，算上利息的增长，就暗示着非洲统治阶层的私人海外资产相当于他们国家所欠公共债务的 145%。一些学者总结道："非洲国家每借的

1 美元中大约有 80 美分就在同一年以资本转移的形式回流了。”黑非洲地区的经济失败以及法规与政治责任的缺失之间看来存在密切的联系：今日非洲的 50 个国家中只有 5 个可以被列为自由的民主国家。

也许最好的制度理论依据就是即使是地处穷乏地区的国家依然能够依托一个好的制度繁荣起来。博茨瓦纳，虽然比起其他黑非洲国家在地理、气候和自然资源方面处于劣势，但它却在过去的 35 年时间里成为全世界人均收入增长率最快的国家。根据一份最近的分析表明，博茨瓦纳成功的主要原因就是它成功地采用了良好的制度：

> 法律与合同的基本体制运作比较合理。国家和私人的掠夺行为相当有限。虽然这个国家在钻石产业中收益颇丰，但是，这并没有引发为了抢占钻石矿产资源所导致的国内政局的不稳定或是冲突。政府保持了从英国殖民者那里继承来的最低公共公益设施结构，并将它发展成为精英管理层的、腐败相对少的高效政务机构……此外，政府对基础设施、教育和卫生方面的投资力度也很大。政府的财政政策极其谨慎，并且汇率与经济的基本要素保持紧密联系。

尤为突出的是，博茨瓦纳成功地发展了保护私人财产的机制，这就保护了实际和潜在投资者的财产权，提供了政治的稳定性，确保政治精英们受到政治体制的制约并具有社会参与的广泛代表性。

1945 年后，在欧洲和亚洲进行了一系列在政府控制下的实验，这些实验有助于理解在制度截然不同的政权里是怎样对完全相同的人民的经济发展产生不同影响的。这里的完全相同的人民是指从环境、地理位置和文化的角度来看的。两个德国之间和两个朝鲜之间大相径庭的实际经历证实了一点，制度的确在发展中扮演着决定性的关键角色。同样，中国的一个城市——中国香港，和中国的一个岛屿——中国台湾的事实也证明了这一点。中国香港是英国自由帝国体制统治下的城市，而中国台湾则是处于美国主导的政治经济的体系中，而中国大陆在同一个时期则处于中国共产党政权的管理之下。

多数贫穷国家之所以始终贫穷是因为他们缺少正确的制度——并不只是鼓励投资的正确制度，因为他们对他们的公民不负责任。比起那些法制健全的国家来，专制政权下更容易滋生腐败行为，而腐败又反过来以多种途径抑制了经济的发展，牵制了原本可用于资本形成和成为更好的医疗保健和教育以提高人力资本的资源。根据非洲联盟的报告，腐败的代价相当于非洲各国国内生产总值总和的1/4。而且，贫穷的国家比富裕的国家更容易因受内战的摆布而变得更加贫穷。当缺乏非暴力手段追究独裁统治者责任的时候，政治暴力当然就更有可能发生。然而，内战一旦开始，就会迅速成为一种生活方式。现在一个恶性循环确实存在于许多贫穷国家中。互相匹敌的大军阀们互相交战，为了矿产资源、种植毒品作物，甚至海外援助资金流向的控制权，招募穷人当兵。这些贫穷、没有机会受到教育的年轻人除了战争以外别无其他的就业机会，其生命则更加短促。这类问题不仅限于非洲，哥伦比亚也正深陷在这样的一种堕落之中。

当然，世界上的每个“失败国家”，都有其失败的特别原因，这一点是毫无疑问的，但他们也有很多共同之处。世界上，最为贫穷的一些国家是中非共和国、乌干达、卢旺达、乍得、塔吉克斯坦、尼日尔、厄立特里亚、几内亚比绍共和国、利比里亚、塞拉利昂、布隆迪、埃塞俄比亚、刚果民主共和国、阿富汗和索马里。这些国家的人民除了极端贫困并且（几乎每个国家如此）平均寿命在40岁左右，所有这些国家远远不符合成为自由民主国家的标准，并且他们都在不久前，或仍然还在经历着某种形式的战争。大多数情况下，他们的唯一愿望看起来就是借助外国力量的干预，能够建设经济发展所必不可少的基本的体制基础。

表 7　贫穷、不自由以及内战

国家	人均国民收入图表法（当前美元）	联合国人权发展指数值（美国 =0.937）	“自由之家”政治权利（最好 1，最差 7）	“自由之家”公民自由（最好 1，最差 7）	战争时期
中非共和国	260	0.363	5	5	2001
乌干达	250	0.489	6	4	1971—1972，1977—1979，1981—1991，1994—1995，1996—2001
卢旺达	230	0.422	7	5	1990—1994，1998—2001
乍得	220	0.376	6	5	1965—1988，1989，1990，1991—1994，1997—2001
塔吉克斯坦	180	0.677	6	5	1992—1993，1994—1996，1998
尼日尔	170	0.292	4	4	1990—1992，1994，1996，1997
厄立特里亚	160	0.446	7	6	1998—2000
几内亚比绍共和国	150	0.373	4	5	1963—1964，1965—1973，1998，1999
利比里亚	150	不适用	6	6	1980，1989—1996，2000—2001
塞拉利昂	140	0.275	4	4	1991—2000
布隆迪	100	0.337	6	5	1965，1990—1992，1995—1996，1997—2001
刚果民主共和国	90	0.363	6	6	1960—1962，1964—1965，1967，1977，1978，1996，1997，1998—2000，2001
阿富汗	不适用	不适用	6	6	1978—2001
索马里	不适用	不适用	6	7	1978，1981—1996

全球化

因此，我们应当把自由帝国看作是经济全球化的政治伙伴。如果经济开放——这里是指自由贸易、自由的劳动力移动、自由的资本流动，有助于经济增长。而且，如果资本更容易在法规健全、政府廉洁的地方形成的话，那么，确定如何形成加入全球化的经济就不仅仅是唯一重要的事情，而且还要确定要通过什么机制，将经济上的良性制度传播到全世界。

全球化既适用于政治，也适用于经济的这个事实正是表8所表达的信息。第一栏列出了可以被视作我们所居住地球的诸多假设条件；第二栏是那些可以围绕它流动的事物；第三栏是促进这种流动的机制；第四栏是运作这些机制的代理机构；第五栏是允许这些机制运作的政策，第六栏是可能的国际政权。

表8　全球化：总结

已设条件（或多或少）	流动	机制	控制	政策	国际体制
物理规律：重力、热力学规律等 气候 自然资源配置 对人类有害的细菌、病毒的流行 人类生理	疾病 货物 劳动力 技术 服务 机构 知识 危机	自然 交通技术 通讯	无 公司 政府 财政透明度	自由移民 自由贸易 自由信息流动 货币制度	无政府主义 自由主义 帝国主义

当谈到全球化的历史时，经济学家以及经济史学家们很容易把他们注意力的焦点集中在商品、资本和劳动力的流动上。然而，全球范围内，还进行着其他形式的流动。不仅仅是技术和服务的流动，还有制度、知识和文化的流动。像一场革命或是银行破产这样的特殊事件也可以借助一种类

似的方法向全世界传播。疾病是其中最先全球化的，若不具备一些鼠疫方面的知识，就不能理解14世纪的欧洲历史。正如如果没有传染疾病的输出，15世纪末到19世纪中叶，欧洲人攻占美洲大陆就不会那么轻而易举，这些疾病岂止是杀害了大批的原住民。除了传染病以外，征服者和殖民者还带来了技术、制度和观念；当然还有黑色火药和作战马匹，基督教和形形色色的教堂，以及西欧人关于财产、法律和政治统治的理解。虽然全球民主化的过程缓慢而不规则，但是自18世纪70年代以来的全球民主化进程表明，制度和思想可以在国际上传播，就像能够进行跨国交易的货物或进行海外投资的金钱一样。对国际金融市场熟悉的专家们明白，一处发生的金融危机可以迅速成为国际流行病，同样，在政治领域里也有大革命迅速传播的流行病，这在1789年、1848年、1917年是显而易见的。

在自然世界中，只有传染性疾病是能够传播的（没有人为帮助也不会传到很远的地方）。如果我们暂不讨论自然世界的机制，所有能够向全世界传播的各种事物只能取决于先进的交通和通信技术。首先是远洋航行船只的设计有所改进，以及它们数量的增加使得世界经济在19世纪被全球化了，当然，在此之前的航海、医药和推进器的进步为这次革命打下了基础。然而，交通和通信（飞机、无线电发射和太空卫星的出现）技术上的继续进步本身并不能确保经济全球化的继续。全球化曾经依赖于，并且仍旧依赖于控制通信方式的私人和公共控制机构。20世纪中叶，政府对经济生活的侵犯极大地改变了1914年前已经出现的经济一体化的局面，因为越来越多的政权体制采取了敌视自由的国际经济交流的政策。

经济史学家们倾向于将更多注意力放在政府解除各种形式的成规（表中第5栏的前4项），以便促进全球化松绑的方式上，而较少关注于能够更积极地促进全球化的方式。然而，国际商品市场一体化的历史在17、18世纪与葡萄牙、西班牙、荷兰、法国以及英国之间的帝国竞争过程是分不开的。香料、纺织品、咖啡、茶叶和糖的全球市场的创建是荷兰和英国东印度公司这样的大垄断公司带来的成果。为了国际市场的份额，他们同时也进行商贸和海洋竞争。同样，19 世纪自由贸易和资本市场国际化的传播与英国帝国主义实力的扩张密不可分。另一方面，20 世纪中叶，全球化的衰落很大程度上是由于 1914 年和 1939 年，德国及其盟友对英国的霸权地位发动了非常昂贵且又极具破坏性的挑战所造成的结果。没有什么比一场世界大战更能促使经济组织采用与国际自由市场经济不同的模式。为了争夺海上贸易所发动的战争十分频繁。而正是各种各样的战时实验，即商业和外汇控制， 原材料的集中化分派和消费品的定量供应，为苏联和其他国家在和平时期的计划经济理论提供了灵感。20 世纪中，战争的全球化必须得为该世纪中叶国际贸易、资本流动和移民的衰落承担大部分的责任。

一个基于平等的独立国家政府组成的多元化的国际秩序，是否能将国际经济的融合最大化，并传播有助于自由市场成功的制度设计，这一点并非是不言自明的。当然，在一个理想的世界中，自由贸易是会自然发生的。但是历史和政治经济告诉我们，事情绝非如此。关税的上升起因于 20 世纪 30 年代经济大萧条时期那种以邻为壑的状态，在第二次世界大战后，各国作了大幅降低贸易关税的努力。但在布雷顿森林体系下，国际资本移动仍然被牢牢地管制住了，实际上，甚至在固定汇率体系崩溃之后，这种概念仍然保持到 20 世纪 80 年代。甚至在我们经历的这个全球化的时代中，对自由经济政策的抵制也没有完全消失；对工人以及农产品的流动，仍然存在相当巨大的障碍。不管支持经济开放的论点多么具有说服力，各国政府似乎仍然固守着关税、配额以及政府补贴金的各种政策。相比较而言，第一个全球化的时代，即从 19 世纪中叶到第一次世界大战，是殖民大国强行实施经济开放的，不仅在亚洲和非洲，而且在南美，甚至日本都是如此。更确切地说，自由贸易的传播取决于英国的实力和自身树立的榜样。下面，我们将对大英帝国的经历作一番分析，以便得出它的成本与收益之间的关系。

英式全球化

从 19 世纪 40 年代到 20 世纪 30 年代，英国政治精英和选民一直坚持自由竞争和自由放任的原则——和“廉价面包”即农产品进口不交关税的实际政策。这当然意味着，从 19 世纪 70 年代开始，英国关税就明显低于其欧洲邻国；这也意味着，关税在大英帝国控制的大部分地方也保持在较低水平。正式放弃对英国殖民地的控制，肯定会导致在那些地区的市场里树立起不利于英国出口的高关税壁垒，也许还有其他形式的贸易歧视；美国和印度在获得独立之后保护贸易论者所采取的政策便是明证。19 世纪 70 年代之后的大英帝国的竞争对手们建立的关税体制则是另一个证据。不管是看其对原始产物所征收的税，还是看其对制造业产品所征收的税，英国是所有大帝国中最不提倡贸易保护论的一员。1913 年，进口制造业产品在德国的平均税率是 13%，在法国超过了 20%，在美国是 44%，在俄罗斯更是达到 84%。而在英国，这类关税为 0。

根据一项估计，英国执行自由贸易的经济效益可以达到国民生产总值的 1.8%到 6.5%之间，但它怎样造福世界呢？用鼓吹自由贸易的自由党人约翰·格雷厄姆爵士的话来说，英国是“全世界贸易的大商业中心”。其国内市场和帝国的大部分市场，对来到这里尽其所能出售他们商品的外国商家来说，大门或多或少都是敞开的。在贸易保护论者不断增加的世界里，英国继续实行自由贸易的政策为其殖民地带来好处的证据是确凿的。19 世纪 70 年代到 20 世纪 20 年代间，英国的进口产品中，殖民地所占份额从 1/4 上升到 1/3。更加具有普遍意义的是，英属殖民地的各个政府，对 19 世纪晚期的全球化所导致的生产要素价格的剧烈下跌没有作出贸易保护主义的激烈反应。然而，我们需要对大多数殖民地和少数精英式的殖民地作出区分。大多数殖民地的自由贸易政策是母国强加的，少数精英殖民地则被授予“负责任的政府”，以便有权设定自己的关税。在 1879 年，加拿大就开始实施关税，之后被澳大利亚和新西兰所效法。而且，在大英帝国内后来成为自治领地的那些国家中，设立关税和经济增长之间似乎存在一个正比关系，这对主张无条件实行经济“开放”的人们来说，无疑是一个令人尴尬的结果。这个现象对于大英帝国任何一段经济历史来说，都有其重要含义。如果加拿大和其他大英帝国控制的区域的确受惠于贸易保护，那么就产生了一个问题：印度实行关税政策，会不会使印度经济变得更好呢？所幸的是，对经济自由主义论者来说，上述观点在论证上有其困难之处。首先，加拿大和其他那些国家征收关税是为了提高收入，而不是为了排斥进口。加拿大的经济增长来自于农产品的出口，而不是国内制造商的产品替代了进口产品所带来的结果。其次，这个论点忽略了 20 世纪 30 年代期间，不开放的贸易对初级产品生产商所造成的极具破坏性的后果。当时的经济大萧条对每个人而言，都相当困难，但在大英帝国的帝国特惠体制之外的初级产品生产商们的日子则更加难过。

于是，大英帝国促进了商品及制造业全球市场一体化，这个结论是无可非议的。而且，没有大英帝国的话，国际劳动力的流动也不可能如此频繁。诚然，对 19 世纪的移民来说，美国是最具吸引力的目的地。但是随着美国对移民数量增加的限制，白人主导的自治领地作为英国移民目的地的意义就显著增强了， 在 1900 年到 1914 年之间，白人自治领地吸引了大约 59%的英国移民；在 1915 年到 1949 年之间，达到 75%；而在 1949 年和 1963 年之间，更达到 82%。这对收入分配是有影响的。人们通常认为，帝国最大的那一部分利润流入了在政治上有影响力的一小群投资人的口袋里。但是，大规模的移民到诸如加拿大、澳大利亚以及新西兰这类土地广袤、劳动力短缺的殖民地，缩小了全球收入的不平等状态。我们也不应当忽略极大的一批亚洲人，作为契约劳动力离开印度和中国。在 19 世纪的时候，他们中的大部分人在大英帝国的种植园和矿井中干活。在这种介于自由和不自由劳动力之间的体制下，从印度出来的移民也许有160万之多。毫无疑问，他们中的大部分承受着巨大的艰难。其实，有些人呆在自己家里，日子可能更好过些。然而，必须再一次地指出，我们不能一厢情愿地否认，将廉价的，也许处于半失业状态下的亚洲人动员起来去收割橡胶或者开发金矿没有产生任何重大的经济后果。

首先，英国是推动全球资本市场一体化的引擎——这正是罗斯福和其他一些对帝国的批评家们未能明白的一个要点。1865年到1914年，超过40亿的英镑从英国流向世界其他地方，给了这个国家史无前例，也是此后无与伦比的地位。它作为全球的净债权人，实际上就是“世界的银行”，或者，说得更准确些，是世界的债券市场。到1914年为止，英国的海外总资产高达31亿英镑到45亿英镑，而同当时的英国国内生产总值相比较，后者只有25亿英镑。这些投资是真正意义上的国际投资：与其在欧洲只有区区6%的投资相比，大约45%的英国资本投向了美国和白人聚居的殖民地，20%投向拉丁美洲，16%投向了亚洲，非洲也获得了13%。1865年到1914年间，英国通过证券的公开发行所筹集的资本，投向非洲、亚洲和拉丁美洲的金额与投向英国自身的金额一样多。即便是第一次世界大战和经济大萧条所产生的结果也没能改变这个模式。众所周知，英国在发展中地区经济体系中的投资，主要形式是基础设施的股份投资，尤其是铁路以及港口设施的投资。但英国也直接投巨资在种植园的新经济作物的生产上，如茶叶、棉花、木蓝和橡胶。

有人认为，在第一个全球化的时代里存在一定程度的“卢卡斯效应”——换言之，英国的资本更愿意流向国内生产总值较高的国家，而不是相对贫穷的国家。这种喜爱富裕国家的偏见，同今天的情况相比要好许多。1997年，只有大约5%的世界资本存量，投在人均收入低于美国人均国内生产总值或是只有美国水平1/5的国家中。1913年，这个比率是25%。在1995年，发展中国家总的国际债务份额占到11%，相比较之下，1900年的数字是33%，而在1938年则是47%。1914年几近一半的国际资本总量被投到人均收入低于或是只是英国水平的1/3的国家中去。而对那些贫穷的经济体制的总投资量中，英国就占到几乎2/5的份额。过去和现在的对比是相当惊人的。但是，今天的富裕国家喜欢相互间“交换”资本，大多数只是回避贫穷的国家。一个世纪之前，富裕的经济体制对世界上较穷的国家有非常巨大的净投资金额。

向遥远的地方投资金钱，总是非常冒险的一件事，正如经济学家所称的：贷方与借方离得越远，信息的不对称性一般就越大。经济相对不那么发达的体制一般受经济、社会和政治危机的影响更大一些。那么，为什么1914年前的投资者们愿意拿如此高比例的存款，去冒险购买海外的股票或是其他资产呢？可能的一个答案就是发展中的经济体制采用了金本位，为投资者提供了某种类似“良好家政的许可印章”的保证书。1868年只有英国和一些经济从属国——葡萄牙、埃及、加拿大、智利和澳大利亚拥有按需可兑换黄金的货币。法国和“拉丁语系货币同盟”（如意大利、西班牙等——译注）的其他成员，还有俄罗斯、波斯以及一些拉丁美洲国家都是复本位（金和银）体制，而大多数世界上的其他国家采用的是银本位。然而，到1908年，只有中国、波斯和少数几个中美洲国家仍旧采用银本位，金本位已经成为全球货币体系，虽然实际操作中，一些亚洲的经济体系，尤其是印度，采用金汇兑本位制（即是将本地货币兑换成英镑，而非黄金），而欧洲和美洲的一些“拉丁语系”的经济体系，从技术角度上，并没有纸币与黄金之间的可兑换性。这一套国际固定汇率的体系可能促进了国际贸易。同黄金挂钩也是货币和财政廉洁的一个信号，很可能促进了周边国家进入西欧的资本市场。这是一个承诺机制，一种肯定政府会避开不负责任的财政和货币政策方式，譬如滥印纸币或拖欠债务。对黄金可兑换性的承诺，减少一个国家债券收益的大约40个基点。简单来说，那就意味着那些采用金本位的国家去伦敦债券市场借钱，所付的费用可以更加便宜。

然而，作为一项视条件而定的承诺来说，金本位体系的成员只是作了在某些特定的情况下自我约束的承诺。当处于紧急情形下，如战争、革命或是一场突发的贸易条件的恶化，这些国家仍然保留取消黄金可兑换性的权利。实际上，这些紧急情况在1914年之前是屡见不鲜的。阿根廷、巴西和智利在1880年到1914年之间，均经历了严重的金融和货币危机。到1895年的时候，所有这三个国家的货币对英镑已经贬值大约60%。这就表明，他们支付外债利息的能力出现了严重的问题，因为这些利息都必须以硬通货（通常是英镑）来支付，而不是国内货币。阿根廷从1888年~1893年一直拖欠债务，而巴西则在1898年和1914年发生了同样的事情。换言之，把全部信心寄托于一个国家采用金本位制的投资人并不能获得这个国家不会赖账的保证。（实际上，从19世纪70年代中期到19世纪90年代中期是黄金相对短缺的年份，一些国家更有可能拖欠债务。因为下跌的商品价格使得他们更加难以从出口产品中赚到他们所需的硬通货，用以支付面值为黄金的外债利息。全然不同的是一种在英国直接统治下强加的承诺。这就等同于一个无条件"不赖账"的保证——投资人必须面对的唯一的不确定性是对英国统治的期限的预期。1914年以前，虽然民族主义运动从爱尔兰到印度都有所成长，但是它们在政治上的独立看来依旧是遥遥无期，即便是几个大的白人聚居的殖民地，也仅被授予非常有限的政治自治权。而且，英国人在他们的殖民地上强加了一套特别的制度，非常有可能提高它们对投资者的吸引力：不仅使用以黄金为基础的货币，还采用经济开放（除了自由贸易，还有自由资本移动）和平衡预算法，更不用说法治（特别是指英式的财产权法）以及较为清廉的行政管理了。换言之，如果投资人把钱放在已经获得独立的金本位国家里，他们得到的无非是不滥印钞票的承诺。而投资人要是把现金放在这些殖民地中，他们不仅可以指望货币价值的可靠性，而且还可以仰仗维多利亚时代所有的"公共产品"。因此，如果投资者认为澳大利亚的信誉比阿根廷的信誉好不了多少，或是加拿大的信誉比智利好不了多少，就有些不能让人理解了。

我们能够以两种方式来衡量“帝国效应”对国际资本流动的影响：流入英属殖民地的资本量以及那些殖民地所支付的利率。根据可以获得的最佳估计，英国向世界其他地方输出的证券投资的累积量中超过 2/5（42%）流向了英国殖民地。第一次世界大战前夕，海外股票投资中在帝国属地的比例还要高，达到 46%。并且很清楚，帝国属地可以比独立的国家（或者其他大国的属地）以更低的利率借到钱。1870 年到 1914 年期间，英国及其属地是债券平均盈利最低的国家之一。相比之下，拉丁美洲经济体制发行的债券的盈利要高得多，这些经济体制也吸引了巨大的英国资本的注入，尽管这些地方并没有被英国直接统治。举一个例子，阿根廷发行的债券比印度发行的债券的收益高出了 200 个基点。1870 年到 1914 年期间，在债券收益数字可以获得的 23 个国家中，大英帝国的 5 个成员国属于利率最低的国家，这一点着实令人吃惊，所有这些国家的利率平均都低于 4%。在伦敦，只有挪威和瑞典可以以低于新西兰和澳大利亚的利率水平进行借款。起初阶段还游离在帝国之外的埃及，在 1882 年成为了英国的一个事实上的殖民地之后，经历了债券平均收益从 10.1%（1870 年~1881 年）的水平到 4.3%（1882 年~1914 年）的大幅下降。这种差别在两次世界大战之间尤为明显，许多独立的债务国在此期间经历了重大的债务拖欠，其中包括阿根廷、巴西、智利、墨西哥、日本、俄罗斯和土耳其。因此，最迟到 20 世纪 20 年代，帝国的成员身份就被确认为是比金本位还要可靠的“良好家政的许可印章”。历史经验表明，把钱投资于印度这样的在法律上隶属于英国的殖民地，或类似埃及这样的国家，比投资于阿根廷这样的独立国家要稳妥。反过来，在伦敦筹集资本时，由于英属殖民地偿付的利息很低，因此也不太可能像其他新兴市场一样陷入对境外债权人支付的利息要超过新贷款和境外投资流入资金的金额所导致的那种债务陷阱之中。

帝国成员为投资人提供了更好的安全保障，这并不让人惊奇。世纪之交，英国建立了新的立法，具体体现在“殖民地贷款法案”及“殖民地股票法案”中。这两个法案给殖民地债券以等同于英国政府永久公债券的基准，即“联合公债”的受托管理的地位。在信托储蓄银行持有的国家债务比率不断上升的时期，这个措施为殖民地证券市场起到了重要的推动作用。此外，第一次世界大战之后，财政部与英格兰中央银行之间达成的一致意见认为，英国属地发行的新债券应当比独立的海外国家所发行的新债券享有优先受偿权。甚至在起草殖民地宪法时，债权人的优先受偿权也得到了重视。1933 年，一名殖民地总督说，黄金海岸的债券应缴纳的利息应当被强行降低，真是叫人难以相信：为什么英国投资者愿意“救济另一个享受着所有的好处而唯独不承担他们应尽责任的国家呢”？20 世纪 30 年代，当纽芬兰英联邦自治区处在拖欠债务的边缘的时候，由艾默里勋爵带领的皇家管理委员会建议解散其议会，并将其政府委托给一个 6 人组成的委员会，皇家总督由伦敦方面指派。艾默里勋爵的报告中明确指出，他和他的委员会认为，结束自治政府的决策比债务拖欠的罪责要小得多。

英国的海外投资在第一次世界大战结束以后，投向帝国的比例不断增加，这也就不足为奇了。1900 年到 1914 年期间，大约只有 2/5（39%）的英国海外资本流向了帝国。但在第一次世界大战之后，平衡改变了。20 世纪 20 年代，帝国占伦敦市场所有新债券发行的 2/3 左右。1924 年，约翰·梅纳德·凯恩斯作了一个尖刻的评论，他写道“南罗得西亚（津巴布韦的旧称，非洲中部的一个地方，有几万白人居民以及不到 100 万的黑人居民）竟能够获得一份无担保的贷款，而且贷款条件与我们自己（英国）筹集的战争贷款已经没有多大区别了，这实在是了不起”。让他同样感到“奇怪”的是，“居然还有对购买伦敦铁路债券和英格兰东北铁路债券不感兴趣，而对尼日利亚股票（这种股票没有英国政府的担保）更热衷的投资者”。凯恩斯的观点是，这个现象不符合英国自身的经济利益。它的失业率同战前相比一直居高不下，而且不断有证据表明工业生产发生了停滞。在这种情况下，资本输出看起来就是资源分配不当的做法。但是凯恩斯没有思考从这种廉价英国储蓄中殖民地经济所能获得的利益。从帝国的角度，而非狭隘的民族国家利益的角度来看，鼓励富裕的帝国中心的储蓄向周边发展地区流动是非常必要的。除了确保英国投资者能够定期收到偿付的利息以及本金以外，帝国体制还有益于全球的经济增长——当然，这比凯恩斯所思考的那种替代政策——即将英国的工业生产和就业率放在优先位置——更为有益。

帝国的疏忽罪

帝国全球化所导致的结果在许多方面是令人惊讶的。自由贸易、大规模移民和低成本的英国资本将帝国统治下的绝大部分地区推到了世界经济发展的最前沿。就制造业的人均生产量而言，加拿大、澳大利亚和新西兰1913年的排名在德国前面。实际上，加拿大的人均国内生产总值在一次世界大战之前的90年时间里比美国的增长速度要快。

但是有一个问题。自治领地的经济表现与帝国的其他地区不相符，最明显的就是亚洲，那里本应是帝国皇冠上的一颗璀璨的宝石。这就提出了一个关键性的问题。为什么印度的经济表现比帝国的其他地区差那么多呢？1865年到1914年间，所有在伦敦筹集的向帝国投资的总额中有18%被投放在印度——即2.86亿英镑，仅次于加拿大所获得的数目。然而，印度的人均国内生产总值的增长速度慢得可怜。1857年至1947年间——就是在德里兵变（1857年）与独立（1947年）之间的阶段——只上升了19%，而英国本土人均收入的上升幅度在134%。1820年到1950年间，印度每年仅增长0.12%——以白人帝国的标准来看，几乎根本没有增长。即便与英属非洲地区相比较也是望尘莫及。

这是现代经济历史的主要难题之一。印度是被迫接受自由贸易和西方的商贸标准的，西方强加予它的力度大于其他任何一个大规模的经济实体。

然而，其产生的结果是受到限制的工业化和停滞不前的经济。相比之下，美国抛弃了英国的统治，而采用了贸易保护性的关税制度，平均在进口产品上征收44%的关税，这就是我们现在要谴责的那些发展中国家所采取的措施。其结果如何呢？到19世纪末为止，美国的经济表现很大程度上赶超了英国。如果印度经济的衰落可以被归咎于英国，那么反对自由帝国的理由便开始显得非常有力了。

对民族主义者来说，印度在英国统治下“不发达”有四个基本原因。第一，英国通过兰开夏郡的工厂生产的纺织品打开印度市场，从而限制了印度的工业化。兰开夏郡的生产制造商起初在与印度的竞争中受到保护，直到他们确立了技术上的领先地位。第二，他们强加了不合理以及递减的税收制度。第三，他们使得印度资本“外流”，甚至为了他们自己的利益，操纵卢比与英镑的汇率。第四，他们对这些政策所引发的饥荒又放任不管。一位近期的历史学家甚至将19世纪70年代和19世纪90年代称之为“维多利亚时代末期的大屠杀”。这种对英国在印度起着负面作用的观点可以追溯到达达拜·挪罗齐的《印度的贫穷与非英国统治》（1901年），此书的观点至今仍在广泛流传。它也许是反对自由帝国的观点中唯一的、最为有力的证明。

维持一支由英国支配的，世界最大规模常备军之一的雇佣军部队，实际上对印度经济并没什么有益之处，这一点是毫无疑问的。然而，近期的研究使人对民族主义者批评的其他方面产生了怀疑。印度的历史学家特丹·罗伊已经说明印度纺织业的就业机会的糟糕局面也许是不可避免的，不管谁来统治印度。而英国人在新的经济领域为印度人造就了同等数量的就业机会，甚至还要多。即便是在纺织行业中，印度殖民政府到20世纪20年代的时候已经明确了一点，将优先选择给予印度制造商，而不是兰卡夏郡的制造厂。而且，说英国人统治下的税收制度非常过分而且不合理也缺乏根据，因为印度土地税的负担从19世纪50年代的10%的净产出水平下降到了20世纪30年代5%的水平。所谓的印度的资本“流失”到了英国，结果也没有想象中的那么夸张。根据出口盈余（这是民族主义者经常挂在嘴边的数据）的一项估计表明，19 世纪 60 年代到 20 世纪 30 年代期间，大约只有 1%的印度的国民收入流入英国的腰包。无论如何，上缴英国的那个声名狼藉的“宗主国管理费”中，大部分是为了支付着印度人确实需要，但自己却无力承担的公共服务。最后，困扰印度经济的饥荒就其根源来说，天灾的成分远远超出了人祸，并且在 1900 年以后，这个问题通过印度食品市场的进一步的整合有所缓解。1943 年的孟加拉大饥荒的起因恰恰是来自第二次世界大战的压力，致使英国对孟加拉统治的崩溃。

英国的统治显然给印度带来了一些积极的成果。从贸易收入占国民收入比例 1%到 2%，到 1913 年时超过了 20%的水平，它极大地增加了贸易的重要性。英国人创建了一个统一的印度市场：他们统一了度量衡单位以及货币，废除了运输关税并且引入了更为明确的保护私人财产权利以及合同法的法律构架。他们花巨资来修缮和扩大这个国家古老的灌溉系统，使得 1891 年到 1939 年间，灌溉面积增加了一倍之多。他们改造了印度的通信系统，引入了邮政和电报系统，在内河航道中部署了蒸汽船，并修筑了超过 4 万英里的铁路轨道（大约是同时期中国建造铁路总长度的 5 倍）。到英国统治的最后十年时间，单单修筑铁路网的工程就雇用了超过 100 万的工人。最后，金融中介活动也得到了出色的发展。正如罗伊所总结的那样：“如果印度不是因为与英国在政治上有着如此紧密的联系，无法使人相信印度的铁路，港口，重要的灌溉系统，电报，卫生和医疗，大学，邮政系统，法院这些系统会获得如此巨大和长足的进步……英国统治者所做的事看起来远远超出了印度先前的王朝以及当代印度政权所能够做的。而且他们在印度的统治也有可能还减少了社会的不平等。的确，与它在其他大的亚洲经济体制下的国家相比较起来，印度发展得非常好。那些大的亚洲经济体制在此阶段中始终处于亚洲政治的掌控之中。19 世纪 80 年代到 20 世纪 50 年代，中国的人均国内生产总值实际上缩水了 17%，大约相当于印度收入上升的幅度。虽然中国的麻烦很大程度上是非正式的欧洲帝国主义以及后来日本殖民主义所导致的破坏性后果。但我们至少可以说，如果英国的正式统治能够被延伸，越过香港这样的所谓条约口岸的前哨基地的话，历史上，这个国家在经济上也许会发展得更好一些。

姑且不论印度和加拿大这两个国家拥有截然不同的自然资源这一事实的话，印度的表现不如加拿大的原因并不在于英国对它的剥削上，而是在于英国人对于印度经济的干预还不够充分。英国人扩大了印度人的教育，却未能达到对其人力资本的质量产生真正重大影响的水平。1881 年到 1941 年间，印度接受教育的人数上升了 7 倍，但是接受小学及中学教育的人口比例远低于欧洲国家的比例（1913 年印度的比例是 2%，而英国的比例是 16%）。英国人在印度进行投资，但却不足以使大多数印度农民脱离温饱的底线，当然也不足以偿付当地低得可怜的资本构成的水平，而且这个水平由于受囤积黄金的风俗习惯的影响变得更加恶化。英国人建造了医院和银行，但却不足以大幅度改进公共健康水平以及金融信用网络。这些就是帝国犯下的疏忽罪，比干预罪要严重得多。不幸的是，对于印度人来说，1947 年上台的民族主义者非但没有就英国统治所犯的错误得出一个正确的理解，反而得出了一个完全错误的结论，他们决定采用苏联的模式，建立一个在国家控制下的自给自足的封闭经济，这个计划的成果进一步拉开了印度人和英国人的收入水平的差距。到 1979 年，这个差距达到了历史的最高水平。

自由帝国的教训

经济历史学家无疑会继续争辩，以经济财富的“巨大差异”为特征的 20 世纪下半叶究竟是什么原因造成的。如果环境因素为全球不平等的分化提供了充分解释的话，那么英国帝国主义所输出政治和制度的重要性则微乎其微。农业、商业和工业技术在欧洲自从1700年以后，在拥有便利航海路线的气候温和的地区必定发展得更好。然而，正如前文所述，如果经济成功的关键在于采用了正确的司法、金融和政治制度，那么在19世纪末，1/4的世界为英国所统治的事实就非常重要的了。即使是在热带地区，英国人也努力介绍着他们的制度，他们相信这是可以使社会繁荣富强的基本要素：自由贸易、自由移民、基础设施投资、平衡预算、可靠的货币、法治以及廉洁的行政。如果跟英国人聚居地殖民地比起来，非洲和印度的结果是不甚理想的话，那是因为在过度炎热、疾病滋生，或是为陆地所包围的地方，即便是最好的制度也回天无力了。在那里的投资需要克服地理、气候，及与之相伴随的给人力资本所带来的破坏性的结果。但这些要求远远超出了那些接受过平衡预算和低税收的维多利亚时代的传统财政教育的殖民官员们的想象力。当然，那些在独立后由于采用了截然不同的政策而获得成功的政府也只是极少的个例而已。

2002年11月，英国外交大臣杰克·斯特劳告诉《新政治家》杂志说："我不是自由的帝国主义者。自由主义有很多地方是错误的，即指以大写'L'开头的那个自由，我是以小写的'l'开头的那个自由主义者。而且帝国主义也有很多错误的地方，我们现在不得不处理的很多问题都是我们过去殖民所造成的后果。"本书论点的中心是，自由帝国主义确实存在过，而且从总体上来看，它是好东西。从19世纪50年代到20世纪30年代，英国管理其幅员广大的全球帝国的理论和实践方式基本上都是自由主义的。它促进了自由贸易、自由资本移动以及自由移民。殖民地政府平衡了他们的预算，将关税维持在低水平并保持稳定的货币。法规被制度化了，行政管理上相对比较清廉，尤其是高级管理层。当经济和社会的发展水平被鉴定为表现出良好的迹象，权力才会被逐渐授予那些代议机构。这个政策的"混合体"鼓励了英国的投资者，将巨大的资本投入贫穷国家，并以相对较低风险的回报作为要求。要想让火车和蒸汽动力这样的新科技进入政治上已经独立的那些国家的话，可能不会那么快，成本也不会那么低。自由帝国主义所产生的后果无疑也是好坏参半的。并不是所有地方都如白人聚居的殖民地成长得那样快。但即便是那些国家（就像印度）的人均收入水平的增长相当缓慢，但几乎肯定会好过它们在其他政治体制下的光景。

综上所述，我们可以得出两个结论。第一，在许多经济“落后”的案例中，自由帝国可以比民族国家的政府发挥更好的作用。然而第二，即便是非常有能力的自由帝国也并不一定能成功赋予所有管辖领域以同样的繁荣。有了这个告诫，我们便可以为美国在我们这个时代效法自由帝国主义找到可以被称之为是毫无私心的根据了。举一个例子，像利比里亚这样的国家是一定会从类似美国殖民管理中受益匪浅的。利比里亚是表 7 中那些几乎在所有方面都没有希望的国家之一。政治腐败以及内战使它在人类发展方面降到了国际排名的最底部。2003 年，当该国经历了查尔斯 · 泰勒短暂的独裁统治，更陷入无政府混乱状态的时候，美国挑起了派遣部队去门罗维亚建立秩序的重负。当然，从某种角度来看，这恰恰是共和党人先前指责克林顿政府的那种人道主义干预事业。这个地方所需要的是很清楚的：国家的重建而并非仅仅是政权变更。如果非洲有哪一个国家是需要美国来负历史责任的话，那就应当是利比里亚，只有这个非洲国家在 19 世纪的时候是被美国殖民过的国家。目的是为了使前奴隶们能在被解放后，回到他们的“家园”。在自由帝国的可能性非常之大的 20 世纪，还有什么地方比悲惨的利比里亚更能成为好的选择的呢？在那里，政治独立是不被祝福的，是被诅咒的，民族自决的结果实际上意味着自我毁灭。

事实上，当我写这本书的时候，美国对利比里亚的干预已经结束，这就给我们提出了下一个，从很多方面来讲也是极为重要的一个问题：美国是否有承担这一长期的任务的能力。如若不然，这个自由帝国的计划，不管人们如何用其他的称呼来对它加以美化，是否注定要失败呢？

第六章

撤退和“有组织的伪善”，孰优孰劣？

我们的部队并不是作为征服者和敌人来到你们的城市和土地的，而是作为解放者……强加给你们外邦人的制度（不）是（我们）政府所希望的……（我们所希望的是，）你们甚至应当和过去一样繁荣，那时你们的土地是那么的肥沃，你们的祖先带给世界文学、科学和艺术，那时的巴格达是世界奇迹之一……（我们所希望的是，）你们的哲人和作家们的灵感得以实现，巴格达的百姓当再度兴旺，在神圣律法和激进理想相和谐的制度下充分享受他们的财富与物质。

F·S·茂德将军致美索不达米亚人民　1917年3月19日

伊拉克政府和你们祖国的未来很快将属于你们……我们将结束一个残暴的政权……伊拉克人民可以安全地生活。我们将尊重你们伟大的宗教传统，这些传统的平等和同情的原则对伊拉克的未来是必需的。我们将帮助你们建立一个和平的代议制政府，以保护全体公民的权利。然后，我们的军队就会离开。伊拉克作为一个统一、独立并且有主权的国家将再次赢得世界的尊敬。你们是优秀的、极具天赋的人民——一个为全人类作出贡献的伟大文明的继承人。

总统乔治·W·布什致伊拉克人民　2003年4月4日

罗马人无论攻占哪里，他都居住在哪里。

塞内卡

重新思考美索不达米亚的先例

今天的美国自由帝国与大约一个世纪前的大英帝国是否有些相似？对此表示怀疑的人们应当好好思索一下本章的引语。1917 年攻占巴格达的英军指挥官所作的那段优美的演说被布什总统在美军占领巴格达伊始，对伊拉克人民作的电视演讲中又被回放了一遍，当然这肯定不是故意的。两支操英语的部队都在数周之内就能够从南部横扫至该国的首都。两个政府都否认了任何直接统治伊拉克的想法。他们同样用语义含混的说法，声称下一步计划是建立一个伊拉克政府，它至少具有为大众所接受的合法性。两个情形还有相似之处。他们都发现，强制实施法律和维持社会秩序都远比取得初期的军事胜利困难得多：1919 年的整整一年中，英军士兵不断被持枪歹徒击毙，于是不得不使用大规模空中打击来平息 1920 年夏的叛乱，这次行动中有 450 名英军士兵阵亡。两种情况下都出现过占领者能够全身而退的诱人时机，以至于可以避免付出进一步的代价。最后，促成这两次军事占领行动的原因都包括伊拉克拥有的巨大的石油储备——这一点在 1927 年得到盎格鲁–波斯石油公司的证实。虽然这不是占领的主要原因，但也不是完全没有关系的。

然而，也有不同之处。其中之一就是关于伊拉克的未来，美国与联合国之间产生了紧张关系。第一次世界大战后，英国没有遇到这样的困难。当时，国际联盟，可说是联合国的前身，通过指定伊拉克为英国“托管地”之一，使得英国人在美索不达米亚的统治多少具有合法性质。很难想象，当时作为殖民地大臣的温斯顿 · 丘吉尔如果以今日乔治 · W · 布什总统在 2003 年 9 月呼吁联合国协助的方式，在 1921 年呼吁国联增援会是怎样的情况。这也不是英美在伊拉克经历上的唯一不同之处。从两个基本方面讲，英国人统治是基于一种长期的承诺。1923 年英国人做出让步，同意他们从原先设想的 20 年占领缩短至 4 年，无论是哪一种正式安排，他们的意图都是要在伊拉克可预见的未来中，继续掌权。其次，有足够的英国人愿意在巴格达付出生命的巨大代价使得英国人的影响力在 40 年中具有持久性。英国和美国的占领者都许诺他们会很快将权力移交给伊拉克人民然后离开。区别在于，美国人可是当真的。他们是真的想撤军回家。

“千万不要到那里去!”这是在纽约每天都可以听到的一些政治宣传标语之一。这则标语准确地总结了这个问题。尽管那个国家有巨大的财富以及杀伤性武器，美国人对军事占领没有兴趣，但若没有此类行动，建立一个持久的、真正的帝国是不可能的。他们不愿意“去那里”——如果他们不得不去，他们就开始计算着日子，直等到他们可以回家的那一天。也就是说，美国人总是想避开帝国的边缘地带，而蜷伏在帝国的中心。

一次性的帝国

对于美国在伊拉克的瞬间统治的结束，世界不必等太久时间就得到了象征性的信息。2003 年 4 月 9 日，就在巴格达沦陷的那一天，海军下士爱德华 · 秦在天堂广场的萨达姆 · 侯赛因铜像上覆盖上了美国国旗。然而仅几秒钟之后，秦便拿掉了星条旗，并以海湾战争前的伊拉克国旗取而代之。如此快速的调换大概是为了向伊拉克人民再次保证，他们正在经历的确是一场解放，而不是征服。正如小布什总统在伊拉克首都沦陷不久之后，对伊拉克所作的电视讲话中所说的那样：“伊拉克政府和你们祖国的未来很快将属于你们……我们将帮助你们建立一个和平的代议制政府，以保护全体公民的权利。然后，我们的军队就会离开。”

但是究竟什么时候离开呢？在下士科玛·冯·查纳旺及他所在的部队单位进入伊拉克之前，这位年轻的士兵在他寄给家里的最后一封信中开了一个玩笑，说他在科威特的营地使他想起了电视连续剧《流动野战医院》里的情景——只是这句话应该变成：“海军陆战队要在这里永远呆下去”。一个星期之后，查纳旺下士的两栖作战装甲车在奈西利雅被炸，他牺牲了。他死前开的最后这个辛辣的玩笑正暗示了他和他的战友们迫不及待地完成任务后回家的心情。布什总统5月1日登上亚伯拉罕·林肯航空母舰，发表了一篇为时过早的胜利演讲，他直接提到的一个愿望同查纳旺下士不谋而合：“历史上，其他国家在海外打仗后会继续占领当地，对占领地进行剥削。我们美国人，打完一仗后，除了想回家以外，什么都不要。”

2004年，美国对伊拉克的占领仍在继续中，只有一个方面是很清楚的：时间不会很长。小布什总统在战前对美国企业研究所所作的演讲中保留了自由选择的权利：“我们将按需要驻留伊拉克，一天也不多待。”然而，让人感到震惊的是，他使用的时间单位是“天”。就在巴格达沦陷前几天，国防部常务副部长，保罗·沃尔福威茨还建议第一个接管这个国家的美国人杰伊·加尔纳将军的“重建和人道主义援助办公室”至少运行6个月，加尔纳本人则说90天。自从那以后，期限就开始以一周变一次。即将离职的美国中央战区司令汤米·弗兰柯斯将军似乎建议，占领期在两年到四年之间。然而，到了7月份，新的驻伊最高行政长官，L·保罗·布雷默告诉记者：“盟军要在这里驻留多久，实际上完全掌握在伊拉克人民的手中，”他又补充道，“如果不是出于需要，我们不想在这里多待一天。”同月晚些时候，他预计伊拉克大选将于2004年中举行，然后就可以把权力从布雷默的盟国临时管理当局移交给当选的政府了。之后，如他所说，“我在这里的任务也就结束了。”9月26日，国务卿科林·鲍威尔对《纽约时报》说，美国任命的伊拉克管理委员会将用6个月时间为这个国家起草一部新宪法，在那之后，将举行大选，权力将被移交给选举获胜的一方。11月1日，布雷默又重申，他的目标是“在可操作的前提下，尽可能快地将伊拉克的主权还给伊拉克人民”。就在当月，他被华盛顿召回，讨论如何加速权力移交工作。11 月 15 日他就宣布了任命而非选举产生的伊拉克临时政府，将在当年 7 月接管伊拉克，而将大选和宪法的制定推迟到了下一年。

简而言之，如果美国人说他们是作为解放者而非征服者出现，他们看起来是很认真的。正如，如此多的评论家所言，如果美国正着手于帝国新时代的事业，它将塑造的是历史上最为短暂的帝国。其他的帝国建造者都会做着统治别国臣民的千年美梦。而伊拉克恐怕会成为历史上的第一个千日帝国。

美国的选民要求海外干预中展示的积极成果至少在两年，最多四年内体现出来，这对美国行政当局无疑是一大约束。除此之外，还有一个可以对短暂的海外干预做出重要解释的因素，那就是，美利坚帝国要找到合适的人去管理 那个地方是一件非常困难的事情。美国的高等教育机构在培养青年干才上，作出了卓越贡献。实际上，美国最好的大学就是全世界最好的大学，这一点没有太大的异议。但是很少有哈佛、斯坦福、耶鲁或普林斯顿毕业的高材生愿意殚精竭虑，把像伊拉克这样一个被太阳烤焦的沙坑变成保罗 · 沃尔福威茨想象中的一个繁荣富强的资本主义民主社会。美国最聪明最优秀的人才不希望统治美索不达米亚，他们想的只是如何经营管理MTV；他们不要统治赫亚斯（位于沙特阿拉伯），想的只是如何操作对冲基金。一个世纪之前的英国先辈们，他们离开英国精英大学的时候满怀帝国情结，而野心勃勃的年轻美国人希望看见自己的名字后面跟着的字母是CEO（首席执行官）而不是CBE（大英帝国的司令勋章）。

就像今天的美国一样，英国人在第一次世界大战后，迫于来自国内和伊拉克民意的双重压力，不得不将权力移交给伊拉克政府。但是他们移交的速度非常缓慢，而且也不彻底。在他们占领期的头三年时间里，这个国家是由行政专员阿诺德 · 威尔逊爵士来管理的。他和他的助理，格楚德·贝尔女士对美索不达米亚实现自治后的实际生存能力表示怀疑。他们在几乎没有询问过当地人意见的情况下，就为全体伊拉克人民起草了计划，完全不顾那些反对将亚述人、巴比伦人、逊尼和什叶派教徒捆绑在一起的人们的忠告。“美索不达米亚并无真正愿望要成立一个阿拉伯人的政府，”1920 年，威尔逊信心十足地向英国内阁担保，“阿拉伯人喜欢英国人的统治。” 但在 1920 年的叛乱和T·E·劳伦斯公开对英国的政策进行激烈批评之后，这个策略才有所改变。T·E·劳伦斯是阿拉伯战役中的英雄。1921 年 3 月，劳伦斯在开罗召开的一次会议上，建议将这个国家的国王宝座授予他的朋友，也是战时盟友的哈希米特王子费萨尔，而这个国家将会转变为英式的君主立宪制王朝。在巴格达的纳基卜主持下，一个温和的部长委员会邀请费萨尔以国宾的身份来做客。并在 7 月 11 日 通过一致同意他为国王的决议。巴士拉的萨伊德·塔力布是所有具备竞争实力的对手中最危险的一个，他后来因胆敢使用“伊拉克人的伊拉克”这样的标语被捕，并被驱逐到了锡兰。 支持费萨尔的民意表决如期举行了，8 月 23 日他被加冕成为国王。就这样，英国创建了一个后来大家所知道的伊拉克，具有讽刺意义的是，这个名字的本意是“根基很深的国家”。

费萨尔绝不仅仅是个傀儡。正是他坚持要将英国托管的期限从 20 年缩短到只有 4 年。但即便在 1922 年英国–伊拉克条约签订之后，是谁在真正管理着这个地方仍是毋庸置疑的。控制伊拉克在战略上是至关重要的。它给了英国在中东所向无敌的优势地位。同时，在经济上，也是很具备吸引力的。当两名美国标准石油公司的地质学家在一次探矿考察中进入伊拉克时，英国行政专员将他们移交给了巴格达的警察局长。当人们在巴巴格格打出石油的时候，英国的接管获得了一笔可观的红利。虽然他们正式放弃了所有的权力，但是整个 20 世纪 30 年代中，英国在伊拉克仍保持着举足轻重的地位。1941 年 4 月，他们不费吹灰之力就从阿曼派遣了一支远征军，前往巴格达平息了那里发生的一次支持轴心国的政变。实际上，他们只是在1958年的革命中，英国代理人费萨尔二世和他的首相被刺杀后才真正失去了对这个国家的控制。总之，那里有大量的英国政府的代表、军人和文职人员，他们在巴格达存在了几乎整整40年的时间，从未间断过。当英国人进入伊拉克以后，他们便落地生根了。

格楚德·贝尔是牛津大学一等学位毕业的首位女性。1899年，她在去耶路撒冷的一次考古访问中，学会了说阿拉伯语。跟T·E·劳伦斯一样，她后来也为英国军事情报部门工作。1917年，她被任命为英国驻巴格达行政专员的东方事务秘书。这是她十分热爱的一份工作。“我不喜欢在伦敦待太久，”她这样写，“我喜欢巴格达，我喜欢伊拉克。这里是真正的东方，令人激动，这里正发生一些事情，它的浪漫故事触动了我，吸引着我。”有成千上万个像格楚德·贝尔这样的“东方通”点缀着整个大英帝国，在深深迷恋于具有异国情调的“外族”的同时，也在统治着那片土地。她对于费萨尔一世加冕礼的描述很好地诠释了他们操作的模式：“费萨尔看上去很威严但也非常兴奋的样子，这是一个很鼓舞人心的时刻。他沿着第一排看去，看到我的时候，我给他行了一个小小的致敬礼。赛义德·胡桑起立朗读了（英国专员）通告，他宣布费萨尔以96%的美索不达米亚人民的支持率当选国王，国王万岁！说到这里，我们起立并向他致敬，在他一边的旗杆上的国旗是残破的，乐队演奏着《上帝保佑国王》（英国国歌——译注）——他们那时还没有国歌。”对于像格楚德·贝尔这样的女性而言，在那里，秩序井然地小心监督这一精心编排好的政权更替仪式，显然是一件非常有趣的事情。她全然不会考虑将她送上一条回国之路的“退却战略”。

诚然，大多数移居海外的英国人会从少数几个精选的殖民地中选择，到气候温和的地带——加拿大、澳大利亚、新西兰和南非——这些国家很快就会成为半自治的英联邦国家。1900年到1914年间，大约有260万英国人离开英国，前往帝国的目的地去了（到1957年，总共有几乎600万）；3/4的人去了加拿大或是澳大利亚和新西兰。然而，也有很多人去了气候并不宜人的亚洲和非洲地域。1931 年，大约有 16.8 万人去了印度。而官方殖民地公职机构在非洲雇佣的外派人员超过 7 500 人。

英国人以多重身份去了海外：不仅作为士兵和行政长官，而且还有生意人、工程师、传教士和医生。就像今天的美国非正式帝国一样，大英帝国也有其非政府的身份特征，那里有维多利亚时代的跨国公司以及维多利亚时代的“非政府组织机构”。但是关键的一点是，不管他们扮演怎样的角色，总的来说，他们是留在了那里，一直到退休或者生命结束，无数的殖民地公墓证实了这一点。他们建立了无数的外籍人员聚居的社区，在管理大英帝国的过程中起到了关键性的作用。这些“在现场的人”是必不可少的，他们学会说当地的语言，也许吸收了一些当地的风俗习惯，虽然没有到“变成当地人”的致命程度，他们在遥远的帝国当局和本地的那些愿意与帝国合作的精英阶层之间充当中间人的角色。

在这点上，印度文官制度所扮演的角色至关重要，它强烈吸引着大学系统中最优秀的人才。在印度文官制度供职的牛津和剑桥的毕业生比例非常高，从 19 世纪 80 年代以后稳步上升超过了 70%。20 世纪 30 年代，2/3 印度文官制度的职员曾经在英国高级公立学校接受教育。3/4 的人曾经就读于牛津或者是剑桥。1938 年，印度的 8 个省级长官中除了一个例外，其余 7 个都是毕业于牛津大学的。约翰 · 梅纳德 · 凯恩斯到 20 世纪 20 年代的时候，变得相当蔑视帝国。他以印度公务员考试第二名而不是第一名来到印度事务部。在他如日中天的剑桥生涯中，这是他经历的很罕见的一次职业上的倒退。牛津与剑桥两大学的毕业生也愿意就职于地位没有那么高的一些文官机构，这些机构主管着英属非洲殖民地以及其他的英属亚洲殖民地。1927 年到 1929 年间，927 名文官制度的招聘人员中，几乎一半的人曾经在牛津或是剑桥念过书。还有数量可观的牛津毕业生就职于殖民地其他政府和私营部门代办处。

关键的一个问题是，为什么英国顶尖大学如此多的高材生愿意远离他们的出生地，去管理那些如地狱般炎热而且疾病滋生的国家呢？这里有一个典型的例子，就是埃文·马克诺奇，他是牛津的毕业生，通过了印度公务员考试后，1887 年出发来到了孟加拉，在印度一待就是 40 年。可以从他的凯尔特姓氏中找到一条线索。苏格兰人在海外四处为家，不仅在白人聚居的殖民地，也频繁地出现在像加尔各答、香港和开普敦这样的充满商贸机会和专业精英的城市里。在强制实施英国统治的地区，爱尔兰人起到的作用也非常之大，他们为英国军队输送了巨大比例的军官和军职人员。吉卜林笔下具有代表性的那个名叫穆尔维尼的无合同的印度军队军官，并非是生造出来的。这是因为苏格兰（尤其是北部）和爱尔兰（尤其是南部）比英格兰穷得多。对那些生长于多雨且贫瘠的英国边缘地带的年轻人来说，帝国为他们敞开了机会之门。移民所带来的潜在利益毋庸置疑地超过了在热带地区中生活的危险。就像香港银行为了要将招募的重点放在苏格兰职员而设立的“橡果粥陷阱”一样，牛津大学的贝利奥尔学院作为一条重要的渠道，为有志的苏格兰年轻人开通了从“英国北部”经牛津到帝国的路线。

然而单单从经济学的角度是不能够解释像马克诺奇这样的人的动机的。实际上，像格楚德·贝尔这样的牛津毕业的女生都如此热衷于这项事业。帝国冲动源于一种复杂的情感：不错，他们有种族优越感，但更重要的还有对传播基督教福音的热忱，以及经济利益的驱动。可以这么说，更重要的还有他们真诚地相信，传播“商贸、基督教和文明”不只是出于大英帝国自身的利益，而且也必将造福于大英帝国殖民地的臣民。

这与今天的美国人形成了最鲜明的对比。说得直白一些，美国现在所面临的最严重的困难之一就是长期存在的人才赤字。根本没有足够的美国人在别的国家搞国家重建的工作。

2004 年，伊拉克的美军军事人员短缺问题几乎是每个消息灵通的评论家所一致承认的，只有国防部长办公室例外。2003 年 9 月，美军部队的 33 个可以赴前线的战斗旅中有 16 个在伊拉克；该年年底，现役部队人员又增加了3.3万人，并动员了16.5万名国家后备军人和海岸警备队成员，其中很大一部分去了伊拉克。然而，即使有其他国家的支持，总共约1.2万人的美军部队也不足以在那个国家维持秩序。伊拉克内部的危机迫使美国政府不得不放下盛气凌人的架子，忍气吞声地寻求外国的增援，甚至向那些一开始就竭力反对战争的国家发出乞求。军事人员缺乏也正是自20世纪70年代早期以来，持续的部队精简所导致的直接后果（那个时候现役人员总数最高时达到300万，相比之下，今天的现役人员总数还不到140万）。确实，美国在2002年的海外服役人数与1881年英国的海外服役人数大致相当，都是刚刚超过25万人。但除此之外，就再没有什么相似之处了。英国那时候留守本土的部队人数不到其总数的1/3。而美国，则有超过4/5（82%）的现役军人驻扎美国本土。甚至，在1999年打得塞尔维亚不得不从科索沃撤军的B–2隐形轰炸机也是从密苏里州的诺布诺斯特飞出来的。同样令人吃惊的还有，美国军人在执行海外任务的时候，一般不会逗留很长时间。在伊拉克服役期定为一年的做法打破了30年前越战结束后引入的海外作战最小定额时间的纪录。

12个月的时间固然要比一名华尔街的投资银行家的海外公差的平均时间要长，通常他们是以天来计算的，但是这段时间并不长到足以能够获取许多当地知识。无论如何，我们不应忘记，美国的73个主要海外军事基地是在西欧，其中不少于25个是在德国，靠近像海德堡、凯泽斯劳腾这样的生活水平比美国一些州还要高的城镇。英国人把兵营建在敌对地区，恰恰是为了征服敌人。而今天的美国人将他们1/4的海外部队安置在当今世界上最繁荣并且最和平的国家之中。（当五角大楼觉察到当地居民对他们的一个国外前哨基地的严重敌对情绪的时候，比如菲律宾的苏比克海湾军事基地，他们便匆忙把那个基地给关闭了。）

然而，人力短缺问题不仅只是在军事方面。美国和一个世纪前的英国不一样，它是人口输入国，净移民比率为每1 000人中就有3个，海外出生人口达 3 200 万人（几乎等于每 9 个美国居民中就有 1 个）。而且，当美国人选择定居海外时，他们喜欢选择发达地区。估计现在有 380 万美国人定居海外——听起来有很多人，但那只是美国国外出生居民人口的 1/8。并且，美国外迁人口中，超过 3/4 的人生活在与美国为邻的两个国家里（100 万人在墨西哥，68.7 万人在加拿大）或是欧洲（刚刚超过 100 万）。中东的 29 万人中，几乎 2/3 的人是在以色列。仅有 3.75 万人在非洲。换言之，这是一个没有殖民者的帝国，或者他们根本就是大都市殖民者，他们是不会离开大都市而前往遥远偏僻的土地的。至少，美国作为一个吸引外国移民的国家，在其国境线外运用它的权力的能力有多大还尚未可知。也许，人们可以说，吸引海外精英学子来美国大学学习也是一种对当地精英层进行间接统治的方式，因为这是一种合作和协作的形式，更不用说文化认同了。但是，这很大程度上还要取决于这些海外留学生会在美国呆多久。因为他们中相当一部分不再回去了，所以对他们国家所产生的实际影响并不明确。

与英国情形的另一个对比是，美国精英教育机构的毕业生似乎特别不愿意去海外，除了短暂的访问或度假之外。美国人当中在海外逗留时间最长的是志愿兵，其中绝大部分是非洲裔美国人（他们占到美国人口的 12.7%，在编军队人员的 28.9%）。因此作家提摩西 · 加顿 · 阿什在 1999 年战争后访问科索沃，他用吉卜林（即“白人的负担”一说的始作俑者——译注）的话一语双关地说：这里（同越南一样）的“白人的负担”显然正由超出正常比例的黑人扛在肩上。当然，非裔美国人完全有可能将成为美利坚帝国的凯尔特人，他们不得不去海外冒险，因为国内他们所能拥有的机会相对要小得多，就好像 19 世纪的爱尔兰和苏格兰人一样。而实际上对伊拉克的占领无论持续多久，非裔美军军官职业机会将不断增加。战争期间，中央战区司令部的令人印象最为深刻的新闻发言人，文森特 · K · 布鲁克将军就是一个典型的例子。

然而，英国人总会对给予军界过多的帝国行政管理权一事十分谨慎小心。威斯特敏斯特的议员们为了要使将军们服从于文官殖民总督，他们阅读了足够多的罗马历史书籍。只有当本地人变得难以控制的时候，戴着有金色镶边帽盔的高级军官们才出现在那里，对他们施以维多利亚时代的那种“震慑”（Shock and Awe——即指伊战期间的那种美国军事战略）。否则的话，殖民地政府就是牛津–剑桥两校受过教育的高级文官们的天下。相比较下，有多少哈佛或是耶鲁 2004 届的毕业生会严肃认真地考虑在伊拉克战后的行政管理事业中谋求发展的呢？这个问题一定很有意思，因为这个数字可能很小。1998 年~1999 年，耶鲁大学有 43 683 名本科课程注册生，其中只有 335 名（不到 1%）的学生选择“近东语言和文化”的课程。而以此为专业的只有一名学生（无法同电影研究所开设的 17 门课程相提并论）。毕业后的情况也一样，美国学术精英们一般遵循的是电影《绿野仙踪》的一个主题思想：“没有什么比家的感觉更好的了。”根据 1998 年的一项调查显示，目前有 134 798 名在册耶鲁校友。他们中只有略超过 5%的耶鲁校友生活在美国以外。而生活在阿拉伯国家的耶鲁校友，刚刚超过 50 人。100 年前，牛津和剑桥的有志青年梦想着通过印度公务员考试从此踏上帝国殖民官员的事业征程。今天，美国常春藤联校的高材生们只把目光锁定在那些法学院和商学院，他们的梦想从定义上讲恰恰就是一个标准的美国梦。于是，这不仅是一个没有殖民者的帝国，更是一个没有行政管理团队官员的帝国。伊拉克最高行政长官 L · 保罗 · 布雷默本人虽然是一位经验丰富的外交家，从阿富汗到马拉维都留下了他的身影，但他手下的工作人员明显缺少中东的专业知识。他领导的伊拉克行政管理团队中，起初大概仅有 3 个人能够说一口流利的阿拉伯语。

有可能，哈佛肯尼迪学院中一些比较胆大的高材生会期盼与伊拉克管理委员会商榷其宪法的选择问题。也有少数几个明星经济学家会渴望能够为伊拉克做他们在 20 世纪 90 年代早期为苏联解体后的俄罗斯所做的一切。

但是我们可以很公平地确信一点，他们的工作将用每年几周时间的公差形式而非长期定居在那里。他们只是作为顾问，而非殖民者。对于常春藤联校的“国家重建”者们来说，他们可以建立一个独立的中央银行，改革税法，使商品价格自由化，将重大基础设施私有化——然后及时赶回美国参加他们的第一次同学聚会。

当然，美国人对他们事实上的帝国统治范围只愿意做短暂的访问，而不愿在那里定居下来。这个倾向是科学技术发展的功劳。早在 19 世纪 70 年代，英国就大致完成了他们全球的铁路和航道网络，但环游地球仍需 80 天，正如儒勒 · 凡尔纳（在《80 天环游地球》的小说里）赞美他故事里的主人公菲利亚斯 · 福格一样。而今天，环游全球只需三天时间。问题是，伴随着毋庸置疑的现代技术优势而来的是与世界脱节的劣势。2003 年初，在伊拉克问题发生外交危机期间，国务卿科林 · 鲍威尔曾被批评仅依靠电话来执行他的外交政策。而鲍威尔反驳道，那一年中，他已经两度出访海外，但是他这两次公差的目的地和时间，有些奇妙：一次是去了瑞士的达沃斯，为了参加那里召开的世界经济论坛（1 月 25 日~26 日），另一次是去了远东（2 月 21 日~25 日）。这两次公差取得了什么样的成果是可想而知的——但如果国务卿鲍威尔访问的是巴黎和安卡拉有可能取得的又会是什么样的结果，我们只能妄加猜测而已。

美国的高层官员并不仅仅是喜欢温馨家庭的安逸和舒适。就在 2001 年 9 月发生恐怖袭击不久前，一位前中央情报局特工承认在中情局“可能连一个真正合格的官员都没有——他要讲阿拉伯语，拥有中东背景——一个让人信赖的正统伊斯兰教教徒，他还得在阿富汗的山区度过数年，没有女人，只有糟糕得无法形容的食物”。“看在基督的份上，”他继续说道，“大多数的专案情报官员住在弗吉尼亚的郊区。我们从不从事这类事情。”用一个专案官员的不朽名句来说，“以腹泻作为一种生活方式的行动最好不要发生。”在“9 · 11”恐怖袭击事件刚发生之后，一位中央情报局官员在他的办公室外悬挂了一张告示，上面这样写着：“需要能够执行危险之旅的军官。薪资低、工作环境严寒、漫长的数月时间必须得在黑夜中度过、不时有险情发生、是否能够安然无恙地返回尚未可知、荣誉和嘉奖是任务获得成功之后再考虑的事情。”这恰恰反映了他对中情局的反潮流态度。值得注意的是，这正是英国探险家欧内斯特·沙克尔顿在他1914年远征南极前所使用的一张招聘海报。而在伊拉克入侵之时，寿命短暂的“重建和人道主义援助办公室”的官员们也从大英帝国找到了灵感：它依靠退休的、尼泊尔裔的英国廓尔喀士兵在科威特军事基地周围提供安全保障。

那么，自吹功劳很大的志愿者部门，即那些政府的和非政府的援助机构又如何呢？它们是否能够在现场提供在政府部门很难觅到的美国人呢？自20世纪60年代以来，这个机构做了很多工作，引导有理想的年轻美国人参加和平工作队，进行我们现在称之为“国家重建”的工作。自从1961年以来，超过16.8万名美国人参加了这个组织，在136个国家中从事着多种民间事务方面的工作。今天的和平工作队大约只有6 678个志愿者，比1982年的5 380人的低水平有了进步。和平工作队当然吸引的是符合要求的人才：输送志愿者最多的大学是加州大学的伯克利分校和哈佛大学，还有很大比例的成员来自一些顶尖的文学院，像达特茅斯学院、塔夫茨大学和米德尔伯里学院。然而，志愿者的总数仍只达到1985年1万人的目标的2/3，那个目标本来按照国会的要求，在1992年就预定要达到的。

无论如何，我们都不应当对和平工作队这样的机构寄予过多希望。民间援助机构会像旧时代的传教士一样在协助那些试图管理像伊拉克这样国家的人们的同时，也给他们造成一定的麻烦。一个关于新的“人权帝国主义”的难以启齿的事实真相是，每次国际危机很快就会吸引一群群的援助者前来协助，但他们的努力并不总能发挥有效的辅助功能。如果美国成功地在伊拉克维持了法律和秩序，经济生活很快将得到复苏，到那时，经济援助就会显得是多余的。从另一方面来讲，如果强加的秩序失败了的话，援助工作者们将只是任人杀戮的对象。

继吉卜林之后，约翰·巴肯也许是英国帝国产生的其作品最值得一读的作家了。在惊悚小说《绿斗篷》中，他把帝国主义的英国拟人化的写法让读者难以忘怀。这体现在小说人物桑迪·阿巴斯诺特这个老谋深算的东方学者身上，他在麦加时被人当作是摩洛哥人，在白沙瓦又被看作是阿富汗人。阿巴斯诺特的对手就是那个患有消化不良症的美国百万富翁，约翰·斯坎特布瑞·布兰克隆，"一个大块头，一张肥胖、菜色的脸刮得倒是挺干净，上面长着一对完全没有睡醒的眼睛，活像一头正在反刍的老牛"，"这些人的眼睛只看得见美国总统大选的血腥特点"，他这样告诉巴肯的男主人公，理查德·汉内。这个象征手法虽然有点直言不讳，但还是说出了一些道理。

2001 年 9 月之后，布兰克隆之类的人物当然看见了比大选更为血腥的一些东西。但是那会刺激他的胃口，想让美国成为英国模式的帝国吗？只有当美国人对国境之外的世界的态度进行强烈的反思时，才似乎有这个可能性。只有当更多的美国公民不止是愿意而且是迫切希望挑起"国家重建的重担"时，占领伊拉克这样的事业才不会缺少那最重要的一个组成部分。大英帝国的历史经验非常清楚：不能光拥有一个帝国，却没有帝国主义者的支持，管理帝国就需要人力资源，从外部招募也好，在当地聘用也行。

布兰克隆是不是有可能变异成阿巴斯诺特呢？或者美国是否也能够有办法制造出像约翰·巴肯那样的人呢？巴肯的生涯将他从一个身份低微的苏格兰牧师家庭的孩子，通过牛津的深造，一路引领到加拿大总督的职位上。毕竟，这样的事情以前也发生过。第二次世界大战后的几年时间里，刚巧未能接触战争的那一代人怀揣着像巴肯那样的对全球统治的热心离开了哈佛和耶鲁。他们中的许多人加入了中央情报局，将自己的生命投入到从古巴到柬埔寨的对付全球共产主义的战斗中。然而正如格雷厄姆 · 格林在《沉静的美国人》中所预见的那样，被英国称之为“间接统治”的努力被那些他们所支持的当权者的低劣素质所损害，他们的努力也因为只能暗中支持那些人而受到制约。为了支持美国在越南的战略，美国人创造过一个神话，即美国并不是要在中南半岛让法国式的殖民统治死灰复燃。今天，同样的神话也在华盛顿四处流传，以为美国在伊拉克的政策获取支持。这个政策看上去也是在恢复英式殖民统治。但美国人想做的仅仅是给予伊拉克人民以民主，然后就打道回府。

如何争取当地人民的合作

进行短期的操作也许是民主帝国的内在特质。通过竞选周期强加给行政当局的政策约束是相当严厉的。朝鲜战争和越南战争已有强有力的证据表明，美国人的伤亡水平与战争期间执政者的民意支持之间存在反向的关系。有些人坚持认为,“越战综合征”在 20 世纪 90 年代最终被“踢出局”了。然而，在现实中，美国大选对伤亡率的敏感度自冷战以来似乎变得更加强烈了。2003 年 4 月到 10 月间，民众对伊拉克战争的支持率下跌了 29%，而在那段时间里，只有 350 名现役美国士兵牺牲，其中仅 2/3 的人是在敌对行动中阵亡的(见图 11)。相比较而言，越战进行了大约三年的时间之后，并且有超过 3 万的美军士兵“在行动中牺牲”才降低了民众对战争的相同的支持率。所以，美国的政治家们在大戏还未闭幕之前就寻找退却战略的想法也就不足为奇了。

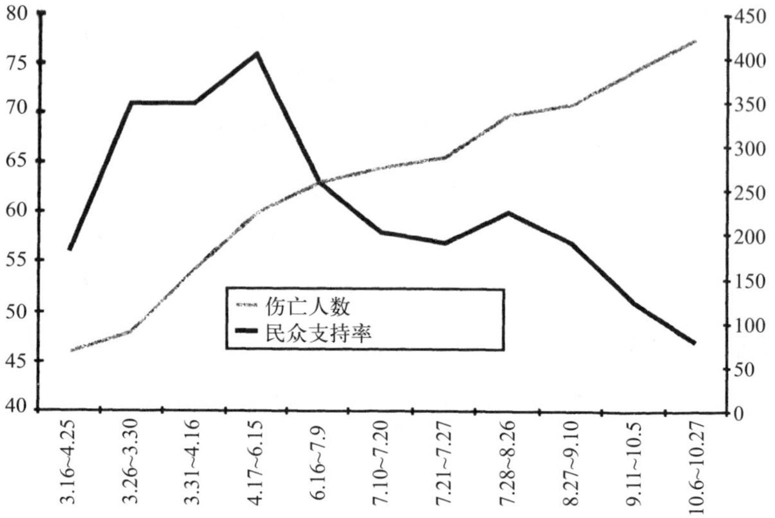

图 11　伊拉克战争，2003 年：伤亡人数和民众支持率

不幸的是，短期的国家重建计划存在致命的缺陷，美国人即将撤退的许诺一经发出，要确保当地人的支持就极难做到了。更重要的是，被占领国的居民一旦相信这样的一种许诺，则更加困难。也许大英帝国是比其他任何帝国都注重当地合作基础的，不然的话，不到 1 000 人的印度事务文官又如何统治印度这样一个有 4 亿人口的泱泱大国呢？但是伊拉克人为何要冒险与像L·保罗·布雷默这样不可靠的占领者合作呢？他刚刚为伊拉克建立了一个行政委员会后，便说要收拾行李走人了。特别叫人震惊的是，最初不能接受美国撤军想法的反而是大多数的伊拉克人。2003 年 7 月进行的一次民意测验中，当人们被问到："就在此时此刻，你是希望美军（和英军）撤离呢？还是留下？" 只有 13%的人赞同立即撤军。几乎 1/3 的人——即 31%——回答说"盟军至少应该在这里待几年"，还有 25%的人回答"待一年左右"。

这里给我们提出了至关紧要的一点。那就是，滞留期限是"国家重建"能否成功的关键。美国军事干预最成功的国家恰恰是美国军事驻扎持续时间最长的国家，这决不仅仅是一个巧合。正如我们所见，布什总统经常拿日本和联邦德国在1945年以后的情况来佐证美国军事干预所能取得的成果。“美国以前兑现过，也信守了这样的承诺”，2003年2月，他是这样说的，暗示了那是一个与1945年相似的情况，“打败敌人之后，我们不会留下驻军，我们只留下宪法和国会。”这句话忽略了一个令人尴尬的事实，那就是美军在日本的正式占领持续了7年，而在德国则长达10年之久。而且，直到今天，美军在那两个国家的军事部署仍然是所有国家中规模最大的。这里还需要提一下第三个成功的案例：韩国，在几乎40年的美军军事存在之后，韩国直到20世纪80年代才真正成为一个民主国家。相比之下，美国1989年开始在中美洲和加勒比海地区进行了许许多多短期的军事干预就没有产生什么好的效果，很可能还导致了大量的恶果。很不幸，为伊拉克（更别说阿富汗了）设定的期限更接近这些失败的先例所设定的期限。仅仅依靠两年的时间跨度，巴格达是根本不能够转变成一个西方民主国家的首都的。尽管2003年的伊拉克与1945年的联邦德国在社会、文化方面存在明显的差异，这个目标就其本身而言还是现实的。2003年9月，几乎2/5（39%）的参加盖洛普民意测验的巴格达人的选择是，最希望看见在伊拉克建立一个多党制议会制的民主国家。比这略多些的人（42%）认为这种政治体制有可能在6年之内在他们国家开始运行。然而，超过半数的人（51%）相信，结果如何取决于美国直接影响的效果。看起来，许多伊拉克人希望美国人驻留的时间要长于美国人自身计划要驻留的期限。而且，伊拉克人期待其政治体制将受惠于美国持续的存在。很可惜，如果美国确实在2005年就要离开伊拉克的话，那些伊拉克人民的希望当然就会破灭。秩序还未恢复，经济生活还未复苏的情况下所举行的不成熟的大选，几乎肯定不能产生一个稳定的政府。它们将更有可能在伊拉克社会强化种族和信仰的隔阂。

传统观点认为在战后的德国实行民主化是必然会取得成功的，因为德国社会高度发达，种族单一而且那里的人们对20世纪20年代以后实行的民主制仍记忆犹新。这种比较忽视了一点：第三帝国曾以人类历史中最为极端的意识形态将德国的政治文化改变到如此恶劣的一个程度。希特勒统治下的德国是远比萨达姆·侯赛因统治下的伊拉克糟得多的“流氓政权”。只有带着后知之明的角度来看，才会认为德国转型成为一个稳定的西方民主国家是一件很容易的事情。

那么，如果要使国家重建计划得到运行，有没有把美国人想要很快回家的冲动与为伊拉克长期承担义务这两种想法加以折衷，并找到妥善的办法呢？在这一方面，大英帝国的经历再度可以成为效法的对象，虽然这次的案例不是伊拉克，而是埃及。毕竟，伊拉克加入到大英帝国版图从时间上相对晚了一些，而且当时的英国已经财促力拙。英国人对伊拉克的问题从未真正上心，即使有的话，也要受财力的限制，而埃及就不同了。埃及是英国 19 世纪 80 年代获得的属地，正是大英帝国的经济和战略实力达到顶峰的时候。对埃及的统治直到第二次世界大战才结束，这是自由帝国如何管理其领地的完美模式。但是从一开始，英国人就公开坚称，埃及不是由他们管理的，而是由埃及人自治的。

英国 121 年前对埃及的占领与今天美国对伊拉克的占领，两者之间是何其相似，令人惊讶。布什政府可以从这个先例中吸取一个十分明显的教训。“宣布要离开”有很多表达方式，只要你不是真心想走或做出要离开的行动。

1882 年，一个名叫赛义德·阿赫迈德·阿拉比的民族主义军官在埃及夺取了政权，推翻了亲英的埃及总督图菲克的统治。首先，这同萨达姆在伊拉克发动的政变有不同之处。阿拉比不是萨达姆那样的人，而且英国发动这场海外干预的借口也不同：一个是阿拉比在亚历山大港用暴力打击欧洲居民，而对伊开战的借口是萨达姆对于国际社会责令其放弃大规模杀伤性武器的要求置若罔闻。然而，进行干预的更深层的原因和后果惊人地预示着今天伊拉克的纠葛和纷扰。开始的时候，新当选的一届英国政府在 1879 年的竞选大战中作过保证，不会以帝国主义的方式行事。自由党领袖威廉·爱华特·格莱斯顿还曾经谴责主要竞争对手本杰明·迪斯雷利爱管埃及的闲事。“如果我们海外扩张的第一站在埃及，”格莱斯顿警告说，“无论用盗窃手段或购买手段获得，几乎可以肯定的是，它将是我们的北非帝国的雏形，今后会越长越大……直到我们最终跨过赤道同纳塔尔和开普敦连为一体……”在对中洛锡安郡的选民所作的著名演讲中的第三篇里，格莱斯顿陈述了自由党外交政策的6条原则。这6条原则中包括与其他欧洲大国保持睦邻友好关系，避免不必要的海外纠葛，对所有的民族“一视同仁”以及热爱自由。这全然不能算是一个单边的帝国主义者干预的公开宣言。实际上，直到1882年1月，格莱斯顿仍坚持认为：“埃及是埃及人的埃及”将是“解决‘埃及问题’的最好办法，也是唯一的办法。” 他从未没有放弃对“真正推进埃及的制度建设及自治政府建立”的希望。

第二，英国在这个国家确实有巨大的经济利益。今天在伊拉克的石油，就是那时候的苏伊士运河。将这条运河作为交通要道的英国船只占全部通行船只的80%以上。实际上，英国整体贸易的13%经由这条运河。到1876年，英国已经持有苏伊士运河公司的巨大的股份。此外，在美国内战期间，埃及经济成为对皮棉原料永不知足的英国纺织工业的一个替代来源。不仅如此，埃及巨大的外部债务捏在英国债券持有人的手中，包括新首相本人。 今天，自由派的评论家们对小布什政府与哈里伯顿石油公司的关系咬牙切齿。但是哈里伯顿的股价在其前首席执行官迪克·切尼成为副总统后的三年时间里下跌了1/3，而格莱斯顿决定入侵埃及的一个直接结果就是他对埃及贷款投资的价值一下子剧增——幅度超过40%。若当时这个消息被外界知道的话，很难说会对格莱斯顿绝对清廉的声誉造成什么样的影响。即便没有这些，人们还普遍质疑政府的动机至少部分是唯利是图的：一个评论家发现金融势力在幕后操纵，其唯一的愿望就是将埃及变成由欧洲人所控制的债券红利支付机器， 并由欧洲籍的雇员操作。

第三个事实是，任何危机的解决都需要让法国人参与进来。法国人也是埃及债券和运河股份的重要持有人，实际上也是运河挖掘的始作俑者。自从1876年埃及人拖欠债务以来，这个国家的金融就受控于英-法联合控制委员会的手中了。格莱斯顿对埃及危机的一个即刻反应就是继续这个跨海峡两岸的合作关系。当时的人们普遍相信，牵涉到被称之为“近东”的任何决定应当由五个大国协商作出——英国、法国、德国、奥地利和沙俄——而土耳其（仍旧在埃及可以行使正式的宗主权）遭到胁迫，五大国最多只是问一下它的意见而已。简言之，维多利亚时代的经常性的大国会议，相当于今天的联合国安理会。19世纪80年代，他们也差不多有同样的功效。格莱斯顿是一个有作为的国际主义者， 他尽力确保对埃及采取军事行动得到外国的支持，就像乔治 · W · 布什为了对伊拉克采取行动，寻求联合国的明确授权一样。他们两个人寻求支持的努力都失败了，接着都作了无论如何也要采取行动的决定，从而使得大国之间的关系变得紧张，尤其是与法国的关系。格莱斯顿一直坚持他是“和平事业的苦工”，并且埃及从“欧洲行动中被中立化了”。法国人在一旁冷笑起来，而德国人则心满意足。第四个相似之处就像今天伊拉克的情况一样，至少在民众中间反对海外军队占领的呼声很高。正如那个玩世不恭的索尔兹伯里勋爵的妙语所指出的，“穆斯林的感觉仍然如此强烈，我相信我们作为幕后操手，比起当假模假样的统治者更为安全和强大”。 埃及人对英国侵略行动的怨恨从未消失。

正如2003年在伊拉克所发生的一样，国内的民众起先对入侵埃及后军事上的快速制胜感到欣喜。加内特 · 沃尔斯利子爵在泰尔-阿尔-克尔比用了几小时的时间，以最低代价的英军伤亡就一举粉碎了奥拉比的部队（英军54人阵亡，而埃及部队至少有2 000人阵亡）。这种胜利正是刚刚出现的大众化新闻媒体所喜爱的。实际上，即使是情操高尚的格莱斯顿也禁不住为这欣快的情绪所感染。“我们和整个国家沉浸在喜悦之中，”他在沃尔斯利大胜不久后这样写道，“我们当然应该处于一种良好的幽默感之中，因为我们为我们的军队而感到高兴，为我们的海军、我们的海军上将、我们的将军们和我们的组织感到高兴。”一个显著的不同之处在于，这种好的情绪比 2003 年美国相似的情绪要持久得多。实际上，英国的新闻报纸的读者们很快就热心于大英帝国统治是否也能拓展到苏丹的前景，当时，颇有感召力的马赫迪领导下的激进的伊斯兰起义刚刚爆发。

最后，还要提一下埃及的经济。对于负责埃及金融事务的英国行政长官而言，事情很快就变得很清楚，如果埃及的财政能够得到稳定，只有进行彻底的改革。但只有在英国的军事力量持续存在的前提下，这些才能成为可能。手握大权的英国代理人，伊夫林 · 巴林，是 1883 年至 1907 年英国驻埃及的总领事，他用一种极度居高临下的口吻说道：“我们不必要太过仔细地了解这里的人如何看待他们的自身利益……最根本的问题是，在每件特定事情的决策上，我们应当尽心尽责地，通过借鉴主要是西方的知识和经验，采用对这些受管辖的臣民来说是最好的解决办法。”正如格莱斯顿在他的日记中所写的，真正的挑战在于“如何使西方世界的那些好的体制牢牢地扎根于穆罕默德社会的土壤中？”显然，这不可能是一蹴而就的事情。

于是，我们可以重新理一下头绪：一个不愿意自我标榜为“帝国主义者”的政府，有强烈的经济动机采取军事干预。由于当地人民对占领的抵抗情绪、本国内部民众的支持以及其它技术性的原因，英国要维持一段时间长短无法确定的军事存在。所有这些因素的结合产生的最终结果，为今日在伊拉克的美国人提供了一个让人难以捉摸的图表。

英国人占领埃及伊始，就立刻开始承诺要撤离。格莱斯顿宣布“如果埃及总督想要这么做，可以留一小支英国部队掌管这个国家，直到他的权威被稳固地建立起来并置于没有危险的境地。” 此后不久，用格莱斯顿传记作者的话来说：“对于英军在埃及存在的短暂属性，至少有过 66 次的声明。”早在 1883 年 8 月，格莱斯顿自己已做了不少于 5 次的公开保证，要离开埃及。“然而，与其他大国商定撤离日期的所有尝试和努力都失败了。”

随着第一次世界大战的爆发，英国感觉有勇气将这个“暗藏的保护国”变成公开的英国属地。但在1922年，英国人正式宣布埃及独立；1936年，他们宣告英国的军事占领结束。唯一值得提醒的是，英国部队并没有真正离开。直到1954年10月，在占领应当结束的18年之后，那里仍有8万部队部署在苏伊士运河一带，这个巨大的军事基地覆盖着相当于马萨诸塞州大小的面积。直到1956年，他们被迫尊重他们所做的多次要离开的保证，兑现了承诺，这距离入侵已有74年的时间了。英军的撤离在很大程度上是国内的经济条件恶化造成的。即便在那个时候，正如我们所见，他们在纳赛尔将运河收归国有后，仍不顾一切地作了最后的反击。总之，从1882年直到苏伊士运河危机的爆发（1956年），正如索尔兹伯里斯勋爵从占领一开始就说过的，埃及的独立成了一出“令人捧腹的闹剧”。

那么，这是不是美国应该在伊拉克施行的政策呢？66次保证离开的承诺和一个长达74年的占领？回答这个问题的一个方法便是去了解一下英国为埃及设计的经济改革进展如何。毕竟，那是开始占领的初衷。在很多方面，埃及在英国治理下所发生的一切有一个非常现代的特性。埃及金融的英国行政管理班子与国际货币基金组织有许多共同之处——或者说如果国际货币基金组织能够召来皇家海军强行实行它的规则的话，它也一定会采用英国在埃及的操作方式。伊夫林·巴林，即后来的克罗默勋爵，在管理埃及的金融时很像在操作现代的一个结构调整项目，结果获得了财政上的大胜。当英国人接管埃及金融的时候，偿债消耗了所有税收收入的2/3。实际上，对经济有损害的税收政策和对军队预算的削减是奥拉比的民族主义的政变得以成功的主要因素之一。但到了1885年，埃及与海外债券持有人达成了债务重订计划的协议，这就给了埃及经济一个为期两年的喘息时间以及一个新的、900万英镑的有国际担保的贷款。1892年，债务危机结束，在接下来的20年时间里，债务与收入的比率减半了，从10：1降到了5：1。

财政改革为从英国和其他欧洲投资人那里获得新的海外资金铺平了道

路（欧洲投资者们从英国的占领中收获颇丰，但在公开场合下对其大为贬斥）。从伦敦市场流向埃及的总资本量达到了 4 000 万英镑。正是由于它是在英国的统治之下，因此得到了不拖欠债务的保证，埃及才可以以相当于先前所需支付利率一半的水平从海外获得贷款。新贷款帮助这个国家的基础建设筹集了巨大的投资。特别是建于 1902 年至 1906 年间的第一个阿斯旺水坝：先将夏季洪水储蓄起来，然后再泄洪，从而使得乡村农民的庄稼产量实现了翻番，甚至三倍的水平。1886 年到 1953 年间，灌溉面积扩大了几乎一半，铁路网络的铺设也增长了 4%。直到经济大萧条的发生，还有第二次世界大战期间和之后，埃及的贸易一直在迅速发展。埃及的农民不仅直接受惠于更好的基础设施，而且也能够享受较低的税收和获得负担得起利息的信贷。去学校受教育的人口比例也是原先水平的 4 倍。正如英国人总爱说的，这个成果是由于“英国人用脑，埃及人用手”共同努力所取得的。而在埃及工作的英国人的人数非常之少：1906 年的时候，仅有 662 名英国官员。

然而， 我们必须看到一个隐患。根据可靠的统计数字来看，埃及人均国内生产总值在 1913 年到 1950 年间却出现了停滞。为什么呢？正如同一个时期里，英国统治下的印度所遭遇到的同样问题，经济发展的好处被巨大的人口增长所抵消。1882 年到 1917 年间，人口几乎增长了一倍。在接下来的 30 年时间里，人口数量又增加了一半。由于棉花的全球需求起伏不定，使埃及主要的出口经济作物变得非常脆弱，无法使事态有所改观。简而言之，埃及作为一个国家虽然变得更富裕了，但是平摊到每个埃及人头上，并没有多少。实际上，在情况特别恶劣的公共卫生医疗方面，就根本没有什么改进。事实上，1917 年到 1934 年间的婴儿死亡率有所上升。

美国人应当从中总结出一些什么呢？首先一点是，要在一个国家占领几十年时间，但同时坚持否认你有任何这样的意图，并不是不可能的。这就是众所周知的“虚伪”，但这是自由主义的帝国有时不得不借助的手段和方式。第二点就是管理伊拉克（将其转变为符合西方制度中理想的状态），可能会变成一件受挫的事情，而且获利甚微。克罗默勋爵和他的继任者们在许多方面都采用了正确的政策和制度。实际上，今天的一些发展经济学家几乎会给他们打满分的：他们重新安排了债务，平衡了预算，改革了税收体制，稳定了货币，为基础设施吸引了新的海外投资，减少了腐败，强行实施了法治并且改进了教育，然而总体经济效果并不如预期的那么好。埃及精英阶层从未停止过对英国殖民统治的憎恨。实际上，早在第一次世界大战之前，“华夫德”这个现代埃及的民族主义运动就已经建立起来，并站住脚了。

人们是否可以用埃及的先例来批评对今天的伊拉克采用相同策略呢？并非如此。在英国的统治下，埃及也许没有经历什么经济奇迹，但是也没有经历过经济大灾难，即历届的埃及统治者在财政上的不负责任的做法很可能导致的那种灾难。我们所需要问的问题是，如果没有英国担保的海外投资的话，埃及人的收入会是什么样的一个状况。也许，更为重要的一点是，埃及在两次世界大战期间拥有无价的战略位置。第一次世界大战期间，正是通过埃及，英国才得以向支持德国的奥斯曼帝国发动战争。第二次世界大战的时候，先是意大利人，后来是德国人，通过利比亚进入埃及，才有希望进而控制地中海南部。历史学家完全有理由将英国在第二次阿拉曼战役中所取得的胜利视作打击轴心帝国的一个转折点，阿拉曼距亚历山大仅 50 英里。出于相似的战略原因，美国是承担不起撤离“后萨达姆时代”的伊拉克的所造成的后果的，它最不希望看到的是另一个伊朗，即一个在伊斯兰极端主义统治下的富庶的石油国。美国也不希望看到一个陷入内战之中的中东版的南斯拉夫。不管在伊拉克战争之后国外舆论和美国选民多么渴望美国早早地从伊拉克撤退，唯一合理的选择就是坚持住，并努力使其经济、制度的改革获得成功。

因此，让我们就从英国在埃及的经验中学习更加具体的东西吧。对于伊拉克过渡政府的权力得有种种限制，更不用说选举出来的国民大会了。

至少在可预见的未来，应当将这个国家的军事、财政和货币政策的控制权部分地掌握在美国人手中，这不会是一件很容易的事情。有必要再次重申，英国人在埃及期间也不得不抵制该国的名义上的统治者的种种要求单独行动的努力。1884年、1888年、1891年和1919年间，英国人实际上解雇了多名与英国对抗的埃及人部长。在两次世界大战中，他们都必须使用武力才能自行其道。1914年，英国废黜了埃及总督，1942年则用坦克保卫总督继任者的宫殿。反英的势力也进行了抵抗。1924年，由英国人指定的埃及军队指挥官李·斯达克爵士，被暗杀了。

第二，美国需要在战后伊拉克经济的重建上承担巨大数额的花费，正如在19世纪80年代，伦敦帮助埃及人的财政实现稳定一样。在中期的时候，伊拉克便可以寄希望于吸引海外投资并从其石油储备的开采中为经济复苏得到一部分的融资，但是这个国家的自信心必须明确上升。伊拉克需要的是像由罗斯柴尔德银行19世纪80年代和到90年代发行的，用来稳定埃及经济的那种巨额贷款。麻烦是，伊拉克的现有外债实在令人咋舌：它欠了国外政府、多边债权人和商业银行1 200亿美元，更不用说由于萨达姆的侵略战争所产生的高达1 250亿美元的赔偿要求。这就是为什么国际货币基金组织，相当于当代的罗斯柴尔德银行，需要立即加入到伊拉克财政复修的任务中来的原因。没有巨额债务豁免的话，这个国家的经济会垮掉的。

但是第三点，也是最为重要的教训是在外交方面。就像格莱斯顿一样，布什不至于轻狂到因为取得了军事上的胜利就无视国际上对于伊拉克未来的看法。正如格莱斯顿后来就英国从埃及撤军的时间问题，向法国和德国寻求共识一样，布什也向联合国争取撤消对伊拉克的经济制裁，并给联合国提供了在战后重建工作中担任的有限任务——不仅仅是那些美国军队很不喜欢的维和任务。就像格莱斯顿一样，布什需要给予他的海外保护国一个至少具有国际合法性的表象，尤其当他想要获得外国军队的援助的话，更是如此。在国际关系的现实世界中，不存在在单边主义和多边主义之间要作正确的选择的问题，在这一点上，维多利亚时代的人比当代的一些对美国外交政策进行分析的专家们要懂得多。即便在英国入侵埃及之后，英国人也无法将自己从其他欧洲大国的利益纠葛中解脱出来。法国人继续以“国家债务银行”来代表其利益，该银行在埃及发生了1876的债务拖欠之后成立，目的是安排对埃及财政事务的管理工作。直到1914年，埃及仍旧向土耳其帝国正式效忠，而土耳其帝国正日益深受德国的影响。同样，伊拉克的未来不是没有今日欧洲大国们的参与就能够草草决定了的。即使美国愿意承担所有的维和费用，情况仍是如此。正是由于这些原因，小布什总统和其他的美国官员没有其他的选择余地，只能一再承诺会立刻从伊拉克撤军。与英国在埃及上演的那出戏如出一辙，雷声大，雨点小，这还是有可能做到的。

本杰明·迪斯雷利曾经称一个保守的政府是“一个有组织的伪善”。也许我们所能期待的最好的事情便是有一天，我们同样也能对“解放了的”伊拉克说同样的话。美国在2004年必须得宣布将伊拉克正式交还给伊拉克人民自治的政府，这一点很清楚。但是这也需要对这个国家的主权继续保持一定的限制，以便确保曾经遭受伊拉克威胁的那些国家的安全，也要确保经济得到恢复，内政得以稳定。美国驻伊拉克大使内格罗蓬特必须做好成为伊拉克的克罗默勋爵的准备，在几十年里，他的位置将是帝国总督的位置，只不过不用这个名称罢了。他是一切统治权的代表。如果在2005年之后，没有一个美国人想要这份工作，我们可以合理地相信，在正确的期间和条件之下，会有一名欧洲志愿者出现的。

前英国自由民主党领袖帕迪·阿什当在2003年6月作的一次非常重要但却被低估了的演讲中慎重表达了他在波斯尼亚和黑塞哥维那作为高级代表（这个职位是根据《岱顿协定》创造出来的）时候所学习到的“调停原则”。他的8条原则如下：

1. 要有一个好的计划并坚持执行这个计划。这个计划不是一个事后所作的设想，而是作为军事战役计划整体的一部分，是早就事先拟好了的计划。

2. 要建立法制——而且要尽可能地快……快速建立法制远要比快速建立民主制更为重要。因为没有前者为基础，后者很快就会遭到破坏的。

3. 要立刻建立你的可信度。应对最初挑战其权威性的势力的维和力量越是强有力，未来遇到的挑战就越少。

4. 要尽可能快地进行重大的体制改革——从安排海关服务或一个可靠的税收基础，到改革警署和民事部门，到改组和筛选司法部，到军队的改造。

5. 要保证国际社会在当地建立机构，其运作必须要有效，并有决策权。

6. 要在维持和平的军事和民事两个部门之间建立非常紧密的关系。

7. 要避免设定最后期限，作持久进驻的打算……要建立一个自由、开放社会的软件部分是一件缓慢的事情。一年左右的时间……是完成不了的……维持和平不能以月来计算，而要用数十年来计算。我们这里需要的是“百折不挠的坚定持久力”……国际社会有政治意愿，目的统一，保证其任务得到圆满的完成，并变成持久成功的纯粹毅力。那就意味着继续在那里待下去，持之以恒，在美国有线新闻网（CNN）的新闻效应消失了很久以后亦应如此。

阿什当的前 7 条原则，条条皆有智慧，最重要的是最后一条。不过，应当重点指出，这样的情感由英国人在一个欧洲国家管理一个国际保护国时轻松自如地说出口，而美国人在一个中东国家管理一个临时政权则难以说出这样的话。阿什当的第 8 条，即最后一条也同样值得注意：

> 8. 要给予和平建设……一个政治终结目标。对于伊拉克来说，那可以是在一个和平和安全的中东环境下的民主且繁荣的国家。对于波斯尼亚而言，那就是加入欧盟。

现在就是该考虑欧盟作为“政治终结点”可行性的时候了，不仅是为了波斯尼亚，而且是为了欧洲所有现存的和潜在的成员国。如果现在世界上存在任何能够与美国抗衡的力量，那就是欧盟了。

第七章

“帝国”：在布鲁塞尔与拜占庭帝国之间的欧洲

一个欧洲的梦想现在变成了现实。

《国际先驱论坛报》 2001 年首页

势均力敌?

欧盟作为美利坚帝国的伙伴，似乎有合理的角色可以担当：跟在和平制造者后面的和平维护者。但是，伊拉克战争的爆发，又赋予了欧洲一个截然不同的角色：美国潜在的帝国主义竞争对手。这是欧洲的政治领袖们非常愿意扮演的一个角色。一名前总统顾问称，法国总统雅克 · 希拉克想要的是一个“多极世界，而欧洲是其中能与美国的军事实力相抗衡的力量”。德国前总理赫尔穆特 · 施密特宣称德国和法国“都不会把自己托付给处于霸权地位的盟国——即强大的美国。”在这个问题上，他们有着共同的利益。欧盟对外事务专员彭定康在 2002 年 10 月的一次讲话中，明确号召欧洲要做一个“积极认真的参与者……成为对美国而言的一个认真的、实力上可以匹敌的伙伴”。意大利总理西尔维奥 · 贝卢斯科尼在 2003 年 7 月接任欧盟轮值主席的前夕宣称：“欧洲如果变成一个伟大的欧洲，它就不能在从属的地位上来看待美国。”甚至那个一贯极为含蓄的英国评论家蒂莫西 · 加顿 · 艾什，最近也已经在向往一个在世界事务中更为自信的欧洲了。他在 2002 年 4 月《纽约时报》上发表言论说：“美国拥有过多的权力，对任何人都没有太大好处，包括它自己。”

可以相信，中国经济在未来 40 年里的某一天可以赶上美国。但就目前而言，只有欧盟的产量能与美国相匹。要想一个对所有人都有利——当然也包括对欧洲自己有利的万全之策，那便是欧盟必须在政治上更为强大，才能够以其经济实力重拳出击。自英美联军入侵伊拉克以来，人们正越来越多地表达着这种情绪。

在许多评论家眼中，那正是由法国前总统瓦莱里 · 吉斯卡尔 · 德斯坦的欧洲公约委员会所起草的新《欧盟宪法条约》的目的所在。此草案于2003年6月在萨洛尼卡被递交给了欧洲委员会。让我们思考一下关于欧洲军事力量的主题条款是怎么说的吧。第4款，1~11条中，明确声明："欧盟应当有能力定义并执行共同对外和安全政策，包括共同防御政策的循序渐进的框架。"第3款，1~40条这样说："成员国应当为欧盟执行共同对外和安全政策提供行政和军事方面的支持。"并且成员国还必须"保证要不断改进其军事能力"。但是，英国的反对欧盟一体化的人们却将焦点放在了该草案将联邦主义偷运进来的方面，这是预料中的事情。一些美国评论家已将此看作是欧洲"反美"趋势的最新宣言。在记者安德鲁·萨利文看来"这个时候作出这样一个提议，只有一种解释，那就是抑制美国力量"。吉斯卡尔·德斯坦自己也说他要看到欧盟"作为一个受人尊敬，并为人们所关注的政治力量。它能够与这个星球上最强大的大国有同等的发言权"。这看起来的确是一个行得通的解释。

当然，这种言论只能招致某些人的嘲笑。就此话题，罗伯特·凯根在他广受欢迎的雄辩中，用了大段话来讥讽"柔弱的"欧洲，并将其与尚武的美国人作了比较。凯根认为："欧洲军事的弱势导致了欧洲人对使用军事力量的厌烦情绪，这一点是完全可以理解的。实际上，它所导致的是欧洲人对于生活于一个不是靠'肌肉'的世界中的强烈兴趣……（但是）欧洲对于强权政治的反感，以及它认为军事武力作为国际关系中的工具没有多大价值的观点，却取决于美国在欧洲土地上的军事实力。"其实，还可以比凯根更进一步指出，两次世界大战的战火经历使得欧洲人从火星变成了水星。不仅如此，欧洲大陆现在的重要程度跟它在19世纪的重要性比较起来，已经小了许多。欧洲占世界人口数量的比例是1820年的一半。欧洲现在所占的世界产量比例也从1870年时的1/3下降到1/5。并且这种相对衰落的趋势在可预见的未来一段时间里，仍将持续下去。对于许多美国人来说，欧洲现在的重要性不在其战略上的竞争力，而是它作为旅游目的地的吸引力。

然而，凯根关于弱势欧洲的观点在美国学术界仍属于少数派意见。绝大部分的评论家跟随萨缪尔·亨廷顿为首的专家的意见，他们“将欧洲一体化看作是一次极为重要的，冷战后的分水岭。我们从此离开了一个单极的世界，转向一个真正多极的21世纪”。查尔斯·库普乾预言，欧洲将很快赶上美国……因为欧洲人民已经走到一起，积聚了大量的资源和人力资本。欧洲的政治联盟正改变着全球的面貌。库普乾的观点是，“一个团结在一起的欧洲”是挑战美国实力的下一个竞争对手。他用古代世界打了一个很有意思的比喻，把欧盟描绘成“一个浮现出来的地极，将西方世界一分为二：一半是欧洲，一半是美国”。

把欧盟看作是新的拜占庭帝国吗？重新思考库普乾的观点，就不觉得那么有新意了。这个经典的比喻也激发了英国外交官罗伯特·库珀号召“一种新的帝国主义，一个被人权和世界主义价值观的世界所接受的帝国主义……一个像所有帝国主义一样的帝国主义，以建立秩序和机构为目的。但在今天的世界，要做到这一点，就得基于一个自愿的原则了”。重要的是，库珀并没有将美国看作是这样一个后现代帝国的种子机构，欧盟才是这样一个角色。

后现代的欧盟为我们描绘了一个协作式的帝国的景象：一个共同的自由，一个共同的安全，没有旧式帝国常犯的毛病，没有种族主宰和中央集权体制，也没有民族国家的种族排他性的特征……一个协作的帝国是……一个框架，在这个框架之下，每个国家在政府中都占有一席之地，没有哪一个国家能够取得主宰地位。在这个框架之下的统治原则是法定的，而并非种族的。中央权力机构只需发挥最小的作用：必须控制住帝国的官僚机构，使其成为负责任的机构。帝国的官僚是公仆，而不是主人。这样的一个机构必须作为自由和民主的一个组成部分。就像罗马帝国那样，这个共同体会给予其公民一定的法规，发行一些货币和修建一些道路。

然而，欧洲能够打破美国单极局面的解释并不一定要借助对罗马或拜占庭的追思。在约瑟夫·奈的眼中，欧洲已经在经济领域里可以与美国平起平坐了。在经济圈里“美国不是霸主，它还必须经常以平等的姿态与欧洲讨价还价才行”。约翰·米尔斯海默虽然对中国的崛起更加感到不安，但是他也忧虑，欧洲可能会在两个方面对美国权力有所挑战：“要么美国会离开欧洲……因为它并不一定需要遏制这样一个实力相当的竞争对手，在这种情况下，这个地区会出现不太稳定的状况；要么美国就会致力于将这个强大的竞争对手牵制住，这种情况是十分危险的。”历史学家保罗·肯尼迪也应声附和，他强调欧洲的团结和扩大在人口统计学上的重大意义。在“9·11”恐怖袭击事件一周年纪念时，他这样写道：“即便是今天，（欧洲）也比美国拥有更为庞大的人口……世界产品所占份额也大致相当，甚至还略高于美国。随着要扩招成员国的计划的实施，随着欧元使用程度的深化，欧洲发展的趋势不可能以‘9·11’恐怖袭击事件为分水岭。”新的10个成员国成功地加入的结果看来已经证明了这个分析，更不用说肯尼迪的文章问世以后，欧元对美元产生一个持续走强的态势。在一些评论家的眼中，美国在对伊拉克政策的问题上也是这样，至少有一些欧盟成员国大声疾呼表示反对，而这些反对的呼声是有影响力的。如果说美国今天有一个帝国竞争对手的话，那么那个对手就是欧盟。

欧盟的优势

我们避免用那个有些夸张的词语——“威胁”，欧盟究竟在哪些方面是真正可以与美国抗衡的呢？

人口统计

肯尼迪说的是对的，欧盟的人口已经是美国人口的1.25倍了。2004年欧盟扩大的一个结果，已经使得这个人口统计上的差距进一步拉开。欧盟成员国人口不断增长，已经超过4.5亿，是美国人口的1.5倍。

产量

从总体经济产出的角度来看，欧盟实际上并不比美国落后多少，这就取决于是采取哪一种方式来衡量了。根据世界银行提供的数据显示，2002年15个扩大前的欧盟成员国国内生产总值的总和是8.6万亿美元，而美国是10.4万亿美元。换言之，欧洲经济规模大约是美国经济规模的82%。在购买力平价的基础上（此基础使欧盟产量仍低于美国近6个百分比）进行调整，再缩小一些差距，但是并没有消除这个差距。只有当产量是以不变的价格来衡量（以1995年美元表现）时，欧洲的国内生产总值才能够更高一些。2004年加入欧盟的10个成员国并没有在很大程度上增加它们的总产量。在购买力平价的基础上，欧盟25国的国内生产总值比美国50个州的国内生产总值高，虽然如果以现在的美元来计算，这个数字要少15%左右。

劳动生产率

当从劳动生产率的角度来衡量经济表现时，西欧经济将过去半个世纪的大部分时间用在了迅速赶超美国上面。美国在20世纪50年代的国内生产总值每小时的产量是德国的3倍，而今天德国的劳动生产率只低于美国23%，而法国的劳动生产率只比美国低2%，这个差距实在是微不足道的。

1973年到1998年间，美国生产率的年增长率只有1.5%，相比较之下，法国的增长率却达到了2.4%。

贸易

无论是只考虑“可见的”贸易还是美国总体的经常性收支现状，其对外账目上都存在巨大赤字。欧盟就不是这样了，它不仅占世界出口总量的比重稍大一些，而且在贸易上还小有盈余。毫无疑问，贸易谈判中，美国必须将欧盟作为平等的对手来看待。欧盟也不像美国那样那么依赖外国资本的注入（这一点会在下一章中，作更仔细的研究）。欧盟实际上是资本的净出口地区。

单一货币

欧洲经济和货币联盟改变了国际资本市场，改变的程度并没有被广泛地认识到。以欧洲货币为主的政府债券数量巨大，即便在单一货币制引入之前，情况也是如此。1998年欧元区有待偿还的政府债券差不多是美国有待偿还的政府债券的一半。然而，欧元区各债券的红利呈迅速趋同的态势，货币联盟在很大程度上降低了投资者们眼中的所谓“国家风险”，现在，所有欧元区成员国的债券都被认为（几乎）与原先的德国债券的信誉一样好。欧洲货币联盟已经极大地促进了欧洲有价证券市场的发展。根据国际清算银行的相关数据显示，自1999年第一季度以来，大约47%的净国际债券的发行是以欧元为主，而美元占到45%。欧元引入前，在大致相同的时期里，两者所占份额是：形成欧元的所有货币所占份额仅为29%，而美元占到51%。欧洲“稳定与经济增长协定”尽管还不成熟，它对成员国的财政政策已经形成了严格的制约。当然，欧元要求成员国将财政赤字限制在国内生产总值的3%以内，这条规定在实践中能否执行还需拭目以待。至少从理论上来看，自2003年11月起，这个协定仅仅是被暂停了。

谈到占主导地位的低风险股票，就不能不考虑投资者会看好欧元，并认为欧元有能与美元平分秋色的可能性。事实上，他们也许已经这么做了。2002年2月之后的第一年里，美元兑欧元下跌了45%。美国长期债券的收益处于10到70个基点之间，高于欧元区自1997年以来的红利收益。根据一项预测表明，今后5年的时间里，海外直接对欧盟的投资将远远超过对美国的投资。当马来西亚总理达图·斯里·马哈蒂尔·穆罕默德敦促他们的国家石油公司将石油和天然气的标价改换成欧元时，他无疑是在以损害美国的利益为手段，为自己的政绩加分。但是他在2003年6月所作的提议绝非是荒唐的。阿拉伯世界的漫画家抓住了人们喜爱欧元的这一趋势，更说明了美国人弱势的一面。《半岛杂志》2003年4月出版的一幅卡通画，描绘了一张飞扬的欧元纸币替代了贬值的美元，被插在旗杆之上，使得在一旁哭泣的山姆大叔懊恼不已。

联邦宪法

从表面上来看，建立欧盟宪法的欧洲公会条约并没有创建一个欧洲的联邦。我们知道这一点，因为“欧洲合众国”的概念从定稿的一开始就夭折了，而且“联邦”一词出现在欧盟宪法的早期版本的第一条，第Ⅰ—1款中，后来已被删除。原先的那个版本是这样写的：“这个宪法将建立一个联盟，它反映了欧洲人民和国家要建设一个共同未来的愿望……此联盟中成员国的政策应当互相协调起来，应当在联邦制的基础之上确定某些共同的权限。”最后的版本却截然不同：“这个宪法建立了一个联盟，它反映了欧洲公民和国家要建设一个共同未来的愿望……在此基础上，在成员国的授权下达成他们共有的目标。联盟应当协调成员国旨在取得那些目标的政策，并当以共同体的方式运用他们被授予的权力。”问题是，这个宪法在多大程度上仍然算是一份联邦主义的文件？有些人当然希望是这样的。2001年12月，在拉肯召开有105名成员的宪法起草大会的时候，主持人宣布它的目标将是“政治联盟建设”，这与9年前在马斯特里克创立的“欧州经济与货币联盟”相得益彰。拉肯会议之前，法国总统和德国总理发表的一个联合声明中，表达了大会应当将欧盟改变成一个“民族国家的联邦”的愿望。2002年1月，希腊总理更是进一步敦促“扩大后的欧盟必须引入一个成熟的政治联盟，这个联盟必须要有一套强大的政府制度和联邦性质”的政策。

应当强调，就一些方面而言，欧盟已经有了一个准联邦的特点，这在法律领域尤为明显。欧盟的立法占所有欧洲国家新出台的立法大约一半。欧洲宪法的Ⅰ—10条不过是重申了——也许还起到加强的作用——长期以来的一个既定的原则，那就是欧盟法的地位高于成员国的国内法。欧洲已经有了一个“人权公约”，它是由斯特拉斯堡的一个独立的人权法庭来维持的。但是，欧盟宪法包括了一个新的基本权利宪章，这个宪章属于欧洲司法法院的解释范畴，这样一来就提高了这个（位于卢森堡的）法院作为欧洲最高法院的地位。欧盟宪法也提议创立跨境犯罪的新类别，由此将欧盟的权限延伸至刑法领域。

如果只从字面上看，欧盟已经拥有许多人会认为一个联邦才有的政治机构：不仅仅有最高法院，还有德国人所称的联邦参议院（即代表成员国政府的部长会议），一个国会、一个中央银行，和一个永久官僚机构。欧盟宪法条约所构想的主要制度变化不仅在于为这个“初始联邦”提供合法性，而且还赋予它实际的个性。因而，每季的欧洲理事会的任期不再由所有成员国接连担任6个月，它将由理事会的成员选举产生的个人来担任，任期可达5年之久。相比之下，欧盟委员会主席一职由欧洲理事会指定，但要求获得欧洲议会的多数选票以得到正式确认。这两个位置哪一个将会以主导地位出现呢？鉴于欧盟委员会的会议开得更为频繁，几乎可以肯定是后者。在欧盟委员会里也有一个专员担任外交部长的职责。而目前，这个职务由两个不同的人分担着，其分工并不明确。

然而，宪法中最为含蓄的联邦条款是那些清楚说明欧盟及其成员国，和成员国地区、地点各自权限的条款。仅有限的几个领域的政策迄今为止是受制于我们所知的欧洲部长会议的有效多数投票权的加权体系。其他领域的决议则需要全体一致通过方可。换言之，只要有一个成员国反对，议案就会被否决。宪法并没有取缔成员国否决权的做法，但是它将否决权的使用限制在外交政策、国防和税收的决议上。有效多数投票权将在 70 个领域里得到运用，包括移民和社会政策。新宪法的影响最大的条款中声称欧盟的权限不仅将覆盖外交和国防政策，而且还覆盖“成员国间经济和就业协作”（Ⅰ—11 与Ⅰ—14 条款）以及“共同商贸政策”（Ⅰ—12 条款）。它也授予欧盟“为达成目标和贯彻政策所需的任何”资金募集的权利（Ⅰ—53 条款）。与欧盟手中将拥有的赤裸裸的财政大权相比，宪法对于国家主权本身——这里指的是“权力授予原则”以及“权力分散原则”——的侵蚀，则实在有些模棱两可。关键是，欧盟立法的倡议权仍将由欧盟委员会所垄断。根据一项估计，欧洲部长会议上的有效多数投票权的扩展和改进将极大地增加欧盟委员会的提案生效的概率。

综合上述所有这些原因，如果新宪法被其成员国所接受，欧盟至少将在实际操作中成为一个更接近联邦的欧洲合众国。

文化

毫无疑问，（实际上，这几乎是一个老生常谈）欧洲的政治文化正越发具有自我意识了，并与美国的政治文化日益分道扬镳，甚至变得更加敌视美国了。2003 年由皮尤研究中心做的一项调查显示，法国、西班牙、意大利和德国绝大多数人现在倾向于一个更为独立的欧洲外交政策（见表 9）。这无疑是民众普遍反对美国领导的伊拉克战争的一个结果。1999 年—2000 年间，在接受调查的英国人中，不低于 83%的人对美国比较“有好感”；到 2003 年 3 月，这个数字下降到了 48%。同时期在法国，美国支持率也减半了，从 62% 下降到了 31%。在意大利这个支持率从 3/4 下降到了 1/3，在德国则更是从原先超过 3/4 的比率下降到了 1/4，西班牙则从一半人数下降至 14%。战争持续期的短暂以及战后对萨达姆 · 侯赛因政权所揭露出来的罪行虽然部分扭转了这些趋势，但总体没有完全改变。

表 9　2003 年公众对美国－欧洲联盟的看法（百分比）

	美国－欧洲联盟仍应保持密切联系	我们的国家应当更加独立
法　国	23	76
西班牙	28	62
意大利	37	61
德　国	42	57
英　国	51	45
美　国	53	39

这也并非政治文化发生分化的唯一证据。美国人通常假定的“西方文明”从根本上来讲是统一的。但这个假定越来越值得人们怀疑，因为欧洲人对宗教的笃信度陡然下降（见表 10）。在荷兰、英国、德国、瑞典和丹麦这些国家，自 20 世纪 60 年代以来，对宗教的热忱急剧下降，现在每个月至少去一次教堂做礼拜的人数已经不到 1/10 了。只有在信奉天主教的意大利和爱尔兰还有超过 1/3 的人，每周或是更勤地去教堂敬拜上帝。盖洛普新千年调查项目对宗教态度作的一次调查（此调查于 1999 年进行）显示，49%的丹麦人、52%的挪威人和 55%的瑞典人说上帝与他们毫不相干。相比较而言，82%的北美回复者说上帝对他们而言是“极其重要”的。这对于西欧（或是“老”欧洲）也不是什么特别令人奇怪的事情。根据盖洛

普数据显示，生活在西欧48%的人几乎从不去教堂，这个数字在东欧也只是略低的44%。北美人中每10人有6人是相信上帝的，这个比率在东欧仅为每10人中有4人。几乎2/3的人认为上帝在他们的生活中是无关紧要的——这个比率在瑞典则更高。

表10 两个文明的故事：北美和欧洲的宗教态度

	北美	西欧	东欧
每周或更频繁参加宗教仪式的人所占百分比	47	20	14
认为上帝极其重要或是很重要的人所占百分比	83	49	49
不认为有什么上帝、灵魂或是生命力的人所占百分比	2	15	9
同意宗教中不存在真相的人所占百分比	6	17	11

跨大西洋的文化裂痕在不断扩大，其必然结果便是不断成长的欧洲自我意识。现在的欧洲人，每10人中只有1人将欧盟成员身份看成是一件绝对的“坏事情”。即便是在反对欧盟一体化的英国，这个阵营的人数比率也从1973年的34%下降到今天仅21%的水平。几乎一半的欧洲人希望欧盟在五年时间里扮演一个更重要的角色。而且，在2002年几乎有1/3接受调查的欧洲人将欧盟看作是“在世界事务中更有发言权”的象征。

对外关系

最后，我们不应当低估欧盟在国际舞台上的潜在实力。欧洲国家在军事技术上远远落后于美国，但是绝不能忽略他们的军事能力。美国国防预算几乎是15个欧盟成员国国防预算总和的2倍。从资金角度来看，美国对于北约组织的贡献超过欧盟成员国贡献的30%左右。但欧盟国家总共的军事开支仍大大超过俄罗斯、日本或是中国。实际上，从纯粹的人力资源角度来看，欧盟国家现在已经超过美国了（欧盟大约有180万而美国有150万的现役服役人员），并仅次于中国——后者大约有250万左右的现役人员。当然，欧洲的部队在受训及装备方面远不如美国，只有很小部分的在编军人可以被看作是具备“有效战斗力的”。但对欧洲军队而言，它有一个明显且重要的角色，这个角色并不要求他们掌握全面的美国武器技术：他们只需作为在不断上演的冲突局势后担任维和者的角色。2000 年和 2001 年，参与联合国维和行动的欧盟国家军队人数是美国的 7 倍。

欧盟国家在援助发展中国家方面也远远多于美国。如果对各种各样的相关因素作调整，官方的援助预算显示，欧盟成员国援助预算的总和几乎比美国多 3 倍。当这些指标与各种其他指标联系（对国际贸易的开放度、对发展中国家的投资力度、对合法移民的开放度，以及采用“负责任的”环保措施）在一起时，美国在对“发展承诺的”21 个经济发达国家中排名位列 20，实在是丢人的事。排名美国之前的 19 个国家中有 15 个是欧盟成员国，这一点不能不说具有重要性。

当然，欧洲人对世界经济发展的承诺要归因于民族国家政府的利他主义行为，而非欧盟本身。不过，欧盟成员国在这些领域里所做的事情超出美国这么多，一定有其地缘政治方面的含义。此外，通过欧盟委员会的人道主义办公室、欧洲重建局和欧洲复兴开发银行，欧盟本身正在发挥着日益重要的作用。在联合国占领下的科索沃，银行业及政府和中央财政当局的收支是受欧盟控制的，这一点意义重大——实际上，这个地区的官方货币现在就是欧元。

最近的全球民意调查的趋势集中在发展中国家的人民对美国不断增长的消极态度上。然而看起来，他们对于欧盟的态度却愈加积极。不管“软实力”究竟意味着什么，欧盟看起来已下定决心要积累这种软实力了。

综上所述，美国将欧盟视作一个潜在的，如果还不算真正的竞争对手，并非绝对没有道理的。

欧盟的劣势

但是，事情还有另一方面，很容易被那些热衷于跨大西洋竞争理论——如果还不是对抗理论的人们所忽视。如果去查一下欧盟的劣势，有一点很清楚，美国其实没有什么可担心的。欧盟绝非在酝酿一个具有竞争力的帝国。欧盟的内向性格表明，我们最好把它理解为一个“国”，而不是“帝国”，即一个将大部分精力致力于保持内部平衡，而不是在国境之外行使权力的实体。

人口的老龄化

欧洲正在衰老。今天德国人的平均年龄是 40 岁，到 2050 年，这个数字就将会上升到 47 岁；法国人的平均年龄将会由 28 岁上升到 45 岁；匈牙利人的平均年龄会从 38 岁上升到 50 岁。（当然，美国人口也在老化，但是其老化速度不像前几个国家那么快。50 年之后，美国的平均年龄将从现在的 35 岁上升到 40 岁。）这里给出的是一个冷峻的暗示。根据欧盟委员会的数据显示，不断增长的对老年人的赡养比率到 2040 年会减少 0.75%的年经济增长率——由于欧盟近来的低增长率，这个减少的量就很可观了。这样的计算结果可能还低估了老龄化的问题。根据世界各国经济与财政体制中对生育不平衡（即人口换代的数量差异）问题的估计，欧盟大多数成员国如果要避免给下一代造成规模空前的、和平年代的税收负担，那么他们现在就迫切需要增加税收，或者削减政府的支出。在奥地利、芬兰和荷兰，政府支出将需要被削减达 20%的水平才能保持生育平衡。在养老金问题上的扯皮占用了德、法两国政治家们的大量时间，这是意料之中的事。为了避免欧洲国家的福利体系的崩溃，欧洲需要通过改革迫使强大的既得利益集团作出牺牲。

经济表现

自20世纪40年代以来，欧洲一体化一直从经济利益的角度来向选民作推广。欧洲一体化的第一波浪潮和20世纪50年代、60年代的经济奇迹发生在同一时间，这一巧合看起来证实了这一点，虽然这两者之间的因果关系实际上是非常弱的。然而，近来关于一体化提高了增长的主张已经变得越发不合情理。没人能够怀疑，"单一欧洲法案"（1986年）和"马斯特里赫特条约"（1992年）加强了西欧经济的一体化。商品及服务贸易的非关税壁垒被大大降低。如果没有其他原因，单一货币的创建使得15个欧盟成员国的12个国家进行跨国物价比较变得容易得多了。然而，自从这些措施生效以来，欧洲的经济表现仅可算是差强人意。1950年到1973年间，西欧（广义上的）人均国内生产总值年增长率是4.1%。1973年到1998年间，这个数字跌到了1.8%。在这一阶段，在欧洲经济体的"第一波"成员，1973年之后加入的新成员以及非成员之间所经历的增长之间没有明显区别。尤为令人震惊的是，1999年以后加入欧洲货币联盟的国家出现的劣绩。世界货币基金组织的数据显示，2000年到2003年间，所有欧元区的经济体中"产出差距"拉大了，现在处于国内生产总值的–2%到–3.5%之间的水平上。

相比较而言，美国的经济发展得更好。在过去的十年时间里，欧盟经济的年增长率除了有一年之外（2001年），每年都低于美国经济的年增长率。根据经济合作与发展组织（OECD）的数据，美国国内生产总值实际增长率从1995年到2001年，平均每年大致为3.6%。欧盟的这个数字仅为2.1%。1970年到1983年，欧洲的失业率持续低于美国，而现在则高得多。20世纪90年代的最后5年，欧盟的失业率超过了10%，而美国失业率则下降到低于5%。即便在2001年—2003年，欧洲的失业率仍然比国的失业率高出3%。2002年，15个欧盟国家中有7个国家的失业率超过了7%。德国的不佳表现则最令人震惊，它过去曾是欧洲经济的骄傲，也是欧洲经济的发动机。自从1996年以来，用《经济学人》杂志的话来说，德国经济成了“欧洲的病夫”，平均增长率仅为1.1%，是欧元区平均水平的一半，而且这个趋势没有缓和的迹象。2003年年中，德国的失业人口站稳450万大关（全部劳动力的10.6%）；2003年的第一和第二个季度，其经济均缩减了0.2%。

最后，战后大部分时间里，欧洲生产率的增长可能比美国更为迅速，但在1995年—2002年，局面发生了改变。根据美国经济会议理事会的数据显示，美国在这期间，国民生产总值每小时的生产率增长为略低于2%的年平均率，而欧盟的这个数字则接近1.2%。只有一个欧盟国家——爱尔兰——取得了高于美国的生产率增长。

欧洲人“喜爱悠闲的生活”

虽然欧盟采取了多项旨在加强经济一体化的措施，但欧洲的糟糕经济表现提出了一个无法忽视的问题：为什么？一个广泛流传的解释是，欧洲的劳动力市场弹性不够，不仅仅因为明显存在的语言障碍，还因为多年来，为适应工会需求而引进的各种规则。

由世界货币基金组织进行的一项研究仔细考查了从1960年到1998年期间的数据，并提出一个简单的问题：如果将欧盟劳动力市场美国化，会给欧洲失业问题带来怎样的效果？说得更准确些，这项研究设想了：

增加参与率（劳动力中的人口比率），

降低替代率（收益与过去收入的比率），

降低就业保护，

降低劳动力税率（引进财政改革，消除贫困陷阱），

削弱工会，并且减少工资谈判的集权特点（那些全国范围的集体工资协定确实在地区失业率上造成很大差异）。

表 11 总结了三个这样的政策所计划的短期、中期和长期效应。这里看得很清楚：只有贯彻所有的三条政策，欧洲的失业率才可能降到美国的水平，而且那只是作为“长期效应”来体现的。还表明，劳动力市场的改革必定是有难度的。需要非常激进的改革，而效果却只会慢慢体现出来。

表 11　对劳动力市场“美国化”会给欧元区失业率带来怎样的影响

	对欧元区失业率的影响（%）		
	短期	三年之后	长期
降低欧元区替代率到美国的水平	–0.26	–0.62	–1.24
降低就业保护到美国的水平	–0.35	–0.83	–1.65
降低劳动力税收到美国的水平	–0.08	–0.20	–0.40
三条政策的联合效应	–0.69	–1.65	–3.29

这个计算没有抓住欧盟与美国之间另一个不同之处，这个不同之处就是美国人工作的时间与西欧人工作的时间的差距越拉越大。根据近期的经合发展组织的研究表明，在职美国人的工作时间是每年略低于 2000 小时(1976 年)。而德国人平均工作时间仅为 1535 小时——足足少了 22%。荷兰和挪威人的工作时间则更短。即便是英国人，比他们在大西洋对岸的远亲们也少工作大约 10%。特别之处在于，过去的 20 年时间里，有多少这样的不同。1979 到 1999 年间，美国人平均一年的工作时间加长了 50 小时，或者说比之前几乎增加了 3%。但是，德国人平均一年的工作时间却缩短了 12%，荷兰人平均缩短了 14%。美国人一年当中得到 10 天的休假还只是最近的事情，而欧洲人已经有 30 天休假了。

事实上，这些数字低估了欧洲人“喜爱悠闲生活”的程度，因为它们没有考虑一个事实，那就是美国实际上有更多比率的人在工作着。1973 年到 1998 年间，在职美国人占美国总人口的百分比从 41%上升到 49%。但在德国和法国，同一个百分比分别下跌至 44%和 39%。美国人处在就业年龄层的总就业率为 73%，欧盟仅为 64%。欧洲大多数国家的失业率也明显高于美国——比利时和西班牙的失业率超过了10%，超出美国失业率的2倍多。当然，还有罢工的问题。1992年到2001年间，西班牙因采取行业罢工行动导致了平均每1 000名员工的经济损失达271天。丹麦、意大利、芬兰、爱尔兰和法国的这个数字在80天到120天之间不等，而美国的这个数字则低于50天。

这就是美国经济在过去的20年时间里冲到欧洲竞争对手的前头的主要原因。这不是效率的问题。一个简单的事实是，美国人工作得更多。另一个事实是，欧洲人的休假更长，而且退休更早。实际上，欧洲的工人失业或罢工的人数多于美国。欧洲的政治领导人认识到这个问题已为时过晚。2003年6月，一位德国政治家冒着断送职业生涯的危险，大胆建议，如果德国人可以少休一些假的话，他们的经济就可以发展得更快。不久之后，这样的观点在法国也不再是一个禁忌的话题了。但是长达一个世纪以来的欧洲社会民主制度已经造就了那些极难打破的习惯性思维。德国社会民主党几乎从一开始，即19世纪晚期，就是为了争取更短的工作时间，在近期则是为了争取更短的工作生涯而参加竞选的。而在法国，保证每周最多工作35小时是最近取得的伟大成果之一。这个传统很难摒弃。被提议的欧洲宪法有一个显著特征，它旨在鼓励让欧洲人在工作热情上远不如美国人，并把它们作为“基本权利”供奉起来。新宪法第II–27条要求工人有权就如何经营雇用他们的公司，向公司管理层发表意见和看法。这一条款让英国企业领导人大为担忧。第II–31条也同样重要：“每名员工都有权对工作时数，对每天、每周休息时间以及每年的带薪休假设定限制。”

共同农业政策

欧洲也许仍然有对外贸易顺差，但是部分原因是由于欧盟内部的需求增长相对缓慢而导致的。另一个相关因素是欧盟持续的贸易保护主义，其中以农业部门的贸易保护主义最为明显。至 2003 年 6 月，欧盟已达成了为时过晚的改革共同农业政策的协定。对这个政策的支出几乎占了目前欧盟预算的一半。与产量相挂钩的农民补贴金制度将部分被废除。虽然不是全部废除，但欧盟按规定购买农场产品的价格也将有所下降。共同农业政策给予 10 个新成员国农民的支付款仅为旧成员国水平的 1/4。但这些改革措施并没有降低目前进口到欧洲的农产品的关税。在坎昆会议夭折之前，美国向世界贸易组织的提议中就包括在 5 年的时间里，逐步停止农产品出口补贴以及把农产品产值的补贴金降低到 5%，并且征收不超过 25% 的关税。在坎昆会议之前，欧盟就暗示愿意降低补贴。在 2003 年改革之前，这种补贴大约是农业产值的 33%，而美国是 21% 左右。然而，若没有全球贸易协议，这些补贴将继续进行下去。这样的事态简直无法自圆其说——而且在政治上几乎不能理解，因为欧盟从事农业的劳动力还不到总劳动力人口的 4%。

美国并非在这些方面都高尚得多，但当我们评判欧盟对发展中国家作出积极贡献这一问题时，需要牢记欧洲补贴农业和征收高关税成瘾的事实。欧洲可能在援助政策方面比美国更加慷慨中，但只要共同农业政策依旧存在（即便在其改革后），欧盟所做的不过是一只手给予，另一只手索取罢了。更糟糕的是，它将增强发展中国家对外援的依赖，而不是基于自身农产品出口的经济发展模式。如果欧盟打破现在已经在力量上被削弱的贸易保护主义游说团体的束缚，成果将是巨大的——不仅仅是地中海周边的发展中国家将大大受益，还有斯拉夫人居住的周边地区。对西欧的消费者而言，也有其实际利益。只有相对少数的、生产效率低的农民——尤其在法国——会变成输家。有些人将表示抗议，认为从美学的角度看，法国的乡村也受益于农业补贴金。这些人应当再三深思，如果问题的实质是维护高卢乡村的美丽风景，那么农民们完全可以成为荣耀的花匠，接受报酬来承担维护法国乡村美景的工作，而不应当拿津贴去种植那些可以从欧盟之外廉价获得的农产品。

欧洲央行和德国的通货紧缩

共同农业政策也是欧洲家庭的伙食费居高不下的原因所在，这就等于两次搜刮了他们的税后收入：一次是对他们的毛收入进行征税，另一次就是他们金额不断膨胀的伙食账单。但这并不是欧洲近期以来糟糕的经济表现的主要原因。远比这重要的是，自 1999 年 1 月建立单一货币体制以来，欧元区货币政策在管理上有问题。

国际交易中成功地使用欧元来替代美元的地位，反而标志着更深刻的失败。这个失败在于全面低估了欧盟货币政策对德国经济造成抑制物价，甚至是通货紧缩的压力。这个政策的目标是企图让 12 个完全不同的经济体取得价格稳定。1999 年到 2001 年间，单一经济和货币联盟对德国来说意味着更高的利率，但通过汇率贬值得到了补偿。在 2002 年和 2003 年中，欧盟利率下降的幅度不够大，行动过晚。而且由于欧元的升值产生了真正的货币紧缩，通货紧缩的一些症状已经在德国显现出来。虽然官方的消费者价格通货膨胀率仍为正数，但主要生产商的产品价格指数在 2002 年有所下跌，而且农产品价格自 2001 年年中就开始下跌了。在西方的主要经济体中，过去的十年时间里，只有德国的房地产价格经历了下跌，实际跌幅达到了 13%。

问题还在于，德国的财政政策受到欧洲规则的限制而变得更加糟糕。这个名称不当的《稳定与经济成长协定》规定，如果柏林的政府预算在 3 年（2001 年—2004 年）里出现超过 3%GDP 的赤字，那么德国就会被欧盟罚款。这些赤字很大程度上仅仅反映了经济不景气或是接近于经济不景气时自动启动的稳定措施。这种处罚措施本意在于制约意大利这类在传统的财政政策上缺乏自律的国家。但是处罚会使财政赤字加大，这是货币联盟在意料之外所产生的最不可思议的结果之一。难怪，《稳定与经济成长协定》在 2003 年 11 月便被叫停了。

要想知道欧洲央行在什么地方出了差错，我们应当考虑一下，如果德国中央银行继续存在的话，德国的利率在今日将处于什么样的水平。倘若考查一下德国中央银行的历史，我们便能发现，它至少有 5 次为了应对经济不景气（1967 年、1975 年、1982 年—1983 年、1987 年、1994 年—1996 年），大幅下调利率的成功实例。也就是说，德国的利率会更低的假定看起来是合情合理的。欧洲央行不仅在德国，而且在希腊和爱尔兰的目标都是抑制通货膨胀。如果不是这样，德国在 2003 年—2004 年的基本利率将很有可能更接近美国的利率水平——也就是，更接近于 1%而不是 2%。

在这种情况之下，英国政府说了一大堆的托辞后还是巧妙回避了在近期加入欧元区的可能，这并不令人感到奇怪。虽然在 2003 年 6 月，英国财政部的一份报告认为成为欧元会员能够刺激英国的经济增长，但也仅仅是不大的增长幅度——最好的情况是 0.25%的 GDP 增长；最糟糕的情况是 0.02%的 GDP 增长水平。即便对这些有限的估计（假定转换成欧元将会刺激英吉利海峡两岸的贸易，而且这反过来也会提高生产率），我们也应当带着怀疑的眼光重新审视。因为欧元区自成立以来，经济表现并不优秀。刚刚加入欧盟的 10 个国家也应当对将自身的货币转换成欧元三思。因为这样的货币体制会吸引更多的不稳定的投机资本，如果为了入围欧元区的资格，他们被迫将在第二代汇率机制中等待痛苦的两年时间，那么他们失去的就会大于他们所得到的。波兰、匈牙利和捷克共和国的政府赤字在 2002 年都超过了 4%——实际上，匈牙利的赤字已接近 10%。同时，这些国家又是幸运的，《稳定和经济增长协定》已被暂时搁置了起来。

如果欧盟成员国扩大的结果意味着东欧低生产力的经济同时获得了西欧的福利制度和西欧的货币，那么其宏观经济效果，可以想象，就好比是在用慢镜头回放导致数百万民主德国人失业的德国统一的经历。捷克共和国、波兰、斯洛伐克和匈牙利的劳动生产率水平大约是法国水平的 1/3。直言不讳地说，这意味着那些国家的工资必须被设定在法国工资水平的 1/3，否则他们国家的工人将不足以与西欧的工人竞争。不幸的是，欧盟的劳工法的设计正是为了防止那种西欧人称之为“社会倾销”（social dumping）的现象，这是一个带有诬蔑性的词语，特指来自低工资水平经济的竞争。东欧人现在能够通过甚至比美国人工作更长的时间来弥补他们的低生产率。捷克的工人平均一年工作超过2000小时，而西欧人的工作时间却在减少之中。捷克工人这个工作时间的数字自从东欧剧变之后还在稳步上升。加入欧盟有可能扭转这个趋势，它通过给予合法的权利来帮助捷克人减少工作时间或者甚至根本不工作。这些合法权利包括缩短工作周数，更长的假期，更强大的工会，更高的最低工资水平，当然，还有当他们的雇主因为所有这些原因破产时他们所能获得的慷慨的失业金补偿。加入欧洲货币联盟，将会使这些国家失去在经济政策上的唯一的灵活性，即采用货币贬值政策来刺激经济的手段。

营救民族国家的行动仍在继续

那么，欧洲向联邦宪法迈进的步伐是什么呢？ 在这里，我们永远有必要将言辞与现实区分开来。一些法国和德国的政治家们多年来一直在使用欧洲联邦主义的提法，然而现实总是远远落在后面。原因很简单——一旦谈到采取行动，而不仅仅是停留在话语上时——同样是这些政治家们，却都始终如一地在捍卫着他们自己国家的各种利益。艾伦·米尔沃德的名言，即欧洲一体化的初期阶段是拯救民族国家，而不是为了建设一个联邦。这个观点今天仍然适用。即便吉斯卡尔·德斯坦的欧洲宪法最终被采用了，也没有什么理由相信这个行动已经结束。实际上，当我们仔细阅读宪法后，便会发觉这套规则的真正意义在于防止欧盟向东扩大后，西欧最大的4个民族国家的命运会遭遇小国占主导地位的灭顶之灾。

举例说来，有人会嘲讽欧洲理事会和欧盟外交部长的职位，说对于某些法国老年政治家们而言，这两个都绝对是肥缺——就像欧盟宪法起草委员会主席一职一样。德斯坦想要将欧洲委员会的人数固定在15人，换言之，就是抛弃了给每个成员国留一个委员席位的规定。如他所言，如果不那样做的话，在一个扩大了的欧盟中，来自7个最小国家（不到2%的欧盟GDP）的委员人数将超过来自6个最大国家的人数，尽管事实上后者的经济产出已超过欧盟80%的份额。德斯坦还想出一个办法，就是在欧洲议会中根据国家人口大小设定代表席位的比例。2003年4月的时候，他这样说："必须得将人口因素考虑进去，因为我们的机构是在一个民主的机制中运行。"也许最重要的是，对于部长理事会采取有效多数投票体制的变化，那将意味着欧盟立法只要获得一半成员国的支持，就可以被通过。倘若他们代表着至少60%的欧盟人口，对4个大国来说，这是一个比2000年12月在尼斯达成的体制安排要好得多的待遇。

德斯坦是对的。欧盟体制目前在很大程度上，过度代表了一些较小国家的立场，如表12所示。多年来，这种过度代表小国立场而不能充分代表大国的方式，也有其财政方面的因素。欧洲煤钢共同体（ECSC）几乎从一开始就决定了欧盟会将资源从较大的、较富裕的国家中转移到较贫穷的小国家中去。20世纪50年代，低效的比利时煤炭行业从欧洲煤钢联营的其他成员国接受了好几千万美元，资金主要来自德国。《罗马条约》签订以后，法国前殖民地（法国人将那些地方巧妙带入了共同市场）从其他5个签字国收到了3.8亿美元，又是主要来自德国。到1969年占欧洲经济共同体预算70%的共同农业政策也成功地迫使德国消费者为更为昂贵的法国和荷兰产品付账。根据德国预算数据显示，德国无偿过户给其他成员国金额的总数，在数年前就超过了由第一次世界大战获胜国名义要求德国支付的那笔著名的1 320亿马克的赔款额。

表 12　欧盟百分比数据

	国内生产总值	人口	在欧洲议会占席位	内阁投票选举	专员	欧洲法庭的法官数	每个内阁投票选举人数
德　国	23.4	21.8	15.8	11.5	10	6.7	8 219 300
英　国	18.0	15.9	13.9	11.5	10	6.7	5 983 200
法　国	16.6	15.8	13.9	11.5	10	6.7	5 952 100
意大利	13.8	15.3	13.9	11.5	10	6.7	5 784 400
西班牙	7.4	10.5	10.2	9.2	10	6.7	4 936 250
荷　兰	4.8	4.2	5.0	5.7	5	6.7	3 196 600
比利时	2.9	2.7	4.0	5.7	5	6.7	2 052 400
瑞　典	2.7	2.4	3.5	4.6	5	6.7	2 220 750
奥地利	2.4	2.2	3.4	4.6	5	6.7	2 030 250
丹　麦	2.0	1.4	2.6	3.4	5	6.7	1 783 000
希　腊	1.5	2.8	4.0	5.7	5	6.7	2 102 200
芬　兰	1.5	1.4	2.6	3.4	5	6.7	1 727 000
葡萄牙	1.4	2.7	4.0	5.7	5	6.7	2 004 600
爱尔兰	1.3	1.0	2.4	3.4	5	6.7	1 273 333
卢森堡	0.2	0.1	1.0	2.6	5	6.7	220 500

然而很难想象这个体制可以继续存在很长时间。欧盟扩大的唯一功劳就是带来了好几个明显比先前新成员国贫穷的国家。以前的欧盟扩大中，最富裕的国家——卢森堡总是居首，其人均国内生产总值大约是最穷的新成员国（1974 年的爱尔兰、1981 年的希腊、1986 年的葡萄牙以及 1995 年的芬兰）的 2 倍或 2.5 倍。但是东欧前共产主义经济体的加盟就完全是一个更大的挑战了。普通的卢森堡人比立陶宛人的经济状况要好上大约 5 倍。欧盟在哥本哈根达成的一致意见是，在 2004 年—2006 年这三年里给这 10 个新的国家“与扩大相关的最大承诺”将不会超过 408 亿欧元的水平。但是究竟谁来出这笔费用呢？德国经济发展如此缓慢之际，要德国

政治家们继续贡献最大一部分的欧盟预算，是很难说得过去的。显然，自从1945年以来，德国的利他主义行为在欧洲一体化的历史中起到了重要的作用。尽管如此，德国纳税人愿意为欧洲其他国家支付这种“默认的赔款”也应有个限度。

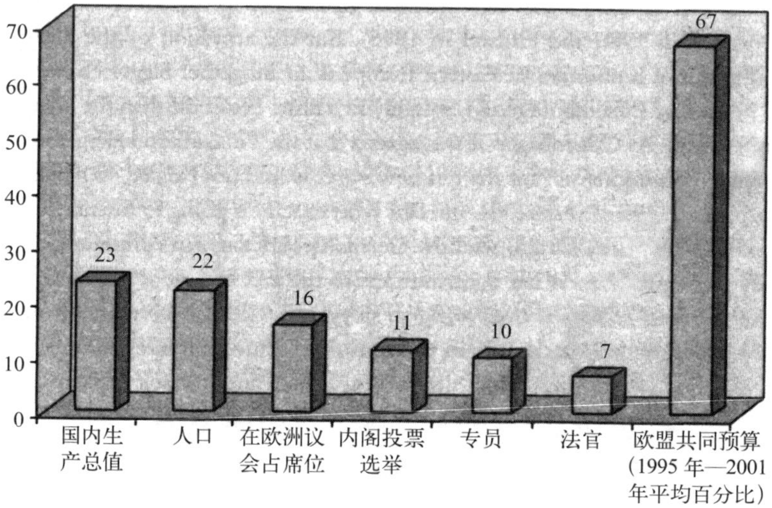

图12　欧盟资源和制度德国所占百分比

近期欧洲民意调查中心所作的调查得到一个鲜有人关注的发现，那就是在认为欧盟总的说来是一件好事的人数与认为欧盟只是对自己国家有利的人数之间存在着巨大的差异。可能在这些差异与欧盟预算的操作之间存在一个关联。在那些只是接受巨额款项的国家中——希腊、爱尔兰和葡萄牙，1995年到2001年间，它们都收到了超过2%国内生产总值的资金——认为欧盟有利于他们的国家的选民比例远远大于欧盟总体上是好的比例。反之，在一些大的捐助国中——德国、比利时和卢森堡——有更多的人认为欧盟总体上讲是一件好事，而认为欧盟只是对自己国家有利的人数则较少。如果没有其他什么的话，那就表明在一些（如果不是全部的）成员国的部分选民中存在对欧洲利益和国家利益认识上的区分概念。

“欧洲性”的局限

而要表现“欧洲”日益“反美”的态度和“更为自觉的欧洲人”总是很诱人的，但这最多只能算是一个简单化的说法。首先，正如皮尤研究中心的数据清楚地显示的，大多数欧洲人将美国人和小布什政府严格区分开来。74%的法国人在看待主要是由小布什引起的问题上时，才对美国持否定的态度，仅有21%的人认为那是“全体美国人”的事，而4%的人既责怪美国人，也责怪小布什政府。在德国和意大利，这个比例都十分相近。其次，多少具有讽刺意味的是，小布什外交政策的某些方面至少还是得到欧洲人支持的。在接受皮尤调查的人中，有3/4的法国、意大利和德国受访者同意，没有萨达姆·侯赛因，伊拉克人民的日子会过得更好。大部分欧洲国家的绝大多数人继续支持美国所领导的反恐战争。更概括地说，在对待经济和文化全球化问题上，没有真正的跨大西洋的分别。还应当注意一点，即使存在反美情绪，也没有降低年轻的欧洲人学习英语的热情。除了英国和爱尔兰之外，欧盟国家的中学里有92%的学生在学习英语——几乎是学习法语学生的3倍，是学习德语学生的7倍。

同时，欧洲人更加觉得自己是法国人、英国人、德国人或意大利人，而不是“欧洲人”。欧洲每10人中有9人对他们的国家“相当有归属感”或“非常有归属感”。但是每10人中不超过5人（45%）对欧盟有归属感。在一些国家，如瑞典、荷兰、英国和芬兰——2/3到3/4的公民形容自己对欧盟“不是很有归属感”或者“根本没有归属感”。仅仅只有很小一部分人将自己视作“欧洲人”，几乎一半的人主要还是将自己视作传统国籍的一员，其次才会想要做欧洲人。此外欧盟成员身份在15个国家里的受欢迎程度正在下降。1990年，超过70%的欧洲人认为欧盟成员是一件好事情。一个新近所作的调查显示，这个数字下跌到仅55%了。只有不到半数的欧洲人将欧盟成员视作“利弊各自参半”。这些数字表明，欧洲的身份定位看起来还没有被安全地建立起来。

此外，移民给欧洲带来的冲击只会减少欧洲文化的内聚力，而不是增加其内聚力。这股移民潮必须要继续下去，以应付上面讨论过的不断增长的退休率。在过去的十年时间里，数百万的人移居到了欧盟成员国，不管是经济移民还是寻求庇护者或者是德国血统的外国人。这些移民随着先前大量涌入的，特别是20世纪60和70年代已经解散了的殖民帝国的前臣民来到这里。根据最近的估计，荷兰、德国和英国3%到4%之间的人口是穆斯林，法国的穆斯林人数几乎是这个数字的两倍，即7.5%。最近有通过寻求庇护来申请移民的趋势，其成功率的不同表明一些国家有可能最终比另一些国家有更大数量的移民人口。1990年到2000年间，丹麦、德国、荷兰、奥地利和瑞典接纳了相对自己人口数量最大数字的移民。在可预见的未来时间里，吸引更合法的移民到西欧的经济需求，以及这些移民在所居住的相对贫穷的社区中强烈感受到的受排斥的政治对抗态度之间，必定会存在一种复杂的紧张关系。

一些政治家们明确借助反移民平台而取得选举成功，但把这个现象描绘成欧洲极端民族主义或种族主义政治抬头，未免有些夸张。从让·马利·勒庞到约克·海德尔，再到近来的皮姆·佛图这几个政治家并没有什么共同之处，他们取得的成功是如此短暂，更准确地说是一阵对外国人恐惧的急风骤雨的体现，这里面当然也有排外的含义。然而，对移民的敌视情绪非常普遍。2000年作的一次调查发现，有半数的欧洲人认为少数民族滥用了国家的福利体制，而且移民导致了失业率的上升。将近2/5的人认为甚至应该把合法的移民送回到他们自己的国家去。所以，肆无忌惮的民族主义者对迎合这种情绪抱有很大兴趣，这就没什么好奇怪的了。对梦想着一个联邦欧洲的那些人来说，这十分令人气馁。当被欧洲民意调查中心的专家问及欧盟对他们来说意味着什么的时候，超过1/5的欧洲选民在标志着“缺乏足够的边境控制”一栏上打了钩。无论一开始定下了怎样的约束，欧盟的扩大似乎给人这样一种感觉，那就是欧盟鼓励人们向西移民，为东欧和地中海地区的年轻人创造新的就业机会。有些煽动者已经把针对移民的敌视情绪和欧洲一体化联系到了一起。今后出现更多这样的态度看来也是在所难免。

接下来就是土耳其问题。土耳其人早在1987年就申请加入欧共体了。迄今为止，他们友好的表示仍遭到拒绝，主要理由是土耳其有多变的政治以及国内的一些不良的民事和人权记录。实际上，欧洲人暗中担忧（有时也会公开）的是，土耳其是一个伊斯兰国家。然而，土耳其成为欧盟成员的经济方面的理由越来越强。根据一些估计，土耳其的人均收入实际上比匈牙利、拉脱维亚或立陶宛要高，而这些国家现在都是欧盟的成员。土耳其的人均收入是大多数的巴尔干国家的2倍之多。相比之下，用宗教信仰的理由拒绝土耳其入围，造成了政治上不正确的尴尬境地。德斯坦在2003年提出了这一点后，他已经意识到自己的不明智。欧洲从定义上讲是基督教世界的概念已经站不住脚了，正如我们所见，欧洲守教的基督教徒已经太少了，有太多的非基督教的移民来到这个地方。欧洲也不能再认为土耳其是一个运转失常的民主国家了。一个温和的伊斯兰教党派通过自由、平等的选举上台执政了，军队并没有进行干涉。要是在过去，军队可能早就采取干预手段了。同时，欧洲还不得不接受土耳其入围以后的战略意义。因为欧盟新宪法将把土耳其与西方紧密联系在一起。土耳其国会拒绝协助美国入侵伊拉克北部的行动说明，议员们读了并且读懂了（即使其他人未读懂）《北大西洋公约》的条文，因为其中没有哪一条可以证明先发制人的战争是正当的。推翻萨达姆·侯赛因政权的行动证明，美国已经非常明确地展示了一个“流氓政权”在中东的存在是岌岌可危的。但是，如果欧盟接纳土耳其，作为对成为一个民主和宗教信仰温和的政权进行嘉奖的信号，除此之外，还能有什么比这个更好的方式呢？

查尔斯 · 库普乾曾把欧洲看作是一个新拜占庭帝国。只有从土耳其问题上，我们才能够把他的观点看作是有先见之明的，尽管这并不是他的本意。如果土耳其加入了欧盟，如果西欧的穆斯林社会继续不断成长，终有一天，我们会有很好的理由把布鲁塞尔和拜占庭——或是奥斯曼帝国的君士坦丁堡——进行对比了。

“欧洲时刻”

虽然法国的移民数量比起其他欧盟国家来并不算特别高，但是法国国内出现的巨大穆斯林社区——现在已经进入第三代——可以帮助我们解释为什么“国民阵线”领导人让 · 马利 · 勒庞在 2002 年首轮总统选举中能够一举成功的原因。为了确保第二轮选举的胜利，雅克 · 希拉克不得不疏远自己同勒庞对待移民问题上的立场，那也反过来可以解释为什么在 2003 年，他不愿意参加对伊拉克的军事行动。

由于国内这些政治因素——或者，说得更准确些，国内政治的多元特点——要协调欧盟成员国的政策就变得如此困难。理论上，欧盟共同外交与安全政策是一个非常吸引人的想法，但放到实践中，则越发显得困难重重。在波斯尼亚的问题上，正如我们所见，“欧洲时刻”显然并未到来：欧盟成员国间的意见分歧导致了一种政治上的瘫痪。而在伊拉克的问题上，欧盟内部的裂缝则越来越深了。设立一个新的欧洲外交部长是否能够改变这个局面呢？看来不太可能。

总之，欧洲是一个奇怪的联盟，它是一个幻想着成为联邦，却从未成为真正的一个联邦的同盟。它有行政机构、立法机构、一个上议院、一个中央银行、一种共同货币、一面旗帜和一首国歌。但是它只有极小的共同预算和最低配置的共同军队的框架。跟欧盟设计者的初衷不同，更多的决议仍然需要国家政府在欧洲理事会会议和政府间会议上作决定。欧盟没有一个共同的语言、共同的邮政系统、一支共同的足球队，甚至连统一标准的电源插座也没有。一些评论家认为，这可能存在成为“第四帝国”的威胁，它不仅由德国支配，而且在体制的结构上呈现德国的特点，持这种观点的最为著名的代表人物也许是保守党内阁大臣尼古拉斯 · 里德利。另一些评论家则认为这个联盟其实是由法国人以其自身的方式，即那种并不那么对选民负责的官僚机构所操纵，阻止着这个联盟演化成为美国式的合众国，持此种意见的代表人物是牛津大学的政治学教授拉瑞 · 西登托普。西登托普眼中的欧盟更像拿破仑三世治下的帝国而不是第四德意志帝国。

“瑞士”比上述的两种比方也许更为贴切，因为瑞士是一个经济比政治更有发言权的国家，也是州的行政权力强于中央政府的国家。然而即便是把欧盟比作一个超级瑞士，也还是低估了标志欧盟特征的两个明显民主“赤字”的重要性。第一个赤字是众所周知的，即欧洲议会的虚弱。欧盟委员会是一个以缺乏透明度及看起来不对任何人负责任为荣耀的机构。欧盟可能不是拜占庭，但其内部的运作方式却是拜占庭式的。第二个民主“赤字”不那么明显，但却是一个更加重要的赤字。德国选民在欧洲事务上比卢森堡或是爱尔兰的欧洲同胞拥有更小的发言权。很有可能这两个赤字对于欧盟的存在是必要的，因为一个真正的民主体制会释放出许多普通欧洲人的仇外心理以及唤醒长期埋藏在德国人及其邻国人民意识中的“德国问题”。但是在这种情况下，欧盟看起来不太可能增强其合法性，因此一个共同的外交和安全政策也是不可思议的。

按照欧洲人的委婉说法，欧盟正在朝着“变数几何”的方向迈进。只有 12 个国家迄今为止采用了欧元。在 2004 年，瑞典第二轮公民复决投票坚定地否决了参加欧洲货币联盟，更进一步减小了即将临近的英国就此主题投票表决的可能性。英国及爱尔兰至今还没有签署在欧盟内部开放边境控制的《申根协定》。1989 年到 1997 年间，英国人还决定退出《社会宪章》，它是欧盟在马斯特里赫特宣言中提出的三大支柱之一。同样，欧盟新的成员国也不会立即执行会员制的所有条款和条件。《阿姆斯特丹条约》中引进的“建设性的弃权”概念以及德斯坦的宪法条约（第Ⅰ—43款）中增进合作的概念指出了一条让成员国更具选择性安排的道路。无人期望这能够加强欧盟的实力。可以退出的选择越多，这个联盟就会变得越来越不一致。以几个速度发展的欧洲很难取得《罗马条约》中“要成为更紧密联盟”的目标。相反，联盟内部之间会渐渐变得更加冷淡和生疏，取而代之的是多种多样的小联盟。《罗马条约》发展为部分重叠的种种“意愿联盟”，从而导致政治上的混乱，因为这些“意愿联盟”都各自有特定的目标。2003 年 12 月布鲁塞尔峰会推迟了对宪法条约的决定，紧接着法国和德国的领导们就轮番公开地声称自己的国家是支持一种含蓄的“双轨制欧洲”的“先锋”。

布鲁塞尔峰会失败的原因，表面上是由于有效多数投票机制的新规则相对削弱了西班牙和波兰两国在部长理事会上的影响力，它们两国拒绝接受这种安排。因为尼斯体制更适合它们。

神话、故事和庆典游行

本章的结论非常的直截了当。美国既无须害怕欧盟的扩大，也无须担心欧盟的深化——至少因为这两个过程是互相对立的两个过程。一个联邦的欧洲的出现就可以与美国相抗衡的言论是基于对欧盟发展状况的根本误读。欧洲虽然人口稠密，但是已经呈老龄化。其经济是庞大的，但也是增长迟缓的。它的生产率不低，但由于过度享乐而遭受损失。它是一个成功的但又缺乏效率的自由的关税同盟。它包含了一个货币联盟，但与其说这个货币联盟促进了成员国的经济增长，不如说它压抑了经济的增长。它当然是一个法律上的联盟，但是由于有过多的法规源自一个未经选举产生的而且是一个不负责任的欧盟委员会，所以欧盟也很难真正享受其合法性。而且作为一个政治实体，在可预见的未来，它仍将保持其联邦的形式。戴高乐在1962年所说的话在今天看来仍然基本是正确的：“就目前来说，欧洲只能是一个欧洲国家。当然，欧洲是存在于神话、故事和庆典游行之中的，但仅此而已。”而且即便是这些神话也未博得多少尊重。欧洲确实有共同文化的迹象，而且这种文化与美国概念中的那种难以捉摸的“西方”文化相去甚远。但是，民族的定位仍然占主导地位，移民的到来更加无法消除它们。综合以上所有这些原因，一个共同的外交和安全政策看起来是那么的遥远，而且可能只是难以企及的雄伟梦想罢了。

不管怎样，谁又需要一个与之抗衡的对手呢？最终的分析是，美国和欧盟如果合作的话远要比互相竞争收益大得多。底线是，他们需要对方，甚至是相互依存的关系。这在经济领域是相当明显的，几乎1/4的欧盟出口产品是销往美国的，同时1/5的欧盟进口产品是来自美国的。1999年，欧盟来自海外的直接投资中，美资占到65%，同比率的欧盟直接投资也投向了美国。美国在欧盟股票的直接投资就不低于45%。欧洲投资人和投资机构手中持有的股票中，美国政府债券和美国公司的债务占很大的比例。于是，我们就可以赞同理查德·洛斯克兰斯将这种关系描述为“恺撒与克罗伊斯”之间的伙伴关系。但欧美共同利益也是文化上的，那些抱怨欧洲遍地都是麦当劳快餐店的人们忽略了美国也有巨大数量的法国和意大利餐厅。有人听到迪士尼公司的行政总裁迈克尔·艾斯纳这么说过：“《睡美人》是文化，是法国人；《小飞侠》彼得潘是英国人；《木偶奇遇记》匹诺曹是意大利人；《白雪公主》是德国人。”总之，美国人和欧洲人在抗击恐怖主义中有着共同的利益，这是毫无疑问的。一小撮狂热分子造成的恐怖和故意伤害，在曼哈顿也好，在蒙巴萨也好，只要美国和欧洲的情报机构以及警力携手合作，一定会打败他们的。如果有真正意义上的跨大西洋合作，那么波斯尼亚、科索沃、阿富汗和伊拉克的国家建设就更可能获得成功。

因此，在美国害怕欧洲合众国“崛起”的那些人该松口气了。而欧洲那些幻想着同样事情的人们应当面对现实。无论从实际角度还是隐喻的角度来讲——布鲁塞尔离拜占庭还有很长的路要走。

第八章

关上大门

……衰落的帝国的财政是一个有趣的话题。

爱德华·吉本（《罗马帝国衰亡史》作者）

第二次大趋同

从罗马帝国的衰落到欧盟崛起的大部分时间里，欧洲的典型状况是政治上的支离破碎。统一时期——从查理曼大帝到希特勒，中间还有从查理五世到拿破仑一世的阶段——属于例外，而不是常规。而世界的另一边的东亚，则正好相反：统一属于常规，非统一时期却属于例外。公元前 3 世纪，中国的第一个皇帝，即秦始皇统一了中国，修筑了长城。从此以后，帝国山河的大一统就成了这个国家的正常状态。事实上，虽然中国断断续续发生过内战和王朝的衰落期，但是它是世界历史上寿命最长的帝国——也是版图最大的帝国之一。19 世纪 20 年代，清朝直接统治了差不多等同于现在中华人民共和国版图的浩大疆土；朝鲜、中南半岛、暹罗（泰国的旧称）、缅甸和尼泊尔都是中国的附属国。现代历史的大部分时间里，中国一直拥有世界上 1/4 到 1/3 的人口，在 1820 年时也许有 37%的世界人口是中国人。工业革命前夕，中国也是世界经济的巨人。1500 年到 1820 年期间，它的产出占世界份额从未低于 1/5，而且有可能在 1820 年上升到 1/3 的高度。

然而中国的生活水准在 19 世纪和 20 世纪经历了灾难性的崩溃。1820 年到 1950 年，人均国内生产总值下跌了几乎 1/4。到 1973 年，中国人均收入是世界平均水平的大约 1/5，比许多非洲地区还要差。中国所占世界总产出的份额从 1820 年将近 33%的水平下跌到低于 5%。为什么会发生这一切，成为了人们一直激烈争论的一个问题。中国人自己将他们国家的衰败归咎于 19 世纪中期英国对中国发动的战争（即两次鸦片战争，1840 年—1842 年以及 1856 年—1860 年）后，西方帝国主义造成的负面效应。更近期的一种西方学术假设是，中国长期以来的政治大一统给这个国家的技术和战略发展带来了窒息性的效果，而此时的欧洲正分裂成互相竞争的民族国家。正是由于他们在国内外的竞争使西方在经济和军事上对人口稠密的东方取得了决定性的优势。根据肯尼斯·波梅兰兹的理论，由于欧洲对新世界殖民地的获取，将它推到了中国前头。早期的现代阶段末，西欧和长江流域都面临着过度采伐森林带来的生态危机，但是欧洲人可以利用美洲的白银和加勒比海地区的糖——更不用说他们自身容易找到的煤炭——用工业化和商业化的手段走出马尔萨斯的人口论陷阱。

20 世纪中国的命运十分悲惨。欧洲人给中国的周边地区带去了经济转型，但是，英国给印度的后莫卧尔帝国引进了全套的法律和行政制度之后，只套用了在少数几个印度之外城市，其中突出的是香港。在英国的鼓动下，相互竞争的西方国家（包括 19 世纪晚期的美国）达成了一致的“门户开放”政策：中国可以成为一个巨大的自由贸易区，但它仍旧固守着自己的政治制度，即清朝传统体制的残余。1911 年从帝国到共和国的转型夭折了，最重要的原因是 20 世纪 30 年代日本帝国主义入侵和接着发生的内战所带来的灾难性的后果。第二次世界大战后，中国继续扮演一个成功帝国的角色，以现实主义的态度追求其外交政治上的目标，这一点给亨利·基辛格留下了深刻的印象。但其经济上的弱势对其政治影响带来了严重的局限性。

自 20 世纪 70 年代后期由邓小平发起了一系列改革之后，中国经历了令人惊讶的经济复苏。与同时寻求计划经济的解脱和政治体制民主化的苏联不一样，中国人致力于修改而不是抛弃其现有的经济制度，同时对其政治制度只作有限的改革，其结果已是飞速提高的经济增长率。在过去的 20 年时间里，中国国内生产总值的实际年增长率在 8% 到 12% 之间。用购买力平价作为基础进行调整的数据来看，中国所占世界产出的份额自 1983 年以来从 4% 上升到了 12%，所占世界出口比重也剧增。高盛公司的一项研究显示，中国经济有望在2041年赶超美国的经济规模。难怪有如此众多的国际关系专业的美国学者立即得出这样的结论：中国是未来的战略挑战。从狭隘的经济角度来看，至少，中国似乎是与美国抗衡更具可能性的候选人，而欧盟并不是。中国和西方在历史上发生的“大分歧”让位给了再次出现的“大趋同”，这将被中国在“世界体系”中收复失地的努力所证明。对中国过去所取得成就的历史兴趣正在复苏，领导跨越印度洋发现之旅的远洋舰队的指挥官郑和的成就再次引起史学界的重视，这正反映了人们对于未来的期盼。

然而，就像20世纪80年代人们发烧似的预测，世界将变成日本人的天下一样，我们应当谨慎对待这种预言。首先一点，这种失控的增长率很有可能在给中国带来财富和繁荣的同时，也带来了不稳定性。一个世纪之前的沙俄帝国就是一个很具有教育意义的例子。在亚历山大二世及其后来的两个继任者的统治下，沙俄帝国也致力于一个类似的实现工业化的计划，开展对国外的贸易和实现资本开放的经济，并取得了当时看来是卓越的快速经济增长率。但是，经济增长所导致的一系列社会后果给罗曼诺夫王朝的专制统治带来了巨大的压力。当它试图寻求利用国家新的财富发动战争时，便沦为了革命的牺牲品。中国人新的一轮革命并不会很快发生，不管社会的不平等如何广泛，这个社会对不是一次，而是两次的政治剧变所带来的痛苦仍然记忆犹新。然而，只要脆弱的国家银行及金融体制发生危机，就可想象会发生困扰中国政府的内部危机。不能排除一种可能性，那就是中国新近对自由贸易和国外直接投资的依赖不过是回到一个世纪之前的门户开放时代，其政治上的后果是不那么令人乐观的。与之相关的第二个，而且更直接地限制中国影响力的因素是中美之间日益增长的互相依赖关系。这两个帝国颇有经济伙伴的气氛，根本不是战略竞争对手的关系。唯一的问题是，两者中，谁对另一方的依赖性更强一些。说得更准确些，一旦他们之间的和平友好关系（已长达30年之久）发生危机，谁会是更大的输家。

今天，正如一个世纪前的情况一样，中美之间有一扇敞开的大门，但是那扇门是否会关闭呢？

重新思考“过度扩张论”

用以往任何一个世界性帝国的标准来说，4 年之内颠覆 3 个暴政政权绝不是一般的成就。自 1999 年以来，斯洛博丹 · 米洛舍维奇、塔利班和萨达姆 · 侯赛因的武装部队都被美军的军事干预一一推翻。诚然，推翻米洛舍维奇政权属于间接干预，正是因为它们发生在对美国衰落的形势担忧的思潮发生的十年之后，所以这些成就才显得如此非凡。1987 年，保罗 · 肯尼迪警告说，美国正冒着“可以被称之为‘帝国过度扩张’……的风险”。他认为，美国在军事承诺上花费了太高比例的国民收入，这已经对美国的经济表现造成了影响。同非军事化的德国和日本相比，后者能够在民用的研究和发展上投入更多的费用。美国能否保住其冷战中的超级大国地位呢？肯尼迪写道：“这个问题只有一个答案，就是不可能。”实际上，肯尼迪更进一步指出，在帝国的过度扩张中很可能会暗藏着诸多可怕的国内政治后果。他援引里根总统时期受到国防开支驱使而增长的政府债务，并与大革命前的法国作类比。“这是唯一一个想得起来的，和平年代中债务如此快速增长的大国。”

正如凯恩斯曾经说过的那样，当事实改变的时候，人们也当跟着变换思路。2002 年 9 月，肯尼迪在写有关美国接着从超级大国变成了“超强大国”的时候，他借助“军事革命”来解围，解释了为什么他对于“过度扩张”的预言没有兑现。所有用于军事研发的投资带来了一笔未曾预料到的意外收获，虽然他在 20 世纪 80 年代时，是如此不赞同花如此之多的钱在军事技术的研发上。在与里根–温伯格的超级军备竞赛中，不仅苏联被拖垮了，而且美国继而在 20 世纪 90 年代累积了 3 倍的和平红利：军备开销占国内生产总值份额的缩减，经济增长的加速以及军事能力的巨大突破，从而将其他国家远远地抛在身后。

具有讽刺意味的是，肯尼迪原先关于财政过度扩张的命题可能仍然很有说服力——尽管他本人已经决定抛弃这种观点。美国今日的财政过度扩张的现象远比他在 16 年前所预见的要糟糕得多。关键一点是，这种过度扩张几乎与美国的海外军事承诺毫无关系，这里就出现了与肯尼迪早期论点不再相似的情况。这是美国长期失调的国内财政所导致的结果。美国的财政问题如此严峻，大多数美国人，包括那些认为自己对国家财政运作了如指掌的人士，都发觉目前的状况简直令人无法置信。实际上，美国的财政危机的蛰伏时间之所以那么久，恰恰是因为人们拒绝相信它的存在。而这个心态产生的原因主要是由于美国已经不自觉地依靠东亚资本来稳定其不平衡的预算。许多评论员已经注意到中国对近期美国的军事干预保持缄默，甚至默许的态度。很少有人意识到中国现在帮助美国政府承担债务的程度有多高。

同一个世纪之前的大英自由帝国一样，美国自由帝国用廉价的成本就能运行，其费用之低令人感到吃惊。这主要是因为美国经济是如此庞大。自 1980 年以来，美国的国内生产总值（以现行美元来衡量）已经从占世界产出量只有 10%的低位上升到 2002 年占世界产出的 31%。这使美国经济比日本经济大 2.5 倍，比中国经济大 8.5 倍，比俄罗斯的经济大 30 倍。美国军事支出超过了欧盟、中国和俄罗斯军事预算的总和。然而美国军事的成本的相对水平已经陡然下降，从 20 世纪 50 年代平均 10%的国内生产总值降到 20 世纪 90 年代的仅 4%的水平，这种下降现在仍在发生。

许多美国人担忧美国占领伊拉克的成本，那主要是因为他们在政府的鼓动下将这种占领想象成是不需成本的。2003 年 4 月，布什政府的一些发言人谈论此事时，把这个国家的重建工作建立在设法让他们自筹经费的基础上。第一次海湾战争对美国人而言实际上是免费的，因为这场战争有一个广泛基础的联盟，包括德国和日本，他们支付了全部军事费用的80%到90%。在第二次海湾战争中，美国更进了一步，它不仅打败了伊拉克，还占领了伊拉克。但这次有钱的盟友更少了。2003年大部分时间里，美国领导人似乎不愿意面对这个现实。“伊拉克是一个富有的国家，”总统发言人阿里·弗莱舍兴高采烈地宣布，“伊拉克有可以利用的巨大财政基础……因为它是一个石油资源丰富的国家。”美国最大的公司沃尔玛的训条与之不谋而合：“永远低价。永远。”“9·11”恐怖袭击事件之后，布什政府起初采用的就是这条原则。政权更替是政策，但是实现这个政策的方法和手段只是花一些小钱。

值得记住的一点是，直到2003年9月，布什政府在阿富汗的国家重建上投入的资金依旧相对较小，而此时，那里的国家重建工作已经启动一年半时间了。根据凯尔国际援助组织的信息，到那一天为止，阿富汗每人每天被承诺的金额——包括所有的海外捐赠人的资金——不超过实际在战后科索沃恢复期的费用的1/4，尽管阿富汗的需求显然要迫切得多。无论如何，国际合作中心在2003年6月得出的数字表明，为阿富汗重建工作“支付”了不超过16亿美元的资金，其中仅9.47亿美元被“激活”（它通常意味着这些钱主要用在了西方“需求评估”小组用的车辆，以及电脑的开销上了）。不足1.92亿美元的数额用于业已完成的项目上。阿富汗未来的稳定就完全依赖于建在喀布尔的以哈米德·卡尔扎伊为总统的临时政府的成功运作上了。但是，就在本书写作之时，只有不到1/5的战后基金到达了阿富汗政府设定的信托基金账户里；更多的则是经由国际捐赠人直接进行分发的。到2003年5月美国只支付给阿富汗临时政府的主要基金账户微不足道的500万美元。

然而，如此的吝啬并不能只怪罪布什政府。美国海外援助预算下降是多年来爱财如命的美国立法者所导致的结果，从第二次世界大战之后所达到的峰值（平均将近美国国民生产总值的1.8%），下降到了目前不足0.2%的水平。在伊拉克战争的早期阶段，由白宫和参议院谈判代表共同参加的一次“超现实主义”的会议上，就如何使用布什政府要求的790亿美元的战争经费进行了讨论。到会议结束之时，已有29亿美元被指定用于救助美国航空业走出困境，因为自“9·11”恐怖袭击事件以来，该行业的利润由于日益增加的国际不安全感而被榨干。另外2.75亿美元用于转移和安置航空业近来的下岗员工。更滑稽的是，佛蒙特州的参议员帕特里克·J·莱希居然提议战争预算中的330万美元应当被用于瓦特伯瑞，即他家附近的一个水坝的重建工作上。如果给出地方既得利益和国家安全这两种选择的话，总是有国会议员会选择前者的。

然而在2003年中，我们看到国会批准了布什政府那年10月所要求的870亿美元，用于伊拉克和阿富汗的占领和重建，因而可以明显感觉出他们态度的转变。毕竟，支付给未经改革的海外国家的援助款项是有别于用于美国的政权更替的政府的援助款额的。尚且，美国的立法人也并非看不懂颠覆萨达姆·侯赛因政权的成本和利益之间的关系的。

伊拉克战争本身相对而言是廉价的，远远没有达到政府所要求的790亿美元——可能只接近于480亿美元。此外，正如芝加哥大学的经济学家所指出的那样，美国除掉萨达姆·侯赛因实际上等于省了一大笔钱，因为如果他还在位的话，每年用于遏制他所造成的军事威胁的费用就达约130亿美元。毫无疑问，870亿美元在大多数美国人看来是很大的一笔钱。但它只相当于0.8%的美国GDP，更何况，美国在伊拉克的失败将会导致多大的成本是无法预测的，所以在那个国家建立稳定和友善的政府体制的这个低价还是公道的——当然，我们必须假定这是能够取得成功的。然而，870亿美元中的绝大部分将由美国占领的纯军事成本所吸收。只有200亿美元多一点的款项会被指定用于重建工作上，这其中的1/4将会用于伊拉克安全部队的现代化改进上。仅对荒废了的油井、输油管道和精炼厂的修复工作就要超过 50 亿美元；彻底修缮该国的电力系统将是前者的两倍还多。相对于伊拉克低得可怜的国内生产总值而言，200 亿美元还算是一笔巨额款项；与 20 世纪 40 年代晚期的马歇尔计划对联邦德国的援助相比起来，对伊拉克的援助所获得的回报相对就要大许多，因为在希特勒统治下的德国经济并没有像萨达姆统治下的伊拉克经济处于完全崩溃的境地。此外，国际捐助者已经向伊拉克的战后重建捐助了 130 亿美元的资金。

为什么高达 1 000 亿美元用于安全和重建的经费还不足以使伊拉克经济得以恢复呢？毕竟这个国家有世界上第二大的石油储备。在被萨达姆的专制统治推入水深火热的贫困生活之前，伊拉克人民的平均收入相当于美国人民平均收入的 1/4 到 1/2 的水平，按计算方法的不同而得到不同的结果。然而到 1999 年，20 年的战火、国家对经济的控制、国家对国民财富的盗窃以及国际制裁已将普通伊拉克人民的收入水平降低到 0.75% 的美国收入水平了。20 年的时间还不足以抹去全体人民对如何运行一个市场经济的所有记忆。20 世纪 90 年代，波兰和俄罗斯的经历很清楚地告诉我们，即便 45 年的时间也不大可能，可是 75 年之后，对过去记忆大致上已不留痕迹了。在正常的环境下，伊拉克民众是能够迅速恢复到 1979 年前的生活水平的。当然，要启动经济的恢复，有三个条件是急需的：法律和秩序的加强，基础设施的修复（尤其是水和电）以及使废弃的油田现代化的巨额资金，同时刺激其他部门的经济活动。只要军事占领不会过早终止，并且给伊拉克足够的时间使得稳定的经济和司法制度扎下根来，这些条件还都是能够获得的。

与人们普遍相信的阴谋论相反，布什政府并不是为了伊拉克的石油储备而入侵这个国家的。然而，恢复石油的生产是美国使伊拉克成功转型所需的必要条件。没人会怀疑，伊拉克的地底下有大量的石油，但是这个国家的石油储备究竟有多少是业内专家们争论的一个热点。不过，伊拉克只有 780 亿桶石油还是有 3 000 亿桶石油这个问题在近期来看只能是一个纯学术上的讨论。实际问题是，有多少石油可以从地底下打出来，今年有多少，明年有多少，后年又是怎样一个情况，每一桶获取的利益会是多少。表 13 是在乐观估计占领为期四年的情况下，提供的三种可能的情况。最好的情况是到 2006 年伊拉克日产石油量能够达到 350 万桶，四年的产油总量达到 1 000 亿桶。现实中，供给量的增长可能更缓慢，平均价格也更低一些，由此整个占领期最终收益可能不到 400 亿美元。还要注意一点，这些是根据毛收入的规划，还有各种各样的成本必须在这些数字中扣除。我们还不应当忘记伊拉克现存的外债，对海外债主的欠款为 1 200 亿美元加上高达 1 250 亿美元的战争赔偿要求。只有取消掉这些“讨厌的债务”(之所以讨厌，是因为这些债务都是因萨达姆的暴政招致的）才能够释放未来的石油收入用以资助重建工作。然而，前景也未必没有希望。至少伊拉克稳定的部分成本最终还应当由石油销售的收入来抵消。

表 13　伊拉克石油收入：2003 年—2006 年间的预测

	2003	2004	2005	2006	总计
中间价位					
每桶石油价格（美元）	25	25	25	25	
每天石油桶数（百万）	1.7	2.5	2.5	2.5	
每年石油桶数（百万）	620.5	912.5	912.5	912.5	
每年收入（十亿 $）	3.9	22.8	22.8	22.8	72.3
低价位					
每桶石油价格（$）	15	15	15	15	
每天石油桶数（百万）	1.7	2	2	2	
每年石油桶数（百万）	620.5	730	730	730	
每年收入（十亿 $）	2.3	11.0	11.0	11.0	35.2
高价位					
每桶石油价格（$）	30	30	30	30	
每天石油桶数（百万）	1.7	2.5	3	3.5	
每年石油桶数（百万）	620.5	912.5	1 095	1 277.5	
每年收入（十亿 $）	4.7	27.4	32.9	38.3	103.2

最后，如果稳定取得成功，这个国家的经济不仅得以增长，而且美国对伊拉克的出口也将增长，如同20世纪40年代后期德国和日本发生的情况一样。有些人批评小布什政府将伊拉克基础设施重建工作的合同授予美国公司，并对此表示不满。相反，他们应当庆祝这个事实，伊拉克战争后的政策已经在为美国的一些工人创造就业机会了，因为美国虽然有愿意偿付前宿敌留下的债务的政治雅量，但如果不能让美国人得到实惠，政府就会很快丧失公众的支持。军事占领的算术题并非像有的激进的批评家认为的那样是零和博弈的游戏，他们坚持认为在伊拉克花的每一美元都意味着美国学校和医院就少了一个美元。恰恰相反，伊拉克的胜利能够带来巨大的收益——不仅只对那些冒险接受该国重建合同的公司有利。

大炮与黄油

因此，并不是政权更替政策以及国家重建的成本给美利坚帝国造成了过度扩张的威胁，而是国内的消费导致的。美国经济比历史上任何时期都更依赖于消费和信用——不管是在公众还是私人领域。因为美国的外部实力基于其经济力量，由此便产生了矛盾。从传统上讲，任何帝国都面临着在大炮和黄油之间（即军费开支及国民消费之间）作选择的局面，并会被债务所限制。但是美利坚帝国又需要消费来刺激它的经济增长。经济增长了，美国的军费开支也就容易解决。而且，为了维持消费的增长，它能够借到史无前例的巨额资金。这是一个既要大炮也要黄油的帝国。

这个矛盾绝妙地体现在高机动性多用途轮式车辆上，用另一种表达方式便是众所周知的悍马汽车。其最初的车型是1979年由AMG公司设计的，作为美军个人轻便运载工具来是用的，现在它已经成为美国几乎在所有有军事部署的冲突区域巡逻的运输工具的选择。然而，悍马也可以为消费者所承受。自从其民用生产权于 1999 年被出售给通用汽车公司之后，悍马已经开始以各种非军事色彩的外表出现在全美国的高速公路上，开始是在加利福尼亚州。悍马是用于军事征服，还是消费用途上呢？答案是，两者皆是。实际上，从其一加仑油所能行驶的低里程数（平均为 11 英里/加仑）及其巨大的体重和宽度上就可以为美国肆意挥霍原油的行为提供一个很好佐证。

有些人当然会说，为了使加利福尼亚的悍马所使用的汽油维持在较低的价位，伊拉克需要悍马来维持治安。但是，这又一次夸大了石油在推翻萨达姆 · 侯赛因战争的决策中的重要性。大炮和黄油帝国的悖论也可以通过小布什总统当选以来，两家美国公司的经济命运的对比来作诠释。那些 2000 年末投资油田工程公司哈里伯顿的人们寄希望于该公司受益于共和党在选举中获胜，结果却大失所望。在 2003 年 11 月之前的 3 年时间里，公司股价下跌超过 1/3，而且它不能在激进的中东政策中获取很大利益，这些政策都是这家公司在决策层的朋友们所支持的。相比较而言，2000 年末购买沃尔玛股票的投资人，其资本收益则达到了 1/5。用严格的经济学观点来看，投资于传统的消费品公司的收益被证明比投资于想象中处于军事—石油联体核心的企业的收益更大。

日益增长的个人消费的重要性在美国经济增长中成为过去的 40 年时间里最为瞩目的发展。以 GDP 百分比来表现，它已从 20 世纪 60 年代的 62% 左右上升到 2002 年的 70% 左右。其必然结果便是银行储蓄的下降：个人储蓄率从 1959 年的 9% 下降到 1992 年仅 4%，并在接下来的 11 年时间里维持在这个水平。实际上，美国人通过借钱来为绝大部分的消费增长提供资金。家用部门的信贷市场债务从 20 世纪 60、70 年代占 44% 的 GDP 上升到 2002 年的 78% 水平。

也不只是普通美国人在靠着贷款来抵消他们在消费上增长的开支。由于不景气、战争和税收的削减，联邦政府承认，2001 年所预测的 3 340 亿美元预算赢余到了2003年7月已经变成了至少4 750亿美元的赤字。这个数字着实让许多美国人感到震惊。毕竟，克林顿政府执政期间，国会预算办公室所规划的财政预算精打细算，所以结余至少还看得见。然而，这些规划都是基于这样的假设，不管通货膨胀或是经济增长，一年到头，联邦政府在每样事上完全按规划数额消费，除社保、医疗和其他各种福利以外。同时，美国国会预算办公室也信心十足地假定政府的税收将实现每年约6%的增长。2001年美国国会预算办公室认为，为抵制通货膨胀而作调整的支出已不再有效。这个调整把2002年—2011年所预计的赢余从6.8兆美元降低到5.6兆美元。但这个数字与接下来发生的未曾预料的事件相比，简直是小巫见大巫。两年之后，在经历了不景气、巨大的税收削减以及“9 · 11”恐怖袭击事件之后，美国国会预算办公室预计的10年赢余跌到了200亿美元。然而，国会预算办公室仍然预测在中期阶段里，公众手中的政府债务将有所下降，在未来10年时间里从35.5%的GDP下降到16.85%。要达到这样的结果，国会预算办公室很方便地假定，调整通胀的支出在未来的10年时间里，即便当经济增长的时候，也将保持固定不变。事实上，自2003年9月以来那些政府采购，包括额外的军事及安全成本已经上升超过经济产出增长速度的两倍。2004年，国会预算办公室已再次修改了它的预测为2004年赤字接近5 000亿美元。2002年到2011年的10年时间里，先前的赢余变成了2.7万亿美元的赤字。这个数字比国会预算办公室在上一次总统大选之前所预期的多了9 500亿美元的新债务，而时间仅仅过去了4年。

然而，即便是国会办公室最新的规划仍很大程度上低估了联邦政府的负债规模，因为其“底线”只是以政府债券为形式的部分债务。

美国人喜欢有安全保障。但是他们喜欢的社会保障超过了国家安全保障。他们所关注的是年老和病体所带来的危险和意外，那被证明是他们国家财政过度扩张的真正原因，并非由于他们过度关注恐怖主义和“邪恶轴心”所带来的危害。今天，隐性的财政危机并非出于过度的海外军事负担的结果，而是早先的社保法律（其中一些法律可以追溯到罗斯福的新政）与美国社会人口变化之间长期失调的关系所导致的。

2007 年之后，战后第一次生育高峰出生的人开始享受社保福利了，人数大约在 7 700 万。2010 年之后，他们将开始享受医疗福利。到他们退休之时，据一位官员估计，美国的老龄人口规模将会翻番，但支付其福利的纳税人的增长率还不足 15%。经济学家将政府对支付现在以及未来养老金和医疗福利承诺看成政府“隐性”债务的一部分。但这些债务丝毫不亚于政府债券本金加利息的总量。实际上，从政治角度看，拖欠债务可能要比停止支付社保及医疗福利容易得多。没人能肯定政府会首先放弃哪一个，但有一件事是很清楚的：隐性债务和显性债务比较起来，后者就是小巫见大巫了。

这些隐性债务的规模在 2003 年一篇由贾格迪什 · 戈卡莱和肯特 · 史密特斯写的论文里被揭露出来。贾格迪什 · 戈卡莱是克利夫兰联邦储备银行的资深经济学家，而肯特 · 史密特斯是美国财政部负责经济政策的副助理部长。他们在文章中提出了下面的问题：假设今天政府到手了未来预期会收到的所有收入，但在今天，他们不得不用这些钱来偿付所有承诺过的未来的开销——包括外债偿还，那么美国政府未来所能获得的所有收入的贴现现值是否足以抵消它未来所有支出的贴现现值？答案是非常明确的：无法抵消。根据他们的计算结果显示，其缺口高达 45 兆美元。用透视法来看这个数字，它是公众所持有的现在官方债务的 13 倍，是这个国家年产出的大约 4 倍。戈卡莱和史密特斯还问道，要有多少税收或是削减多少开支（在当即和永久的基础之上）才能产生按照现值计的 45 兆美元。他们提供了四种备选答案（见表 14）。政府可以从今天起增加 69% 的所得税（个人和公司），或是提高 95% 的薪资税金，它还可以削减 56% 的社保和医疗福利，抑或是将政府自由裁量的支出的总和降到零。

表 14　为取得美国财政政策总平衡所要求的税收增长或消费削减的百分比

政策	百分比改变
增加政府税收收入	+69
增加薪资税收	+95
削减政府购买	–100
削减社保及医疗	–56

另一个表达这个问题的方式是，如果政府对以上四项政策一项都不执行的话，将我们自己一生的税收负担同下一代人一生的税收负担进行比较——因此有专门术语被用来形容此类的计算："世代会计法"——此类账目隐讳地显示，不幸出生于今天美国的人比起20世纪40或50年代出生的那一代来，整个工作生涯中将要承受非常高的税率，可能是其父辈或祖父辈的两倍。虽然布什政府削减了税收，但是今日美国人的税收负担依然很高。因此，退一步说，将下一代的税收提高现在的两倍的想法似乎只能是美好的梦想。

然而，这些数字存在一个严重的问题，并非由于这些数字所基于的计算数据出了问题，而是因为这些数据难以被美国人接受。说得直白一点，这个消息太糟糕了，几乎没人愿意相信那是真的，但并不是说人们要完全遗忘这个问题。这是不能回避的常识问题，美国人的寿命变长了，老年人比例不断上升，这一部分的支出将会变得更加昂贵。人们只是没有意识到有多昂贵。美国人的一个通常的反应是，这些经济学家政治上另有企图，因此他们将预设的假定通过计算，描绘出一张最黑暗的图画。但现实是，戈卡莱和史密特斯的研究是受保罗·奥尼尔的委托，当时他还是财政部长。而史密特斯当时也在财政部，戈卡莱在联邦储备委员会。此外，戈卡莱和史密特斯的数据并不属于最糟糕的一种预测，这些数字是基于官方对于未来医疗保障与寿命增长的乐观估计而作出来的。在美国历史上，每名受益人所享受的实际医疗保障福利的年增长率已经超过了劳动生产率的年增长率 2.5 个百分点。但是官方的预计只假定未来只有 1 个百分点的差异。（他们还乐观地假定，美国人要达到现在日本人的长寿水平，还需 50 年时间。）如果用稍有不同的假设来计算，财政失调的总额甚至还可能会大于 45 兆美元。

在美国的政治体制中，像这样令人不愉快的财政算术会受到排挤，没人会对此感到惊奇。精神正常的总统候选人是不会以“增加 2/3 的税收”为竞选口号的。也不会有哪个有理性的当政者会愿意将社保及医疗福利减半。由此，我们可以很确定地进行假设，短期之内是不会有解决这个世代失调问题的办法的。不幸的是，这意味着问题将会变得更糟糕。根据戈卡莱和史密特斯的观点，如果财政政策到 2008 年仍然维持不变的话，所得税将不得不再提升 74%以缩小两代人之间的差距。换言之，世代会计法的算术暗示着在未来某一天，美国不得不考虑财富分配的问题。政府迟早得降低其开销或者增加其税收收入。很遗憾，小布什政府对于这个潜藏的财政危机所采取的办法似乎应了列宁的一句旧口号：“越糟糕越好。”面对扶摇直上的赤字，总统和他的一班人马仍然在国会力推三项重大削减税收的措施。政府官员们有时还为这些举措作辩护，说它们是经济活动的刺激因素。这正是“巫术经济学”的版本，曾几何时还被前任总统的父亲讽刺挖苦过。然而，人们有充分的理由对此表示质疑，不单单是因为这些削减税收政策的主要受益人是一些富人。

实际上，世代交接出现失调的一个可能的财政解决办法已经在英国得以实施，很简单：就是在通货膨胀全面爆发之前，废除允许福利权利上升的机制。1979 年，新当选的玛格丽特 · 撒切尔首相认真地改革了长期以来建立的基本国家养老金制度，该制度是根据两个指数，零售价格指数和平均收入指数中较高的一个指数每年增加。撒切尔的第一次预算修正了规则，从而使得养老金的增长幅度只根据零售价格指数，打破了其与平均收入指数的关联。因为 1980 年之后，收入的增长幅度远高于通货膨胀，在很短的时间里，政府财政的节省量便十分巨大。长远来看，节省甚至更大。今天，英国短期的公众养老金债务比大多数欧洲大陆的政府要小得多，到 2050 年，只占国内生产总值的 5%，而在意大利为 70%，法国为 105%，德国为 110%。撒切尔的此项改革及其他方面的改革使英国成为在世代账务上没有重大漏洞的主要发达经济国之一。

按照美国现在的情况，必须采取重要措施将医疗保障的支出控制住，因为这一块是 45 兆美元的预算黑洞的罪魁祸首，仅这一项便占到 82% 的份额。每年仅削减每个受益人付款增长率 0.5 个百分点，就能从 45 兆美元的长期预算缺口中剔去 15 兆美元。给医疗保障支出的增长定一个上限是一定有办法的，同时又不危及为相对不是那么富裕的老年人提供医疗保障服务的能力。很不幸，由小布什总统提议并于 2003 年国会通过而且生效的，对处方药物成本实行补贴的医疗改革起到了完全相反的作用。第二项政策选择是对社会保障实行私有化（现在正在被认真考虑之中）。

这两项政策中，有一项能够实施吗？ 由于美国老年人的政治组织以及日益增长的自我意识在不断加强，所以看起来是不太可能的。社会保障有时被称为美国政治家的第三根扶手，因为触碰这个议题的政治家如果建议对福利实行任何形式的削减，就会遭到来自美国退休者协会（AARP）的猛烈政治攻击。美国退休者协会对 20 世纪 80 年代英国经验牢记于心，该机构已经出资进行了一项研究，确定美国政府如果用养老金和通货膨胀之间的关系来替代养老金和工资之间的关系将会产生怎样的结果。它得出的结论是，同价格指数挂钩将导致平均替代率（即福利收入占退休前收入的百分比）在 75 年的时间里下降一半，从而“根本上”改变工人工作所作的贡献与他们所得到福利之间的关系。为什么今天的老年人对 75 年后的退休金水平如此关切，实在令人不解。然而，这个结论不仅在退休人群中引起共鸣，而且还在即将退休的人群中引起了共鸣。生育高峰期出生的人们已经到了这样一个年龄，保护未来利益比起降低他们当前工资税收对他们而言更加重要。实际上，他们当中有很多人已经加入了美国退休者协会，该协会最近发出的会员申请表格对它的50年历史表示祝贺。只要人们对于老年待遇的态度保持不变，只要退休人员以及行将退休人员拥有强大的组织，要对美国现行福利体制进行激进的改革——从而达到政府财政的平衡的目的——看来只能是遥遥无期的。

走向临界

传统的智慧预测表明，投资政府债券的投资者和商人如果预期一个政府的财政政策的失调会不断增长的话，那么他们就会抛售那个政府债券。人们是很有理由这么做的。现行收入和支出之间不断加大的缺口通常以两种方式来填补。第一种是通过出售更多的债券给公众。第二种就是通过不断印制货币。在其他条件相同的情况下，要么会导致债券价格的下跌，要么是利率的上涨，而利率的高低是人们是否购买债券的刺激因素。这个刺激因素当债券的本金加利息的实际回报受到债务拖欠和通货膨胀威胁的时候，必须变得更大。预期的通货膨胀率越高，利率也会涨得越高，因为没有人希望借出资金，收回的是却是实际价值因商品价格上涨而下降的钞票。现行的财政政策对预期的通货膨胀的影响是一个动态的过程，市场反馈的力度很大。如果金融市场判定一个国家已经破产并要发生通货膨胀，它们所采取的方法和手段会使得这个结果更有发生的可能。他们通过抬高利率以提高政府借债融资的成本，因而使其财政情况变得愈发恶化。更高的利率也会抑制商业活动：公司不再贷款，并开始裁员。随之相伴的经济不景气便会降低国家的税收收入并将政府逼入一个更深的财政黑洞之中。在绝望之中，政府便开始印制钞票，并通过银行体系借给私营部门。增加的货币导致了通货膨胀，而且市场所假定的通货膨胀率变最终变成了自我实现的预言。因此私营部门和政府发现自己在玩“老鹰捉小鸡”的游戏。如果政府不印钞票就能够说服私营部门付钱的话，利率还会维持在低水平。如果做不到这一点，利率就会上升，政府就有可能被迫提前印制钞票了。

因此人们预期戈卡莱和史密特斯研究出来的数字可能会导致债券价格的暴跌。但当他们的研究面世时，金融市场却鲜有反应。实际上，十年期的国库券收益已经向下调整了20年。1981年的时候，上升到最高峰，超过15%；到1994年的时候，超过8%；到2003年6月中旬，45兆美元的财政缺口数字出现在《金融时报》头版后的两周里，收益的数字保持在3.1%，这是自1958年以来的历史最低点。6个月之后，仅仅1%。

对于这种明显不合逻辑的推论，有一种可能的解释：债券商发觉自己陷入了与他们做股票买卖的同行五年前所经历的相似的困境。那时，华尔街上几乎每一个人私下里都认为美国股市，尤其是科技股票的定价高得有些离谱了，多数经济学家也公开承认这一点。1996年艾伦·格林斯潘作了著名的宣称，认为股市正遭受着“非理性亢奋”。接下来的三年时间里，一大批经济学家力求解释美国公司的未来效益不大可能高到能够支撑股市的价值，但股市仍在继续上扬。直到2000年1月，泡沫才开始破裂。债券市场随后也许发生了类似的事情。正如投资人和商人知道多数互联网公司永远不可能赚到证明其1999年股价为合理的利润，2003年的投资人和证券商也很清楚政府的收入不能长久承担政府债务利息和政府隐性债务产生的转移利息。但是，正如炒股票的人坐了五年牛市的精神囚犯一样，债券市场的参与者在2003年也成了20年期债券牛市的精神囚犯，市场长期国库券价格已经上涨了2.5倍。大家都知道会有一个“回落”，但谁也不想成为退出市场的第一个人——而且害怕坐着冷板凳看牛市继续上涨一年。2000年1月到2002年10月间，当“非理性亢奋”让位于理性的低沉时，道琼斯工业指数下跌几乎38%。很容易想象，在2003年中，债券市场也会有一个相似的回落。

为了使金融界的事情变得更加生动有趣，作家们通常调动自然界的想象力："泡沫破裂"、"熊赶走了牛"。美国潜藏的财政危机如此巨大，很容易使人联想到在财政范畴里，可以用完美风暴（即完全释放出能量的风暴）来形容——或者如果你愿意的话，可以用完美地震来形容；也许还可以用完美的森林大火来形容。不管用何种方法，自然界提供的不仅仅是文学色彩层次的东西了。财政过度扩张的力量确实与自然灾害的力量有很多相似之处，就好像一场真正的大地震。我们只能够知道，一场大的财政危机将要发生。我们所不知道的是，它何时会发生，或者这场震荡的规模有多大。用专门从事研究不可预测的自然灾害的科学家的语言来说就是，我们被迫静观我们的财政体制何时进入"自我维持的临界点"——换言之，当它达到临界点时，如何通过戏剧般的速度和力度，从一个均衡状态过渡到另一个均衡的局面。

这个现象最简单的例子就好比你试图做往沙石堆上添加沙石的试验。如果你在沙石堆顶部继续放置沙石，每次往沙堆上加一颗，沙石堆的高度会在一段时间之内持续增高。然后，突然之间，沙石堆倒塌了——人们没有办法知道是哪一颗沙石导致了沙石堆的坍塌。坍塌的发生是当沙石堆的高度趋于临界点的时候所发生的。与此相同的是，构成地壳的其中一个沿着断层的板块一旦太过频繁地挤压另一板块就导致了地震。现在把这种情况放到哺乳动物世界当中，与沙石颗粒不一样的是，它们是有意识的。设想一群牛在静静地吃草，这时来了一个人，带着他那条没有接受良好训练的狗路过草地。起初，周边的一两头牛发现了他，然后又有两头注意到了他们——它们起初只是感到有一些紧张。但当那条狗狂吠起来，突然间牛群才因受到惊吓，狂奔起来。狂奔便是那些哺乳动物因受到惊吓而产生的自我维持的临界点。

那么谁又会吓到那些靠买卖长期美国债券维生的哺乳动物呢？此处的沙石堆是由数百万个人的市场预期所组成的。一点一滴的坏消息就像一颗颗的沙石一样，日复一日、周复一周地落在我们身上。正如沙石堆一样，当坏消息的重量还未累积到一定程度的时候，我们还是可以稳住一段时间的。直到这些坏消息不断累积到某一时刻，足以彻底改变我们的根本期望。有一天，事情发生了——也许就多那么一条坏消息——便引发了从平衡进入自我维持的临界点的转变。因而，所有的一切便依赖证券商和投资人对政府如何应付45兆美元的黑洞的期望，以及今后会发生什么改变他们的期望的事情。于是，债券市场可能发生这样一种情况：一旦绝大部分的债券持有人意识到政府的隐性以及显性的债务太高，以至于它无法用传统的财政政策来应付，并且，政府只剩下印制钞票来支付账单这一条出路，从而导致通货膨胀时，他们便开始低价清仓了。引发这种期望的变化通常只需要一则坏消息便可以做到。

表面看来，上述的情景是合理的推断。其中一个原因是，它与过去发生的一些事件十分相似。虽然证券商很少有人会拥有历史学的学位，但他们记得20世纪80年代早期的债券产生的高收益在很大程度上是由于先前10年的通货膨胀和货币政策所导致的结果。20世纪70年代并不是由财政危机导致通胀结果的唯一历史先例。陷入财政困难的政府通常都会诉诸印制钞票，因为这样做可从三方面得益。第一，它们可以用本身毫无价值的纸张来交换实际意义上的货物和服务。第二，通货膨胀可以使官方债务的实际价值得以下降。第三，如果政府工作人员的工资被拖欠了，或只是根据通胀作了部分的调整，那么通货膨胀将降低他们的实际收入水平。其他的政府转移支付也存在同样的情形。

然而，人们有理由对新通货膨胀的概念产生怀疑。首先，今日的美国承受巨大的通货紧缩压力。20世纪90年代的繁荣期间产生了生产能力超负荷，投资者表现出失败之后的踌躇和迟疑，消费者对于失业的忧虑——所有这一切意味着2003年中美国经济只有一个部门还是有活力的，那就是住房市场。原因很简单，购房抵押贷款率达到了两代人以来的最低水平。2003年4月，彭博财经电视台的一则重要新闻形容通货紧缩为“2000年初威胁市场和经济的妖魔鬼怪”。一个月后，美联储主席艾伦·格林斯潘在美国国会联合经济委员会面前所作的陈述中承认有通货紧缩的“可能性”。反对较高通货膨胀的第二条论据则更为实际：在联邦政府的45兆美元的财政失调中，只有很小的一部分可以通过上述方式发生的通货膨胀得到减少。首先，大部分政府发行的可交易的债券是短期的债务。事实上，足足有1/3的债券是一年期或一年不到的时间就到期了。这就使得通货膨胀的发生愈加困难，当政府试图重新发行这些短期债券的时候，如果人们对通货膨胀的预期值高，政府就不得不支付更高的利率。其次，社保福利通过每年的通胀指数的调整受到保护。医疗福利也得到有效的保护，免受通货膨胀的困扰，因为政府毫无疑问会付清所有的账单。第三，政府工作人员是不太可能坐视商品价格超过自己的工资的上涨幅度的。基于上述的这些原因，重新启动20世纪70年代的那一套做法，实际上并不能解决联邦政府的财政问题。

然而，还有另一个更为极端的可能性。债券市场担心的是政府对于显性的、可交易债券的拖欠，而不担心诸如社会保险之类的隐性债务。政府对不可交易债券的拖欠可能比较难以想象，但历史上确有先例。在旧制度下的法国王室，最大的财政负担并不是以债券为形式的，而是好几万官员的薪水。这些人只是购买了政府的闲差，希望政府支付他们终身工资作为回报。在当时的体制中，降低这些隐性债务的所有努力和尝试都失败了。只有当大革命爆发之后（我们或许可以说，革命是这个君主国家财政危机的一个直接后果），这些官职才被废除。那些官员们通过新纸币的现金支付形式得到补偿。几年之后，由于革命政府滥印纸币，这些钞票变得毫无价值。换句话说既得利益集团抵抗必要的财政改革的结局，很可能是遭受革命带来的更加沉重的损失。

那么，也许保罗·肯尼迪把今天的美国同大革命前的法国作类比并没有什么错。波旁王室的法国，就像今天的美国一样，有着可夸耀的宏大帝国，但最终因为奇特的过度扩张而功亏一篑。并非是海外冒险导致了波旁王族的失败。实际上，路易十六的最后一场海外战争是为了支持造反的美国殖民者，并在战略上取得了巨大的成功。法国的过度扩张来自于内部，其核心是一个隐性债务的黑洞。同样，美国这个不愿言明的帝国的衰落也不是由于大门口的恐怖分子或是支持他们的流氓政权，而是国内福利政策所导致的财政危机。

这种财政危机当然并不只是美国面临的问题。它甚至更严重地折磨着世界上的第二和第三大经济实体。但是，日本和德国都不再觊觎全球霸主的地位，因此它们的经济衰落到老年时代并没有什么战略意义。而美国就不同了。正如吉本所说的，一个衰落帝国的财政状况的确是一个很有趣的话题。

负债的帝国

然而，美国财政问题的严峻程度以及它显露出来的时机不能单单与美国人的市场预期联系在一起来讨论。这是一个资本流动的全球化的世界，所有美国外交政策的动议都不能够脱离一个关键的事实：美国是一个负债帝国。

虽然历史上已有先例，但这也是异常的而不是常规的事态。在欧洲帝国的鼎盛时期，占统治地位的大国一般是债权国，并将自己大部分的储备投入殖民属地的经济发展之中。霸权，简而言之，也意味着霸钱。一百多年前，当上一个伟大的英语帝国驾驭世界的时候，资本输出是其权力的基础之一。1870 到 1914 年间，平均每年从伦敦净流出 4% 到 5% 的国内生产总值。第一次世界大战前夕，达到了惊人的最高值：9%。这不仅仅只是英国存款从本土到海外的特别转移，它也体现了想通过在今天被称之为欠发达的国家的投资，即商业基础设施（码头、铁路和电报线路）的建设来改变全球经济的卓越努力。不管在其他方面存在的毋庸置疑的缺陷，英国霸权的一个有益之处在于，它鼓励投资者拿自己的钱在那些国家作风险投资，这对于我们这个时代里的投资人来说，是极不情愿的事情。

并不只是英国人才有这种投资癖好。20世纪上半叶，当美国人一次次地出现在中美洲、加勒比海地区、欧洲和亚洲的时候，它是有能力推行“美元外交”的，因为它那时是一个巨大的净资本输出国。到1938年的时候，美国海外资产总值达到了111.5亿美元。美国在两次世界大战中都为胜利者提供了资金援助，也为战败国和平时期的重建工作提供了巨额资金。众所周知，美国资本输出的最著名的例子是马歇尔计划，它是以美国政府无偿向海外政府转移资金为显著特征的。而美国的私人海外贷款，在接下去的20年时间里继续为世界经济的恢复添加动力。1960年到1976年间，美国的经常性账目的盈余接近600亿美元。

那些日子已一去不复返了。今天，即便美国英勇无畏地颠覆了一个又一个的流氓政权之后，它还是这个世界最大的债务国。自1982年以来，这个国家的经常性账户的赤字总数几乎接近3万亿美元。2002年，赤字达到GDP的4.8%的水平；2003年还要上升。一项估计表明，2003年海外对美国的债权总计高达8万亿左右的金融资产，包括所有股票的13%和24%的公司债券。这个国家的国际投资地位已经发生了急剧的变化，净资产从相当于1980年GDP的13%的水平变成了2002年23%的净负债。2003年3月，《华尔街日报》提出了一个问题：“美国对外资上瘾了吗？”答案是肯定的，而且这不仅适用于私营部门，还更多地发生在政府部门。根据美联储2003年9月的估计表明，海外投资人目前持有46%左右的美国政府的债券，而且是在私人手中——这是他们十年前手中所持债务比例的两倍。这些异常的外债水平通常更多地与新兴市场有关而不是与帝国有关。实际上，巴西的净国际债务现在已经比美国低了。2003年4月的一次记者招待会上，国际货币基金组织的首席经济学家肯·罗格夫说他会“非常担心这样的一个发展中国家，其漏洞百出的经常性账户连年出现赤字亏损达国内生产总值的5%或者还要多，打印预算数字的墨水迅速由黑变红。当年的赤字对GDP的比例超过5%，而且还有没完没了的政府债券的成本支付。”当然，他很快地补充说，美国“不是一个新兴的市场”。但是“这种算术对美国至少还是有一点点适用的”。依笔者之见，也许还不止一点点。

倘若美国国内的政治僵局一定会在今后的几十年中导致一连串的赤字，那么很大程度上便要依赖海外投资人吸纳发行量不断增加的美国国库券的意愿。有一种观点认为，没有必要担心这个结果。有那么多的海外资本源源不断地流入美国，其原因就是美国经济是全球增长的发动机，海外投资人要的只是“从中得利”。然而，当海外投资人向美国投资时，他们似乎愿意接受比美国人投资海外所要求取得的报酬低得多的回报。结果，许多海外投资人并没有购买美国那些充满活力的公司的股票，他们主要是对购买政府债券感兴趣。为什么会这样呢？对这个问题的解释基于这样一个事实，美国债券的绝大部分实际上是东亚地区的一些中央银行所持有的，并且其比例还在不断上升之中。这些银行不断地大量买进美元资产，是为了防止它们自己的货币对美元升值。2003 年 4 月到 2003 年 8 月间，中国内地中国香港的中央银行购买了 960 美元的亿美国政府债券。日本中央银行在这一方面同样十分积极。

从严格的经济学角度来看，这样做可以不用担心失手，因为亚洲各中央银行这样的安排，与最大的借方有相同的利益。中国对美国的出口是该国创造就业和经济增长的主要发动机之一。从另一个角度来看，美国人的消费倾向和中国人的储蓄倾向之间存在一个极佳的对称。正如图 13 所示，中国基本上扮演了日本在 20 世纪 80 年代所扮演的角色，即把自己的盈余储蓄导入美国经常性账户和财政赤字之中。但是美国为了其经济的稳定（说得更准确些，是为政府每年约 4%的借款提供资金）而依靠中华人民共和国中央人民银行的这样一个事实，其战略内涵又是什么呢？

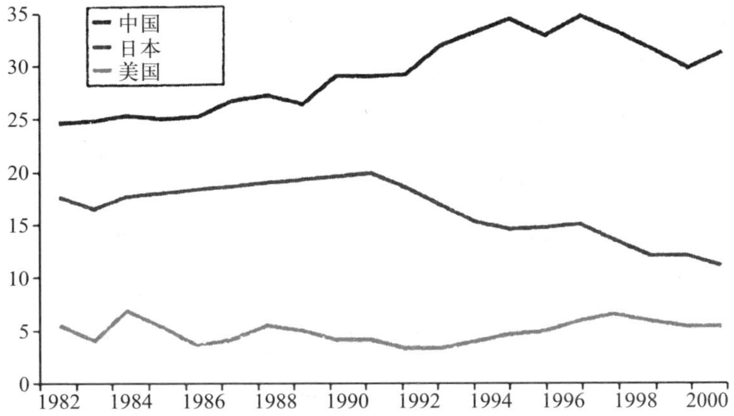

图 13 净国家储蓄所占国家总收入的百分比

中国、日本和美国，1982 年—2001 年

可以从两种途径来思考亚洲储蓄者与美国消费者之间的这种共生关系。一种是从传统上的债权人比债务人更具优势的角度来看，这样做使得亚洲人比美国人的优势更大。如果发生对于某项外交政策意见不合时——人们会立刻想到中国台湾问题和朝鲜的例子——中国人就会考虑通过卖掉几十亿美国债券以降低其受美国经济的影响，那样就会对美元以及美国的利率产生压力。然而这样一种常识性推理忽略了一点，采用这样的策略会使中国人自己付出什么样的代价。因为人民币的升值会立即对其出口行业造成冲击。也会对他们的经济造成强大的全面通货紧缩效应。而且，更重要的是会给持有美元资产的中国机构带来严重的损失。亚洲地区的银行的运作方式通常是持有美元储备而长期出借他们的本国货币。美元的贬值会倾覆中国的银行体系使其陷入危机。

问题的症结在于，亚洲和美国的经济关系并不对称。20 世纪的历史使美国在世界经济中处于特权地位，其货币成为并一直保持着世界首选货币的地位。自从 1945 年以来，美元比其他任何一种货币都更多地在国际交易中成为指定的交易货币，这就使其成为央行储备的首选货币。一个世纪之前，英镑也享有同样的地位。但是英镑严格地与黄金挂钩，正如美元在布雷顿森林体系的年代里，用不同的操作方式达到同样效果一样。戴高乐在20世纪60年代曾抱怨美国滥用其作为世界储备货币印刷机的地位，但只要美元与黄金挂钩，那么它的这种滥用其程度还是有限的。只有自20世纪70年代以后，当美元变成了纯粹的不兑现货币，其供应量由美联储说了算，完全不考虑与黄金的可兑换性，美国才真正能够利用美元对外国人的独特吸引力。自那时起，美国周期性地从外国人手中特别征收一种“货币铸造税”，当一种货币从持有者手中转移到该货币发行者手中的过程中，那种货币的实际价值便自动减少了。美元贬值已经成为美国人定期用来达到降低其外部债务的实际价值的工具了，在20世纪80年代中叶尤其突出。世界上没有其他的经济实体能像美国一样从货币贬值当中收获如此多的好处。进口变得更加昂贵了，但这个损失不仅可以从促进出口中得到抵消，而且更为重要的是，这个损失还可以从美国外部债务的实际价值的降低得到弥补。

不久以前，美元在世界外汇交易市场上急速下跌，这种现象过去只发生在1985年到1987年间。2003年下半年可能会看见类似贬值的开始。虽然美元的实际的贸易加权汇率略有上升，但其名义汇率自2002年2月以来对欧元已经下跌了超过2/5。这就提出了前一章节触及到的一个重要问题：美元的储备货币地位是否会受到欧元的挑战？ 重新再提这个问题是因为自从新的欧洲货币创立以来，国际投资者已经获得了一个全新的有价证券投资领域，欧元被广泛认为是以美元结算的资产的替代物。诚然，欧元区的经济表现跟美国比起来看似处于停滞状态。从另一方面来看，欧洲不愿打仗，使他对投资者有很大的吸引力，即便当正义在他们这一边的时候也是一样。法国和德国的领导人打击伊斯兰极端分子的热情也明显低于美国领导人。这一切都有其隐蔽的利益。对于投资者们而言，毕竟，投资避风港最重要的特点就是它的安全性。

不管怎样，小布什政府有时对债主并不感恩戴德。如前所述，中美之间的关系决不是基于中国人的利他主义行为。中国人购买美元的债券并非要帮助乔治 · W · 布什摆脱困境，而是要维持住他们自己货币对美元的汇率，以此保住他们的产品在美国消费者眼中的竞争力。2003 年，中国对美国的贸易顺差达到 1 050 亿美元。这种状况发生的真正原因是——实际上，是整个中美互相依赖关系的关键所在——正如我们所见，中国人的家庭收入中的储蓄的比例远大于美国家庭。但对于那些处于中国廉价产品竞争压力之下的美国公司而言，很轻易就会从另一个角度来看这个问题：中国正在不公平地削弱美国公司。这就解释了 2003 年间，华盛顿在面对不断上升的压力时，既要重新评估人民币相对美元的价值，又要对中国进口产品的关税再作评估。

至少有两方面理由可解释为什么这样的举措是不明智的。首先，再次重申一下，美元的贬值会给中国金融机构带来重大后果。许多金融机构是以美元为储备，但其拥有的资产是以人民币结算的。其结果是通货紧缩将席卷整个中国经济。其次，采取反华措施将会伤害美国公司，越来越多的美国公司现在对华直接投资，以利用其廉价而相对高质量的劳动力与明显稳定的体制环境的组合优势。海外直接投资现在总计高达中国国内生产总值的 40% 左右，是自帝国主义时代的中国“门户开放”政策以来从未达到过的水平。

长期低利率是美国财政调整延期的关键所在。只要可以在略微超过 4% 利率的基础上获取海外提供的资金，就没有必要在医疗和社会保障上找政治上的麻烦。然而，低利率的代价便是美国不能指望美元贬值了。美国必须得忍受实际汇率保持不变，甚至有所上升，因为它亚洲的贸易伙伴正在不断买入美元面值的债券，就是要将名义汇率维持住它们原有的水平。那么，世界仿佛多多少少达到了一个平衡的状态。然而，在历史上，平衡总是会被打乱的。1914 年之前的十年里，在许多观察家看来，经济上互相依存的英国与德国两大帝国之间要发生战争似乎不太可能，也许根本不可能，但战争还是爆发了。1929 年 10 月在华尔街股市泡沫破裂之后的几个月，美国似乎要经历的是一场传统意义上的经济萧条。1930 年 6 月实施生效的《斯姆特－霍利关税法案》却引发了全球经济的大衰退。

谁也无法知道什么事情会促使 2003 年的平衡状态向非常不同的方向转变。可能会是国内民众对于福利体制的担忧，也可能是东亚的核心战略的改变。同样，谁也无法知道这个转变何时会发生或者转变会有多大。好比一场地震，它的发生时间与震级有多大是无法预测的。我们甚至无法确定在哪些方面会有最严重的后果。我们不能轻视这样一种可能性（正如 20 世纪 80 年代所发生的一样），即美元的贬值对东亚地区的银行的打击就要比对美国经济的打击严重得多。如果中国步日本的后尘，由于美国古怪的经济政策而陷入通货紧缩的境况——美元作为世界首选货币的地位将肯定难以确保。今日美国和亚洲之间敞开的大门将会令人惊讶地突然关闭。

结论

乡思

我买下了它999年的使用权，
我却可以提前一个月取消所有的安排。
看起来在这个国家里，
房屋和合同都是灵活可变的。

吉亚卡摩 · 普契尼，歌剧《蝴蝶夫人》第一幕

平克顿和施瓦辛格

今天的美国是一个帝国，但它是一个奇怪的帝国。它的财富无比巨大。它的军事力量所向无敌。其文化影响之广令人称奇。但与其他帝国相比，它也通常要在本土之外强加它的意志，而它向海外国家输出美国体制的失败多于成功。

美利坚帝国在很多方面与上一个盎格鲁霸权国家怀着相同的渴求和抱负。虽然美国的建国源自对大英帝国的反抗及厌恶，它却继承了其母国的许多特征。例如，用辉格党的一个妙语来称呼自己——“自由的帝国”，同时，这个羽翼渐丰的共和国以惊人的速度在北美大陆中部推行了殖民化政策。如果同英国有什么区别的话，独立的美国人比起当年他们自己作为大英帝国臣民时，对土著人民的剥夺更加无情。然而，随着美国不断寻求在海外扩张其影响力，英美帝国之间的区别变得日益明显起来。1898 年后，美国公开打出帝国主义旗号之后，其实际成果却是毁誉参半。在太平洋和加勒比海地区殖民地铩羽而归，但在夏威夷和波多黎各收获颇丰。如同普契尼的《蝴蝶夫人》中那个薄情的海军中尉平克顿一样，美国的海外干预往往会历经三个阶段：激烈而热情的第一幕，心不在焉的第二幕，极度痛苦的第三幕。

只有当美国扮演一个反帝的帝国主义角色时——一开始是在第二次世界大战中反对大英帝国殖民主义，然后在冷战中（更明智地）对抗苏联——美国才有足够的自信扮演秘密的帝国角色。即便在那个时候，美国的持久力也是有明确限制的。有限战争的原则导致了美国在朝鲜战场上的撤退以及在越南战场上大败而归。自相矛盾的承诺也破坏了美国在中东的主导权。直到发生了一连串人道主义灾难以及 2001 年发生在国内的恐怖分子袭击事件，才重新点燃了美国民众对于一个更坚定的美国外交政策的热情。即便如此，也得使用委婉的说法来作掩护，而且对它的帝国主义特性一而再，再而三地加以否认。

在过去的两个世纪里，美国侵略并攻占了许多国家。然而从它们的经济和政治制度的角度来看，很少有国家建立微型的美国模式。科索沃、阿富汗和伊拉克的情况会不会好些呢？总统能否实践他所暗示的威胁，迟早会收拾“邪恶轴心”的其他成员，即伊朗与朝鲜呢？更不消说 2002 年 5 月加入这张黑名单上的古巴、利比亚和叙利亚了。还有去年 11 月被总统责骂的缅甸以及津巴布韦。

本书写作之时（2003 年），简单地将秩序强加给伊拉克的做法被证明是相当困难的，即便有英国及波兰的协助也是如此。小布什政府在为期只有三周的战争之后，被迫要求联合国协助联合临时政府建立。要达到这个目的，美国就不得不作出承诺，加速将权力从英美联盟转交给当选的伊拉克政府。美国的权力在中东看起来也受到多方面的限制。2003 年 6 月，当乔治 · W · 布什访问该地区的时候，有些人曾表达了颠覆萨达姆政权以帮助打破中东和平进程的僵局的愿望，从而给叙利亚和伊朗发出了一个信号，他们对恐怖组织旨在摧毁以色列的行动的支持将不再被容忍。在巴勒斯坦领导层里支持温和派并鼓励生性好疑的以色列政府走美国“中东路线图”上的道路。然而，到了秋天，亚西尔 · 阿拉法特再次宣布执政，阿里埃勒 · 沙龙则围着巴勒斯坦聚居地开始建筑柏林墙的复制品，并且美国人第一次在以色列占领区域内成为恐怖分子锁定的攻击目标。与此同时，基地组织开始攻击一个美国誓言要保护的独裁政府：沙特王室。

其间，小布什政府在处理世界上所有流氓政权中最危险的朝鲜问题上也没有取得什么进展。平壤开发远程导弹以及涉及核武器、生化武器的研究（更不用说其庞大的常规军队了）明显对东亚的稳定构成了巨大的威胁。

2002年12月，朝鲜推翻了1994年一项关闭其核反应堆的协定，并将联合国的监查人员驱逐出境；2003年10月，朝鲜外务部的一名发言人有些含糊地威胁说要将“核威慑作为一种实力公诸于世”。美国能对此做些什么吗？显然不能。尽管，这个国家的处于半饥饿状态的人民还依靠着美国的援助过活。这个令人生厌的小独裁政权以不受惩罚为条件公然对美国这个超级大国叫板，坚持主张他们要的不仅仅是一些新闻稿而已，他们是要与美国签订一个非常成熟的互不侵犯条约。

美国甚至在对其应负有历史责任的一个毫无希望的国家，利比里亚，派出一小支部队之前都犹豫不决。2003年8月，在该国要求美国干预的一再呼吁下，三艘舰艇搭载着约4 500名海军陆战队队员和水兵前往利比里亚。225名登陆的美军人员中有50名染上疟疾。两个月之后，美国人就全都跑光了。

像这样不热心的非洲冒险经历似乎印证了美国权力的局限所在。但是我们该如何解释这些局限性呢？ 正如我们所见，从一个国家主要的传统考量——经济、军事和文化角度——来看，从没有哪一个国家能够比今天的美国更为强大。近年来，它在取得对外政策目标上所遇到的种种困难不能简单地归咎于小布什政府所谓的外交上的不称职。实际上，我们需要从根本上重新考虑我们所谓的“权力”是指什么，尽管我们常常将这个概念与另一些概念混淆起来——如财富、武器军备、以“软实力”获胜的方法途径。这其中的许多条件，它实际上都完全拥有，但还是为有限的权力所制约。实际上，那正是美国的困境所在。2003年10月，演员阿诺德·施瓦辛格当选加州州长一职给了人们关于美国权力性质的一个重要启示。在《终结者3》中，施瓦辛格扮演了一名肌肉结实且坚不可摧的机器人，这个机器人的程序是为了保护一名要拯救世界的年轻人而设计的。影片充满了反讽的手法，虽然并不都是导演的本意。影片高潮的一幕是，这个终结者的操作系统崩溃了，它不但没有营救那个未来的救世主，还差点要了他的命。

因为他原先的计划与这个自相矛盾的命令互相制约、相持不下，他头脑里“中止计划”的红灯闪个不停，几乎使其瘫痪。

这个终结者在三个不同的方面是美国权力的一个完美的比喻。施瓦辛格拥有相当于其一半年龄的人的体格，他本人没几年就要过60岁生日了。他决意要成为永远的“世界先生”，代表了一代人以其举足轻重的经济地位永不变老的坚定决心——虽然他们是肯定要老的。终结者也是非常典型的美国式英雄，原因很简单，这类英雄独一无二。综上所述，终结者提供了美国权力局限所在的例子，因为还没等他完成使命，他头脑里中止计划的红灯便已闪个不停。表面上看，阿诺德·施瓦辛格无疑是一个巨人，很难想象一名男性的体格看上去能比他还要强大。他达到了人体体格的极限，就好比美国达到了资本主义经济的极限一样。然而，他角色性格上体现出的三处缺陷也解释了为什么美国只是看上去无比强壮，而事实上并非如此。

三个缺陷

在这本书中，我力图展示三个基本的缺陷及不足，它们共同解释了为什么美利坚帝国不像它的英国前任那么富有成效。它们是经济上的缺陷、人力上的缺陷以及三者中最严重的一个问题：注意力难以持久的缺陷。

在四年的时间跨度中，美国分别在巴尔干、中亚和中东地区对三个流氓政权实施了军事干预行动。无论出于哪一种原因进行军事占领，或政权变更被美化成“国家重建”是出于哪一种企图，每次美国的入侵都导致了政权的更替。但是做成功这些事情的钱又是从哪里来的呢？有多少美国人愿意去那些地方检查那些钱是怎么花的？美国民众对这样不仅伤财而且劳命的政策会支持多久？——即使在这两方面的数字都还不是很大的情况下。

可能有办法在三个缺陷中的两个之间架起桥梁，至少短期内是可能的。

正如我们所见，自从 1985 年以来，美国已从一个净国际债权国转变成为了全世界最大的债务国了，其国际净债务现在相当于国民生产总值的 1/4 左右。然而，那并非是发达国家出现过的最高水平。20 世纪 90 年代的澳大利亚，其海外净债务达到了GDP的 60%，而新西兰则接近于 90%。因为无论所得的回报多么之低，外国投资者对以美元计算的证券似乎显得贪心不足，因而美国很有可能继续对海外举债。毕竟，与澳大利亚和新西兰不同，美国可以发行以全球储备货币来计算的债务。

诚然，美国对海外资本的依赖是一种高空走钢丝的平衡动作。我们可以想象，海外期望值会发生变化，同时造成对汇率和债券价格的压力，更高的利率威胁美国经济增长的程度要大于低价美元带来的刺激经济的好处。没有人可以将美国财政肆意挥霍的可能性排除在外，即便美联储采取历史上最宽容的货币政策，仍然会遭遇日本式的通货紧缩而不是回到通货膨胀，尤其当美国消费者开始更多地进行储蓄并且努力降低他们的债务。两代人未曾经历过价格的持续下降，便会竞相将自己的行为调整到合理的方式。拥有大量房屋贷款抵押和消费债务累计的人将明显发现，如果价格在一年中下跌超过 1%~2%，名义上较低的利率在实际中会上涨到令人痛心的高位。

然而，这种危机的代价在美国外部要比在美国内部更为严重。自 1995 年以来，全球产出总增长几乎 60% 来自于美国，在未来的几年时间里，美国消费需求即便只是一个小幅度的减少，也会对全球经济造成严重的后果。而且如果美国要使美元贬值，而且采取保护措施以抵制中国的进口商品的话，就会在全球经济范围内产生通货紧缩的连锁反应。一个通货紧缩的世界并不一定是灾难性的绝望世界，它可能更像 19 世纪的 80 年代而不是 20 世纪的 30 年代。最早的大萧条开始于 1873 年崩溃之后，并且一直持续到 1895 年。它经历了价格的下降比产出的下降低得多的阶段（在美国，产出仍然增加了两倍），虽然这个阶段里关税有所上升，但并不足以高到置全球贸易于死地的程度。如果这样的大萧条再度发生，美国潜藏的财政危机当然就不会消失。实际上，如果实际利率上升超过了实际的经济增长率，或者医疗保障成本继续上升而其他商品的价格下跌的话，情况就会变得更为糟糕。正如19世纪80年代的萧条时期，通货紧缩的输家很有可能用极端的政治形式来表达他们的不满情绪。当下跌的价格挤压到农民和工人的利益时，民粹主义和社会主义就繁荣兴旺了，而白领和小业主通常会变成仇外的民族主义分子。这些事件曾经是20世纪中叶第一次“全球化结束”的先兆。从另一方面来讲，大英帝国由于维多利亚晚期的经济发展速度的放慢，其战略地位反而上升，这不仅仅因为它减少了其潜在对手的战略野心。当通货紧缩结束之后，德国人才开始建造他们的海军并开始他们的扩张主义的“世界政策”。一场经济大萧条对德国和中国的伤害远远大于它对于美国的伤害。

美国的人力资源的匮乏也并非完全不能克服。美国军队缺少有实战意愿的兵员，这令人难以理解，因为美国人口在以每年1.25%的速度增长，失业问题在经济复苏的状况下仍然固执地存在着（一项估计表明当前的失业人数大约在400万）。美国监狱的在押犯人超过了200万——即每142个美国居民中就有1个。如果把非法移民、失业者以及罪犯都加在一起的话，肯定有充足的生力军组成一支更为强大的美国军队的。毕竟，罗马帝国的扩张中，关键的一条就是它通过军队服役的途径，为非罗马人提供获得罗马公民身份的机会。大英帝国殖民的主要做法之一就是运送罪犯的政策，即清空18世纪英国的庞大监狱，把犯人们装上船，送往澳大利亚。只要目标明确，复兴这样的草案未必不得民心。

唯一的一种替代方案就是要依靠国外的军队提供辅助部队。这也是有先例的。如果没有印度部队，大英帝国便会遭受长期人力缺乏的局面。正如索尔兹伯里勋爵的那句名言，印度是“英国在东方海域的兵营，从印度我们可以想要调遣多少部队都成，而且不用付给他们工资”。战时的英国人十分依赖帝国辖地所提供的人力：他们分别在第一次世界大战为英国部队提供了 1/3 的部队，而在第二次世界大战期间则为其提供了接近一半的部队人数。轻率地解散了伊拉克部队之后，晚到的L · 保罗 · 布雷默开始意识到重新恢复这支军队可能是建立秩序和减少失业的上策，但已为时过晚。正如我们所见，2004 年的美国所有的唯一的办法就是去求助于联合国或北约以获得增援。如果美国人自己不愿意充当维和者的角色的话，那么，他们必须向维和者们发薪水，必须对唯利是图的“国际社会”的雇佣军提出的要求达成协议。

然而，这三个缺陷之中，第三个可能是最难以克服的——即“注意力不能持久”。这看起来是美国政治体制中与生俱来的东西，并且有可能使美国在伊拉克和阿富汗为时过早地发出停止重建工作命令。使用“注意力短暂”这个说法并不是对美国的批评，因为这是体制上的问题。是政治运作程序阻碍深谋远虑的领导方式。已退休的安东尼 · 济尼将军的话是这么说的：

“军方不能控制的一个根本问题是：“我们对世界的义务是什么？”我们虽然宣扬价值观、民主、人权，但却没有说服美国人民为何要为此支付费用……没有政治领导人说‘这么做是正确的’……‘那就是基本的问题……这些事情应当获得政治上的意愿和支持’。我们应当相信一点，一个稳定的世界对我们而言是更加美好的。如果我们有一项明确的政策和一个未雨绸缪的战略， 美国将会给世界带来更巨大的变化。美国将能够尽早地进行军事干预，仗会打得更好。”

但是对于一个士兵而言，想象一个“未雨绸缪的行动战略”比一个当选的政治家要容易许多。美国总统只在办公室呆上两年半的时间，就要开始为确保其连任的成功，做积极的筹备工作。事实上，中期国会选举甚至能更早地使总统的大批立法提案付诸东流。实际上，美国的政治是在国家、州和地方三个层面上同时进行操作的。2003 年夏，当一帮自我任命的业余政治家吵吵嚷嚷地要现任州长下台的时候，人们如何能指望加利福尼亚人民全心关注巴格达的国家重建问题呢？联邦政府本身从来不是一个统一的实体，这是个事实。各部门间的竞争在多数人类的制度和机构中当然是常规，无论这样的机构规模大小如何。但在2003年里有好几次，国防部、国务院和财政部之间的合作完全消失了（就更不用说商业部、贸易代表、国际发展署代理和所有在理论上涉及“国土安全”的主管机构）。这使人们想起德国威廉二世时期的那种最糟糕的“多头”政治。美国总统的职务当然是由选举产生的，而不是世袭的官职，但近期的总统有时看似在以德国末代皇帝的方式在管理事务，允许并默认政策由交杂在一起的机构互相竞争来决定，而不是为了达成一种集体责任感。难怪，如此多的美国海外干预会带有间歇性，缺乏外交策略，同威廉二世的“世界政策”一样没有效果。帝国主义的德国也实行了迈克尔·依格纳迪亚夫所谓的“匆忙的帝国主义”。它同样也对“速效”急不可待。

然而，跟帝国时期的德国所不同的是，美国宣称对获得新的“阳光下的领土”不感兴趣。它的对外征服不只是暂时的，甚至可以不被认为是征服行动。维多利亚时代的历史学家J·R·希利曾讲过一个著名的笑话，说英国人“心不在焉地”建成了他们的帝国。然而，美国人在这一方面更胜一筹，这里的心不在焉已经变成了真正的视力缺陷。今天很少有在美国之外的人会质疑美利坚帝国的存在——美国是帝国主义性质的，这一点在大部分受过教育的欧洲人眼中已是不争的事实。但正如神学家和政治学者莱因霍德·尼布尔在很久以前，即早在1960年就注意到的那样，美国“为了避免承认（他们）实际上行使的帝国主义，颇有点偏执狂”。

“帝国的自我否定”是否重要呢？回答是肯定的。成功的帝国很少单独依靠高压政治手段，对统治者和被统治者而言一定都有一些经济利益，即使只是为了收买本地精英人士的忠诚。但这种经济利益需要维持相当长的一段时间。帝国自我否定的问题在于，当它决定干预较小国家的事务时，常常容易犯两个错误。第一，可能会将不充足的资源分配给一个项目的非军事层面。第二，更为严重的是，容易在一个不现实的、短暂的时间框架内，试图进行经济和政治的转型。2003年，美国似乎在伊拉克和阿富汗问题上都犯了第二个错误。美国政府发言人坚持声称（而且明显是在预计未来），只要一个民主政府能够建立起来，美国人便“一天也不会多待”。这无意中为当地人民与他们的合作制造了进一步的障碍。这些国家中无人会有自信心来支持美国的政策，因为美国一旦开始撤退行动，这些人将遭到“与美国人合作”的指控。“如果巴尔干的人民意识到美国人会待在那里的话，”约翰·沙利卡什维利将军在20世纪90年代末如是说，“那就太好了……为什么在波斯尼亚和科索沃长期驻军的建议（同对联邦德国和日本的占领相类似）会是一条罪行呢？这只能从政治方面找到答案。在今天的政治氛围下，美军士兵必须回家，而且越快越好。”

这两点帮助我们解释了为什么这个拥有非凡的军事实力的巨大经济体在海外实行政权变更政策时，会有如此令人失望的成绩。最糟糕的失败——在海地、古巴以及越南——综上所述，都是由于非军事目的的资源不足和缩短的时间框架的致命组合。如果美国在巴尔干、阿富汗和伊拉克也重蹈覆辙的话，便是一个悲剧，但并不会令人吃惊。

走向无极化？

靠信用卡消费，不愿意上前线，对旷日持久的战事渐渐失去了兴趣……如果所有这一切呈现给我们的是一个惯于久坐的美国巨人形象的话（说得更直白些，就是一种战略上的“沙发土豆”——即只看电视，不喜欢运动的巨人），那么这个形象也许值得人们反思。根据身体质量指数的肥胖标准测试，可被归入肥胖的人口比例在过去的十年里几乎增长了一倍，从1991年的12%到2001年的21%。几乎2/3的美国男性被公认为体重超重了，而那些人中几乎有3/4的人年龄在45岁到64岁之间。换言之，现在每有一个超级身材的施瓦辛格就会有三个体型肥胖的弗兰克·坎农。国际间进行比较虽然有局限性，但我们可以看到，只有西萨摩亚人和科威特人比美国人更加胖一些。看起来，今天“白人的负担”主要是在腰围部分。

然而，不应该以此来为预言美国即将衰落的悲观主义者辩护，不管与欧洲有关还是与中国有关。“现实主义”者害怕从“单极”向“多极”转变的问题，但他们忽略了产生一个无能的世界的可能性——或者，若是你喜欢用这个词的话：无极世界。那些依恋俾斯麦模式的大国均势的人们容易将国际关系看作磁体相互影响的作用场，较大的国家像吸引铁屑一样吸引着一些小的附属国，有时联合起来，但更多的时候便是互相排斥。但如果今天的大国失去了磁性，既丧失了吸引的力量又丧失了排斥的力量，情况会是怎样的呢？甚至连美国都越发关注起其自身的内部问题，战略上成了一块毫无生气的废旧铁块怎么办？从很多方面来讲，这已经成了日本和欧盟的宿命。一度的经济巨人，现在却成了衰老的社会和战略上的侏儒。

大国冲突的“不存在”在历史上是一个不为人所熟悉的概念。兰克在其1833年的经典论文《列强》中将16世纪以来的欧洲描述为一个又一个的帝国对霸主地位不停的竞标过程，每一个都被其他帝国成功地抵抗住了：首先是哈布斯堡王室，然后是17世纪、以及1793年到1815年间再一次取得霸主地位的法国。假使兰克再活90年，他会把1914年到1945年的德国也加进去。对兰克而言，欧洲的自然秩序是一个真正意义上的多极体系；大权由法国、奥地利、英格兰、俄罗斯和普鲁士所组成的五头政治所分享，每一个政府有其不同的帝国形式。当然，从1945年到1989年，我们是生活在一个两极的世界中，兰克也许会对此表示震惊（尽管与他同时代的阿列克西·德·托克维尔并不会感到吃惊）。世界按照两个大陆帝国一分为二，而它们则互相指责对方为帝国主义国家。接着，在20世纪90年代早期，美国看来已经建立了一个单极的秩序。然而，今天的跨国威胁诸如恐怖主义、核扩散以及有组织的犯罪——更不用说全国流行性疾病、气候变化以及水资源短缺——使得国与国之间的相互协作上升到非同寻常的高度，而非相互间的竞争。单边主义的吸引力是不容置疑的，因为过分苛求的盟友比无形的仇敌更使人厌烦。但是一个单边的战略要战胜任何这些挑战，希望都很渺茫。要对所有这一切成功发动战争的关键就如同继续国际贸易一样取决于多国参加的机构。对于一个伟大的帝国而言，维多利亚时代的保守党人的“光荣孤立”政策，其实是自相矛盾的说法，是最危险的事情。过去同现在一样，一个伟大的英语帝国为了要获得其既定的目标的成功，必然需要与较小的（但非无足轻重的）一些国家协作。正如G · 约翰 · 埃肯伯里所说的那样，美国人在第二次世界大战和冷战中的胜利与国际机制的建立与推广是密不可分的，这些机制既限制了美国的行动自由，又使美国所行使的权力合法化。

再来考虑一下国际维和的问题。事情已经相当清楚，没有某些外国的协助，美国是无法在科索沃、阿富汗和伊拉克这样的距离遥远的国家执行有效的维和任务的——也就是说履行国际警察的职责。维和不是美国士兵受训要执行的任务，他们看起来也没有多少兴趣来做这件事。而且我们也有理由假设，美国全体选民是不会容忍美国军队长时间暴露在“低强度冲突”的危险之中：检查站的人体炸弹、后街隐藏的狙击手，以及向巡逻队和车队开火的火箭筒发射的榴弹。由于美军缺乏大规模的兵员补充，一个明显的解决问题的办法便是继续成功的先例，即与联合国其他成员国共同分担维和使命——尤其是美国的欧洲盟友，他们对外援助的预算相对比较慷慨，而且他们仍然采用大规模的义务征兵制。如果这些军队不被用于维和任务的话，很难想象这些士兵有何用武之地。欧洲现在已经宣称在其疆界内实现永久和平，而且它也不会再受到俄罗斯的威胁了。

罗伯特 · 卡根那类人把欧洲人看作是阅读康德著作的维纳斯（即金星）——这是与美国的阅读霍布斯（以及克劳塞维茨）的火星人相对应的

概念——但他们忽略了冥王在国家重建过程中的关键作用。战争与爱都是必要的，但是所有的帝国都得依靠金钱的支撑。没有对法治和社会稳定的相当巨大的投资，阿富汗和伊拉克这样的国家的发展就将停滞不前，也许国家还会分崩瓦解。除非美国根本上做好准备改变其对于低强度冲突的态度，否则除了与更为慷慨的欧洲人合作之外，别无选择。单边主义就像孤立主义一样毕竟不是一件好事。实际上，它也很少成为一个帝国在现实中的选择。

真正的危险在于，大国间的合作容易垮掉的原因并不是美国和欧盟之间的竞争关系，而是双方都缺乏在其疆界之外采取行动的意志。这些庞大而复杂的实体的内部矛盾很容易分散他们对“失败”国家和“流氓”政权问题的注意力。有些人会说，这样一种施宾格勒式的西方的衰落会带来一个权力真空，只有崛起的亚洲大国可以填补。然而，那些把中国看作是未来霸主的人们可能会发现，中国也存在太多问题亟待解决和处理，虽然这次是向市场经济迈进。同样，那些把伊斯兰看成是文明冲突中西方世界的主要仇敌的人们也会发现，人口不断扩张的穆斯林社会要达成政治上的一致意见，这是很难想象的。简而言之，未来在一段时间里可能会是一个无极的国际社会，即连一个占统治地位的帝国主义国家也没有的这样一个世界。

终结者

全球化的矛盾在于，随着世界变得越来越一体化，权力却变得越来越分散。多亏全球资本主义的推动作用，全世界几乎最穷困的人们现在所拥有的购买力，让他们的祖父辈们连想都不敢想。生产方式从未如此高效或者说从未如此被广泛地接受——正如中国和印度迎来了它们迟来的经济起飞一样。多亏民主思想的传播，使得今天世界上绝大多数的人比他们的祖父们享有明显更多的政治权利。竞选的民主方式从未如此广泛地被作为政府的最佳选择。比起两三代之前的情形，教育也在大多数国家被更多的人口所享有；现在比以往任何时候，都有更多的人能够利用自己的脑力。所有这一切的改变意味着传统上基于垄断——对财富、政治职务以及知识的垄断——的大国在很大程度上已经不复存在。不幸的是，基于现代技术的毁灭性武器也在不断扩散，暴力手段也被更均匀地分布着。火力分布得如此均匀，在历史上没有先例。

我们不应当忘记，实力并不仅仅是能够买到你想要的任何东西——那仅仅是财富。实力是能否以低于市场价格的水平购买你想要的任何东西。它能够使得人们愿意以任何价格提供服务或出售其货物，而通常情况下他们是不会这样做的。对于那些野心勃勃的，寻求在国境之外施加影响的帝国而言，权力既取决于掌权者的意志也取决于其臣民的支持。然而，权力一旦被分享，便自行消失了。在其他国家一颗原子弹也没有的前提下，单独拥有一枚原子弹的那个国家，比自己拥有 1 000 枚原子弹，但其他所有国家也都有一枚原子弹的国家更为强大。

这就把我们带到了美国与阿诺德 · 施瓦辛格所扮演的终结者的最后一个相似之处。在军事对抗中，美国具备造成令人震惊的毁灭，而自身遭受的损失则保持在最低程度的能力。如果它想要这么做的话，就没有它终结不了的政权——包括朝鲜。当然，这样的战争也许会留给韩国一片废墟，而美国终结者则会几乎毫发无伤地出现在碎石瓦砾堆之上。在这个终结者的电脑程序中并没有国家重建的设计程序。他离开的时候留下的就只是破坏和毁灭。

2003 年秋季，布什总统声称他“将不离开”伊拉克；美国“不会逃脱”；中东“必将成为美国政策未来几十年的焦点”，以此寻求重振美国士气。然而，如果美国最终顺从了来自国内外的政治压力，还没取得经济重建工作的成功就从伊拉克和阿富汗撤军，这样的场面也不是我们不熟悉的。当这位全球“终结者”最终承认“我再也不会回来时”，美国权力的局限性将暴露无疑。

在写作于2000年并在2001年春季出版的我的那本《金钱关系》一书中，我试图论证美国不仅能够扮演一个更为自信的全球角色，而且它也不能不充当这个角色。任何冒险作预言的历史学家都有责任以其后见之明，来审视当初所下的定论。当时我作的要点如下：

1. “毁灭的手段从来没有像现在这样廉价……（廉价武器）的主要受益人是中东和黑非洲地区的一些游击部队，西欧的恐怖小组和美洲的贩毒帮派。”

2. “坦白地说，在可预见的未来时间里，任何国家想要对美国发动直接的攻击的可能性是极其小的，虽说恐怖分子针对美国的一些城市发动袭击还是很有可能的。”

3. “自从1945年以来，几乎所有世界上战争的增长都是由于内战的蔓延……（但是）联合国作为全球警察的记录则不敢恭维……1992年到1999年间安理会授权一系列的人权干预行动……大部分行动即使成功也不起什么作用，糟糕的行动则更是灾难性的。”

4. “人们经常问这样的问题，在这里也值得重复如下：美国不是想要废除这些暴君再强加民主政府给他们的国家吗？ 入侵一个国家，废黜那里的独裁统治者和在枪口下强加自由选举给受侵国通常会作为与美国‘价值观’不相符而被驳回。一种传统的观点认为，美国永远不能够从事19世纪英国所实行的那一套公开的帝国主义统治——但这恰恰是在第二次世界大战末，美国在德国和日本的所作所为，而且这种行为取得了巨大的、持久性的成功。”

5. “美国决不应该像某种巨型蜗牛一样躲在电子外壳里撤退，而应当将其巨大资源以更大的比例投入到为资本主义和民主制造安全的世界环境中去。与‘历史终结论’幼稚的必胜信念恰恰相反，这些并非都会自然而然地发生，这是需要法律和制度的坚强来构建其基础的。帝国主义的美国的合适角色是在那些缺乏这些因素的地方建立这些制度，必要的话……要通过军事武力手段。反对者并没有什么经济方面的理由，因为这样做的成本并非高到令人望而却步。对全世界的‘流氓国家’强行实行民主也不会使美国的国防预算超过5%的GDP。支持这条政策倒是有经济上的理由，因为在这些国家建立法治，会为它们贸易的复苏和扩大带来长期的利益。”

我在克林顿政府行将结束的日子里，有点过于激昂地作了结论。21世纪的世界所面临的“最令人失望的事情是：能够以其资源使这个世界更加美好的这个国家的领导人，却缺乏这样做的勇气”。我从未奢望在“9·11”恐怖袭击事件灾难发生仅9个月之内，新一任总统便会着力于实行与我所倡导的类似的政策。自从美国向恐怖主义宣战以来，胆量已不是问题了。现在面临的问题是能否有不屈服的精神，也就是说，美国能否坚定地完成已经开始了的事业。

那时，我与大多数欧洲对美国的评论家意见相左。我认为世界需要一个富有成效的自由帝国，而美国就是这个岗位的最佳候选人。经济全球化正在起着作用。世界上两个人口最多的国家，中国和印度人均收入的飞速增长意味着世界人均收入的不平等现象最终正不断地缩小。但世界上有部分地方，在那里司法和政治体制如此失败和腐败，那里的居民实际上完全与经济繁荣无缘。也有些国家通过软弱或是极端的恶意手段，鼓励恐怖组织致力于破坏自由世界的秩序。正是由于这个原因， 经济全球化需要得到政治上的支撑，正如一个世纪前的情形一样。

美国完全有理由扮演自由帝国的角色，不管从其自身安全的角度还是出于其坦率的利他主义的角度来考虑。在许多方面，它也是唯一有资格扮演这个角色的大国。然而，仅仅依靠庞大的经济、军事和文化实力还不够，如果不对其经济结构、社会组成和其政治文化进行彻底改革，美国仍然很难成为一个富有成效的自由帝国。

美国新帝国主义分子则喜欢引用吉卜林的《白人的负担》，这首诗写于1899年，以此来鼓励麦金莱总统在菲律宾进行帝国的建造。但是它的一成不变的语言是过去时代的语言——实际上是整个 19 世纪的语言。虽然我对帝国自我否定的种种危害多次提出警告，但我也不要求美国人在国会大厦的屋顶上宣称美国帝国主义的存在。我想说的是，无论他们选择什么来称呼自己在世界上的地位——霸权、独家优势、领导优势——美国人都应当认清在现今的和过去的英语帝国之间，存在职责上的相似性。美国人应当在维持一个难驾驭的世界的治安工作上比它的英国前任做得更好而不是更糟。在向其他帝国历史的学习过程中，美国人学会的将不是傲慢，而恰恰是还作为总统候选人时期的乔治 · W · 布什曾经建议他的同胞们的“谦卑”二字。

在写《白人的负担》的两年前，吉卜林曾经写了另一首诗，也许更为切题。标题是“退场赞美诗”，是对帝国主义衰亡的忧伤宣告，对维多利亚晚期的辉煌错觉是一个彻底的纠正。

> 我们的舰队消失于长途远征；
> 土堆和沙滩上火焰已熄：
> 昔日的自大在今日早已不存，
> 只剩下尼奈维和泰尔两座枯城：
> 饶恕我们吧，
> 主宰世界各民族的法官，
> 除非你已将它忘却。

这就是我们时代的巨人所需留心的话语，即便他看起来是多么所向无敌地驾驭着这个世界。正如托尼 · 布莱尔在 2003 年 7 月对美国国会的演说中简明扼要地指出的：“所有占统治地位的大国在某一个时期内看起来是无敌的，但实际上，这只是转瞬即逝的现象。”美国人必须问自己的问题是，他们希望他们的统治地位持续多么短的时间。虽然野蛮人已经在敲门了——曾经那么蔚为壮观——但就好像吉本笔下的古罗马一样，帝国的衰落看来更有可能来自其内部。

统计附录

表 15 美国主要的海外占领，1893 年—2003 年

领地	占领时间	启程出征	持续时间（年）	状态	今日人均收入*	今日民主（自由之家成绩）※
夏威夷	1893	无	110	美国	30 001	1
波多黎各	1898	无	105	英联邦联合美国	11 091	不适用
关岛	1898	无	105	美国领地	20 664	不适用
菲律宾	1898	1946	48	独立	1 020	2
美属萨摩亚群岛	1899	无	104	美国领地	7 279	不适用
巴拿马（运河区）	1903	1979	76	独立	4 020	1
维珍岛	1916	无	87	美国领地	13 139	不适用
多米尼加共和国	1924	1924	8	独立	2 320	2
海地	1915	1934	19	独立	440	6
联邦德国	1945	1955	10	独立	22 670	1
日本	1945	1952	7	独立	33 550	1
北马里亚纳群岛	1947	无	56	英联邦联合美国	12 500	不适用
帕劳群岛	1947	1994	47	与美国的自由联合	7 140	1
密克罗尼西亚	1947	1986	39	与美国的自由联合	19 807	1
马绍尔群岛	1947	1986	39	与美国的自由联合	2 350	1
韩国	1950	无	53	独立	9 930	2
越南南方	1965	1972	7	并入越南	430	7
阿富汗	2002	?	1.5	临时政府	不适用	6
伊拉克	2003	?	0.5	联合当局	不适用	7

* 人均国民收入总值，图谱法（以当前美元表示）

※自由之家政治自由度指数：1=完全自由，7=完全不自由

表 16　美国在重大战争中的伤亡人数

冲　　突	军队在编人数	死　亡		总受伤人数
		战斗	其他	
革命战争	200 000	4 435	不适用	6 188
1812 年战争	286 000	2 260	不适用	4 505
墨西哥战争	78 700	1 733	11 550	4 152
内战：联合	2 803 300	110 070	249 458	275 175
内战：同盟国	1 064 200	74 524	124 000	137 000
内战：联合	3 867 500	184 594	373 458	412 175
西班牙－美国战争	306 800	385	2 061	1 662
第一次世界大战	4 743 800	53 513	63 195	204 002
第二次世界大战	16 353 700	292 131	115 185	670 846
朝鲜战争	5 764 100	33 651	不适用	103 284
越南战争	8 744 000	47 369	10 799	153 303
海湾战争※	2 750 000	148	145	467

冲　　突	总死亡人数	百　分　比			持续时间（月）	比率行动中死亡人数/月
		行动中死亡人数	死亡	受伤		
革命战争	10 623	2.2	2.2	5.3	80	55
1812 年战争	6 765	0.8	0.8	2.4	30	75
墨西哥战争	17 435	2.2	16.9	22.2	20	87
内战：联合	634 703	3.9	12.8	22.6	48	2 293
内战：同盟国 **	335 524	7.0	18.7	31.5	48	1 553
内战：联合	970 227	4.8	14.4	25.1	48	3 846
西班牙–美国战争*	4 108	0.1	0.8	1.3	4	96
第一次世界大战	320 710	1.1	2.5	6.8	19	2 816
第二次世界大战	1 078 162	1.8	2.5	6.6	44	6 639
朝鲜战争	136 935	0.6	0.6	2.4	37	909
越南战争	211 471	0.5	0.7	2.4	90	526
海湾战争※	760	0.0	0.0	0.0	1	148

注：“战斗”栏中“死亡”人数是指在行动中死亡部队人数。“其他”是指疾病、物资匮乏和事故的人数包括战犯在监狱中的死亡人数。

** 同盟国非战役死亡及受伤人数估计

* 战斗仅一个月之后

※ 持续战斗六个月之后。

致谢

COLOSSUS

若我2003年没有去美国住上一段时间，这本书怕是不会呈现在你眼前。跨大西洋的那些移民们的复兴使我产生了浓厚的研究兴趣。我带着一只装着“美利坚帝国假说”的皮包来到了纽约，而这个国际大都市在冥冥中给了我一股力量，让我觉得有很多比打开这只箱子研究“假说”更值得做的事。结果是，一个综合性的论述诞生了——并不局限于在已出版或未出版的书目中旁征博引，还包括不计其数的有关美国国力过去、现在和将来的讨论。美国的过去，毋庸置疑是历史学家所应关注的领域。尽管本书的主要内容更多取材于近期的大事，和对可能的未来的讨论，但我认为撰写一部历史学著作，首要之事便是确定从何处落笔。我的主要目的，是想简单地促使美国人民将他们国家最近的窘况，和过去的那些帝国曾遭遇的状况联系起来。我并不想像一个挑剔的批评家那样写作，而是想以一个期待美国确立其帝国权威且担心它会衰落的狂热崇拜者的立场撰写此书。

不同于我之前的作品，本书是一部将谈话素材与文字素材并重作为研究依据的书，我最大的一笔人情欠在纽约大学，特别是莱纳德·N·斯坦恩商学院。斯坦恩商学院当时的院长乔治·戴利邀请我在纽约大学执教，这真是一个意料之外的惊喜。在此，我不仅要向他致敬，也要向他的继任——汤姆·库利，以及斯坦恩商学院所有的教员、管理者致敬。我要感谢经济学院的教授迪克·希拉，他的友善和交际能力帮我缓解了不少矛盾。还有路易斯·卡柏瑞，他是希拉的继任者。一般来说，若整个机构都如此热情，在此却只写其中一些人的名字，怕是会惹人生厌。但我必须声明，我在斯坦恩商学院乃至纽约大学的诸多同僚，均应得到我特别的感谢。因为他们就讨论会论文所写的评论，以及其他论述观点最终都化作了本书的章节。我要感谢戴维·巴克斯、汤姆·本德、亚当·勃兰登堡、比尔·伊斯特利、尼古拉斯·伊科诺米季斯、谢泼德·福曼、托尼·朱特、法布里奇奥·佩里、汤姆·萨金特、比尔·西尔伯、乔治·史密斯、拉里·怀特和伯纳德·杨。对来自于秘书处及行政人员的支持的感谢也要献给凯思林·柯林斯、梅丽莎·菲尔茨和吉娜·兰兹塞拉（在纽约）、凯蒂亚·匹兹文（在牛津）和玛丽亚·桑切斯（在斯坦福）。

经历近15年在牛津和剑桥的学习后，我怀着不安的心情，逐步去尝试教授那些美国大学生。当发现这种教授过程并非充满痛苦，而是充满快乐时，我心甚慰。塞尔吉奥·丰塞卡和戈帕尔·塔姆比在我于斯坦恩商学院任教期间担任我的助手。我的任务非常繁重，他们的工作非常出色，帮了我很大的忙。我要感谢所有选我课的学生们，我学到的东西和他们从我这里学到的一样多。拜富有魅力的学者约翰·塞克斯顿校长所赐，纽约大学是一个适合学者生存的地方，我在此对他深表感谢。

美国科研机构总是怀着极大的热情与活力去帮助那些处于困境中的校友。有两位朋友在我在纽约期间给予了我慷慨的支持与信任，他们是威廉姆·伯克利和约翰·赫佐格。我要向他们表示感谢，还有他们的妻子：玛乔丽和戴安娜。是约翰和戴安娜在我任金融史系教授期间帮助了我，我以本书作为向他们致谢的礼物。

同样的感谢应给予许许多多用礼貌与善意迎接我这个纽约大学新人的人，特别要感谢的是玛莎·巴约纳、麦克·坎皮西、吉米·卡塞拉、恺撒·科罗纳多、约瑟夫·乔达诺、菲尔·格里尼、乔治·卢约、萨利哈·穆罕默德、赫克托·里维拉、内维尔·罗德里格斯和乔瓦尼·德·萨尔沃。

2003 年，与受聘为纽约大学研究员同样幸运的是，我成为了全美顶级历史学研究中心之一——斯坦福大学胡佛研究中心的合伙人。我要感谢选择我成为他们新伙伴的研究院主任及其他同事们。他们所有人都让我在 2003 年那个加利福尼亚的秋天感到无比温暖。

接下来的感谢要赠给一个遥远的学院——我的母校牛津大学。它给了我成为一名访问学者的机会，我是不会忘记这些的。我同样乐意感谢牛津大学耶稣学院的主管和其他同事们，正是他们给了我成为一名研究员的机会；还有奥利尔学院的主管及同事们，他们给了我在牛津访问学习的资格。我要特别感谢杰里米·卡托，还有才华横溢的阿米特·吉尔——在牛津大学研究时能拥有吉尔作为助手，实在是我的幸运。

本书的部分写作素材来源于报章杂志。在这些为我展示了美国报业写作技巧的编辑中，我要感谢安妮·巴罗克拉夫、埃里克·艾希曼、托尼·爱默生、尼古拉斯·格沃斯德夫、达米扬·德·科尼耶维克–米斯科维奇、迪安·罗宾逊、吉迪恩·罗斯、阿利森·西尔维、罗伯特·西尔维斯、索菲娅·斯莫兹、唐库·瓦拉达拉金、迈克尔·杨和法里德·扎卡里亚。同样要感谢乔治·埃姆斯、里克·伯恩斯、彼得·卡瓦纳、布莱恩·莱勒、凯文·卢西、汤姆·莫罗尼、彼得·罗宾逊和杰弗里·沃里尔，为了那些天马行空般的重要讨论。

第三章的部分内容最初在2001年发表于《恐怖的时代》一书中，当时题为“文明的冲突或疯狂的毛拉：非正式帝国与正式帝国之间的美国”，编辑者是斯特罗布 · 塔尔博特。第五章的部分内容曾被题为“大英帝国和全球化”在《历史之声》发表。第六章的部分内容的首次发表是在《纽约时报杂志》，题为“帝国偷偷溜了回去”；还有部分被题为“真实的谎言”发表在《新共和国》中。最后，第八章的部分内容是劳伦斯 · 柯特利科夫与我共同撰写的，初次发表在2003年秋季的《国家利益》(季刊）中，题为“走向临界：超负荷的美国财政”。我很感激所有那些允许我在本书中重新刊载以上内容的书刊媒体。

书中的其他内容曾被一些阅读过本书草稿的人改进过。理查德 · 库珀在草稿的引言部分发现了大量的谬误。埃里克 · 罗威以善意的眼光审阅了本书的前几章，帮助我这个美国史领域的新人提高文稿水平。迭戈 · 阿利亚友善地就第四章提了很多建议。朱迪思 · 布朗为第六章提供了非常宝贵的建议。在牛津大学圣安东尼学院任职的蒂莫西 · 加顿 · 阿什，还有在英格兰银行任职的马丁 · 托马斯是我的朋友，他们阅读了第七章的草稿并作了大量改进。而戴维 · 黑尔和迪尔德丽 · 麦克洛斯基于芝加哥人文艺术节上提交的一份较早版本的演讲稿，还有与罗纳德 · 麦金农在斯坦福与我的谈话内容，都给了我灵感以对本书第八章进行值得注目的结构修正。

还有很多感谢要给其他那些阅读本书草稿并表达意见的人们。他们是：格雷厄姆 · 阿利森、安妮 · 阿普尔鲍姆、克里斯 · 巴斯福德、马克斯 · 布特、艾米 · 蔡、戈登 · 克拉维茨、拉里 · 戴蒙德、杰拉尔德 · 多尔夫曼、莫琳 · 多德、迈克尔 · 埃德尔斯坦、弗兰克 · 艾格、博妮塔 · 艾格、格里 · 费尔德曼、诺玛 · 费尔德曼、马克 · 弗兰德鲁、本 · 弗里德曼、芭芭拉·弗里德曼、安德鲁·冈拉克、芭芭拉·冈拉克、约翰·霍尔、帕特里克·哈彻、保罗·海因贝克尔、米哈伊尔·伊格纳季耶夫、哈罗德·詹姆斯、罗伯特·卡根、哈里·克莱斯勒、梅尔文·莱弗勒、彼得·林德特、艾琳·麦克维茨、查尔斯·梅尔、诺曼·内马克、约瑟夫·奈、帕特里克·奥布莱恩、凯文·奥罗克、林恩·德·罗斯柴尔德、伊芙琳·德·罗斯柴尔德、西蒙·沙玛、莫里茨·舒拉里克、彼得·施瓦茨、扎克·肖尔、拉迪克·西科尔斯基、劳伦斯·萨默斯、杰赛普·塔塔拉、艾伦·M·泰勒、迈克·汤姆斯、马克·威登密尔、巴里·温加斯特、詹姆斯·沃尔芬森、林奈丽和明克·沃登。

安德鲁·怀利和他的怀利版权代理公司的卓越团队，妥善安排了我以作家身份进行的跨大西洋之旅。我想感谢企鹅出版社纽约部的安·葛多芙还有我的编辑——斯科特·莫耶斯，他对草稿进行了严谨的审阅工作，极大地提高了终稿的质量。企鹅出版社伦敦部的西蒙·温德尔为本书所作的增补、删除工作也同样出色。作为一个撰写者，我认为没有比他们更好的编辑者了。同样的感谢也要给予安东尼·福布斯–沃森、海伦·弗雷泽和斯蒂芬·麦格拉，还有我的文字编辑波尔·哈尼格、克洛伊·坎贝尔、莎拉·克里斯蒂、索菲娅·菲尔斯、罗琦·格莱舍、蕾切尔·罗基奇以及其他不可或缺的企鹅出版社的工作人员。一个作者可以不见到他们，便将自己的书稿交给他们全权处理——我对他们无比信任。

本书的一些章节被预期作为一部英国纪录片的旁白使用，我要感谢第四频道的珍妮丝·哈德洛和哈米什·莫拉，他们给了我巨大的支持；还要感谢德尼斯·布莱克韦及其优秀的制作团队：罗塞尔·巴恩斯、提姆·克拉格、梅勒妮·福尔、凯特·麦基和阿里·席林。同样的感谢也应献给卡西姆·德干、利亚斯·埃布拉欣、马赛厄斯·哈恩切斯和阮胡强（音）。

而我最应感谢的是我的妻子苏珊，还有我的孩子们：菲利克斯、芙蕾娅和拉克伦。尽管我忙于写本书而忽视了他们，但他们无疑是我的灵感之源。